Sven Schultze

Luftfahrtforschung und -ausbildung in der DDR

Hightechkaderschmiede oder
"Gartenmöbelforschung"?

Die Fakultät für Leichtbau / Luftfahrtwesen
der TH Dresden

Gedruckt mit freundlicher Unterstützung der Gerda-und-Hermann-Weber-Stiftung, Berlin

Sven Schultze

LUFTFAHRTFORSCHUNG UND -AUSBILDUNG IN DER DDR

Hightechkaderschmiede oder
"Gartenmöbelforschung"?

Die Fakultät für Leichtbau / Luftfahrtwesen
der TH Dresden

ibidem-Verlag
Stuttgart

Bibliografische Information der Deutschen Nationalbibliothek
Die Deutsche Nationalbibliothek verzeichnet diese Publikation in der
Deutschen Nationalbibliografie; detaillierte bibliografische Daten sind im
Internet über http://dnb.d-nb.de abrufbar.

Bibliographic information published by the Deutsche Nationalbibliothek
Die Deutsche Nationalbibliothek lists this publication in the Deutsche Nationalbibliografie;
detailed bibliographic data are available in the Internet at http://dnb.d-nb.de.

Gedruckt mit freundlicher Unterstützung der Gerda-und-Hermann-Weber-Stiftung, Berlin

Coverbild: Artikel *152 (Flugzeug)*. In: Wikipedia, Die freie Enzyklopädie. Bearbeitungsstand: 2. März 2008,
01:55 UTC. URL: http://de.wikipedia.org/w/index.php?title=152_%28Flugzeug%29&oldid=43196543
(Abgerufen: 27. März 2008, 14:17 UTC)

∞

Gedruckt auf alterungsbeständigem, säurefreien Papier
Printed on acid-free paper

ISBN-10: 3-89821-877-5

ISBN-13: 978-3-89821-877-1

© *ibidem*-Verlag
Stuttgart 2008

Printed in Germany

Gewidmet

meinen Eltern

Horst und Eva Schultze

sowie

Sonja Unterberger

Vorwort

Die vorliegende Untersuchung ist eine überarbeitete Fassung meiner Magisterarbeit, die ich im Jahre 2005 als Ergebnis mehrjähriger Forschung am Lehrstuhl für Zeitgeschichte der Universität Potsdam geschrieben habe.

Stellvertretend für alljene, die mir hierbei mit fachlichem Rat zur Seite gestanden haben, danke ich Prof. Dr. Konrad H. Jarausch und Priv.-Doz. Dr. Burghard Ciesla für die zahllosen Hilfestellungen und kritischen Anregungen. Ferner danke ich Dr. Matthias Judt und Enrico Heitzer für Hinweise und produktive Gespräche.

Ohne die ebenso freundliche wie kompetente Unterstützung der Mitarbeiter des Bundesarchivs, der Archive der Universitäten Rostock und Dresden sowie der BStU wäre die Verwirklichung dieses Buches nicht möglich gewesen. Auch ihnen gilt mein Dank.

Gewidmet sei dies Buch meiner Familie, die mich in jeglicher Hinsicht unterstützt und durch ihr Interesse am Thema wesentlich zur Vollendung dessen beigetragen hat.

Nicht zuletzt sei auch denjenigen gedankt, die mir die typographische Arbeit von der Schulter nahmen, aber nicht genannt werden wollen.

Berlin, im August 2007   Sven Schultze

Inhalt

1. Einleitung

Die Flugzeugindustrie der DDR existierte nur für wenige Jahre: Ihre Gründung war im Jahre 1952 unter militärischen Vorzeichen erfolgt. Nach dem Volksaufstand vom 17. Juni 1953 fand eine zivile Umprofilierung statt, aber bereits im März 1961 musste der Industriezweig aufgelöst werden. In Summa verzeichnete der Staatshaushalt Verluste in Millardenhöhe. Den rund 25.000 Beschäftigten des Industriezweiges mussten neue Beschäftigungen geboten werden und die im Bau befindlichen Exemplare des Passagier-Jets „152" wurden verschrottet. Die Probleme der Planwirtschaft, die nicht funktionierende Zusammenarbeit mit der UdSSR, ein fehlender Absatzmarkt und die Systemkonkurrenz unter den Bedingungen des Kalten Krieges sorgten für ein schnelles Ende des ambitionierten Prestigevorhabens der SED-Führung.

Nach 1990 haben sich nicht wenige Forschungsarbeiten mit dem Flugzeugbau und der Luftfahrtindustrie in der DDR befasst[1]. Dabei boten sich unter den Aspekten der sowjetischen Reparationen, des Kalten Krieges, der Technikgeschichte oder der Verkehrspolitik interessante Untersuchungsansätze. Obwohl die Forschungen zur SBZ/DDR insgesamt aber inzwischen eine Projektzahl jenseits der Tausendergrenze erreicht haben, sind Studien über die Führungsgruppen in der DDR nach wie vor rar geblieben. Dieser Forschungsstand verblüfft, da das Vorhandensein loyaler Eliten als eine Grundvorraussetzung für das Funktionieren des SED-Staates angesehen wird. Vor allem fehlen Fallstudien, die zeigen, wie sich die neuen Eliten in der Wirtschaft oder im Hochschulwesen der DDR etabliert haben. Mit dieser Untersuchung wird anhand der alten und neuen Luftfahrtelite innerhalb der akademischen Luftfahrtforschung nun eine solche Falluntersuchung vorgelegt.

Der Aufbau einer Luftfahrtindustrie erfordert eine Vielzahl speziell ausgebildeter Facharbeiter, Meister, Ingenieure und Wissenschaftler. Um diese auszubilden, waren sowohl eine spezielle Berufsausbildung als auch ein Fach- und Hochschulstudium notwendig[2]. Die Berufsausbildung übernahmen die Volkseigenen Betriebe der Luftfahrtindustrie durch die Ausbildung von Lehrlingen und Weiterbildungs- bzw. Umschulungsmaßnahmen. 1957 entstand dabei auf der Basis von Junkers-Unterlagen das „Merkbuch für den

---

[1] Zur Geschichte der DDR Luftfahrt und Luftfahrtindustrie siehe u.a. Barkleit, Gerhard/Hartlepp, Heinz: Zur Geschichte der Luftfahrtindustrie in der DDR 1952-1961, Dresden 1995 (Hannah-Arendt-Institut für Totalitarismusforschung, Berichte und Studien Nr. 1/95); Ciesla, Burghard: Die Transferfalle: Zum DDR-Flugzeugbau in den fünfziger Jahren, in: Hoffmann, Dieter/Macrakis, Kristie (Hg.): Naturwissenschaft und Technik in der DDR, Berlin 1997, S. 193-211; Dienel, Hans-Liudger: „Das wahre Wirtschaftswunder" – Flugzeugproduktion, Fluggesellschaften und innerdeutscher Flugverkehr im West-Ost-Vergleich 1955-1980, in: Bähr, Johannes/Petzina, Dietmar (Hg.): Innovationsverhalten und Entscheidungsstrukturen. Vergleichende Studien zur wirtschaftlichen Entwicklung im geteilten Deutschland 1945-1990, (Schriften zur Wirtschafts- und Sozialgeschichte Band 48), Berlin 1999, S. 341-371; Lorenz, Holger: Der Passagier-Jet „152". Walter Ulbrichts Traum vom „Überflügeln" des Westens. Die Geschichte des ersten deutschen Passagierflugzeuges mit Strahlantrieb, Marienberg 2003; ders.: Kennzeichen „Junkers". Ingenieure zwischen Faust-Anspruch und Gretchen-Frage, Marienberg 2004; Mewes, Klaus-Hermann: Pirna 014. Flugtriebwerke der DDR. Entwicklung, Erprobung und Bau von Strahltriebwerken und Propellerturbinen, Oberhaching 1997; Michels, Jürgen/Werner, Jochen (Hg.): Luftfahrt Ost 1945-1990, Bonn 1994 (= Die deutsche Luftfahrt Band 22); www.jet152.de.
[2] Michels/Werner (Hg.): Luftfahrt Ost, S. 190.

Metallflugzeugbauer"[3]. Die Flugzeugindustrie, als der höchst entwickelte Teil des Maschinenbaus, erforderte mehr höhere und mittlere technische Kader als die übrigen Zweige des Maschinenbaus. Zur Heranbildung des akademischen Nachwuchses waren daher spezielle (Technische) Hoch- oder Fachschulen notwendig. Ohne gut ausgebildeten, qualifizierten und motivierten Nachwuchs, der möglichst nahtlos von der Hochschule in die Forschung und/oder in die Industrie übernommen wird, war der Aufbau einer Luftfahrtindustrie nicht möglich[4]. In der DDR lagen die Schwerpunkte der Kaderausbildung für die Luftfahrtindustrie an der Technischen Hochschule (TH) Dresden, Fakultät für Leichtbau, später Fakultät für Luftfahrtwesen und an der Ingenieurschule für Flugzeugbau in Dresden.

Der Fakultät für Luftfahrtwesen an der TH Dresden kommt bei der Heranbildung der neuen Kader das Hauptaugenmerk zu, da sie die einzige Hochschule in der DDR war, die Luftfahrtingenieure und -wissenschaftler ausbildete. Die Ingenieurschule für Flugzeugbau ist daher nicht Gegenstand der Untersuchung. Die Besonderheit und Wichtigkeit dieser Fakultät wurde stets wahrgenommen und auch betont. So heißt es beispielsweise in einem Schreiben an den Genossen Döring im „Sektor Forschung und Technik" im Ministerium für das Hoch- und Fachschulwesen (MHF): „Die Fakultät für Leichtbau (Flugzeugbau) ist eine besondere Fakultät. Dieser Tatsache muss sowohl auf staatlicher Ebene als auch auf der Ebene der Partei Rechnung getragen werden."[5] Auch aufgrund der Forderungen der Direktive zum 2. Fünfjahrplan, „die Ausbildung von wissenschaftlichen und mittleren technischen Kadern für Kerntechnik, Radartechnik und Luftfahrtwesen ist zu sichern"[6], war eine gründliche akademische Luftfahrtausbildung notwendig.

Bis heute stellt die Luftfahrtforschung in der DDR eine weit gehend unbekannte Größe dar. Auch wenn mittlerweile ein paar Publikationen im Titel darauf anspielen, so bearbeiten sie doch zumeist nur die Flugzeugindustrie und deren Erzeugnisse[7]. Eine „Luftfahrtforschung Ost"[8] gilt es in der Tat noch zu schreiben. Entsprechende weiterführende Forschungen seien hiermit nachdrücklich angeregt.

Die Akteure der Luftfahrtforschung in Deutschland bestehen traditionell aus folgender Trias: *Universitäre Luftfahrtforschung*, die an Universitäten oder Technischen Hochschulen in unterschiedlichen Disziplinen in Verbindung von Forschung und Lehre erfolgt. *Industrie-Luftfahrtforschung* erfolgt durch und für die Industrie, wobei oftmals Hochschulen miteinbezogen werden. *Außeruniversitäre Luftfahrtforschung* fand in der DDR wohl

---

[3] Ebd.

[4] Vgl. dazu auch: Arch UR: Technische Fakultät für Luftfahrt 3 „Aufbau der Fakultät (1952)".

[5] SAPMO – BArch: IV 2/9.04, Nr. 354: „Entwurf einer vorläufigen Einschätzung zu Fragen der Fakultät für Leichtbau an der Technischen Hochschule Dresden" (1956).

[6] Ebd.

[7] Siehe z.B. Hirschel, Ernst H./Prem, Horst/Madelung, Gero: Luftfahrtforschung in Deutschland, Bonn 2001. Die ostdeutsche Luftfahrtforschung wird hier auf weniger als 15 Seiten abgehandelt, wobei der eigentliche Inhalt der Forschungen und Forschungsthemen nur gestreift wird. Auch Helmut Trischler erwähnt in seiner Untersuchung der „Luft- und Raumfahrtforschung in Deutschland 1900-1970" die Luftfahrtforschung der DDR – etwa als Pendant zur bundesdeutschen – nicht.

[8] Etwa in Ergänzung und Erweiterung von Michels/Werner „Luftfahrt Ost".

kaum statt, da es keine Forschungsanstalten im klassischen Sinne mehr dort gab. Die Rollen die diese drei Gruppen zu übernehmen haben, lässt sich folgendermaßen zusammenfassen: Grundlagenforschung, angewandte Forschung, Experimentalentwicklung und die Produkterzeugung[9].

Ausgehend vom Hochschulbereich geht die Untersuchung der Frage der Elitenvernetzung zwischen Hochschule und Industrie in den 1950er Jahren nach. Im 2. Kapitel werden die Grundzüge der Entwicklung vor 1945 betrachtet. Um die prägenden Kontinuitäten und Brüche aufzuzeigen, wird daraufhin die Ausgangslage bei Kriegsende analysiert sowie auf die besondere Situation der deutschen Luftfahrtforschung in der Sowjetunion (Wissenschafts- und Technologietransfer) und die Situation des Hochschulwesens der SBZ eingegangen. Die Kapitel 3 und 4 thematisieren dann die Gründe für den Neuaufbau einer Flugzeugindustrie, den Beginn der akademischen Luftfahrtforschung und -ausbildung in der DDR an der Universität Rostock und mit der Luftfahrtforschung und -ausbildung an der TH Dresden. Die Beschreibung der Entwicklung der Fakultät für Leichtbau/Luftfahrtwesen, von Lehre und Forschung, ihrer Institute und die Schließung der Fakultät bilden die zentralen Untersuchungsschwerpunkte der Darstellung.

Es gibt nur sehr wenige Publikationen und Artikel, welche die Heranbildung dieser neuen technischen Intelligenz auf dem Gebiet der Luftfahrt in der DDR wenigstens erwähnen[10]. Ebenso ist der Hochschullehrkörper der Fakultät für Luftfahrtwesen der TH Dresden kaum unter dem Gesichtspunkt der Lehr- und Forschungstätigkeit an der Fakultät hin untersucht worden. Dies verwundert umso mehr, da der größte Teil der Dozenten auch direkt im Flugzeugbau beschäftigt war. Über die Hochschulen in der DDR wurde ebenfalls sehr viel veröffentlicht[11], doch über einzelne Fakultäten gibt es nur wenige Forschungen, und über die Fakultät für Leichtbau später Luftfahrtwesen gibt es derartige Untersuchungen bisher noch nicht.

John Connelly[12] fand heraus, dass es der SED-Führung im Unterschied zu den Entwicklungen in Polen und der Tschechoslowakei gelungen sei, schon seit Anfang der fünfziger Jahre des 20. Jahrhunderts die Ideologisierung der Hochschullehre, den Austausch

---

[9] Hirschel/Prem/Madelung (Hg.): Luftfahrtforschung, S. 16.
[10] Der Autor konnte folgende Artikel recherchieren, die die akademische Luftfahrtausbildung in der DDR ansprechen; vgl. Hartlepp, Heinz: Luftfahrtausbildung, in: Michels/Werner (Hg.): Luftfahrt Ost, S. 190-195; ders.: Hatte die DDR-Luftfahrtindustrie 1954 und danach eine Chance? Die heutige Sicht eines damals Beteiligten, in: Barkleit/Hartlepp: Zur Geschichte. S. 35, 40; Hirschel, Ernst Heinrich: Wiederaufbau der Deutschen Luftfahrtforschung nach 1945, in: Hirschel/Prem/Madelung (Hg.): Luftfahrtforschung, S.104.
[11] Zur Hochschullandschaft und akademischen Ausbildung in der DDR; vgl. u. a. Hecht, Arno: Die Wissenschaftselite Ostdeutschlands. Feindliche Übernahme oder Integration?, Leipzig 2002; Jessen, Ralf: Akademische Elite und kommunistische Diktatur. Die ostdeutsche Hochschullehrerschaft in der Ulbricht-Ära, (Kritische Studien zur Geschichtswissenschaft Band 135), Göttingen 1999; Schmidt, G.: Hochschulen in der DDR, Köln/Wien 1982 (Deutsches Institut für Internationale Pädagogische Forschung; Studien und Dokumentationen zur vergleichenden Bildungsforschung, Band 15/4); Schneider, Michael C.: Bildung für neue Eliten. Die Gründung der Arbeiter- und Bauern-Fakultäten in der SBZ/DDR, (Hannah-Arendt-Institut für Totalitarismusforschung, Berichte und Studien Nr. 13), Dresden 1998; Schwertner, Edwin/Kempke, Arwed: Zur Wissenschafts- und Hochschulpolitik der SED (1945/46-1966), Berlin (Ost) 1967.
[12] Connelly, John: Creating the socialist elite: communist higher education policies in the Czech Lands, East Germany and Poland 1945-1954, Cambridge (Mass.) 1994; ders.: Captive university. The Sovietization of East German, Czech, and Polish higher education 1945-1956, Chapel Hill/London 2000.

der alten Professoren und die Veränderungen in der sozialen Zusammensetzung der Studentenschaft konsequenter und effizienter durchzusetzen. Eine analytisch überzeugende Untersuchung zur Geschichte der ostdeutschen Hochschullehrerschaft in der Ulbricht-Ära von Ralph Jessen (siehe Anm. 11) analysiert die Transformation einer Schlüsselgruppe des akademischen Berufssystems von einer bürgerlichen Bildungselite zu einem Teil der „sozialistischen Intelligenz". Seine Perspektive reicht dabei bis in die Zeit vor 1945 zurück[13]. Jessens Fazit ist, dass der Wandel einer bürgerlichen Bildungselite zur „sozialistischen Intelligenz" zwar von Partei und Staat zielstrebig vorangetrieben und kontrolliert wurde, aber langsamer und widersprüchlicher war, als es das Bild von einem „Sturm auf die Festung Wissenschaft" suggeriert. Die von Jessen präsentierten Ergebnisse kontrastieren teilweise zu Erkenntnissen, die zuvor über Eliten an den Hochschulen und Universitäten formuliert worden waren. Burrichter und Malycha stellen fest: „Was Jessen für die Hochschullehrerschaft konzediert, kann auch für andere Wissenschaftsbereiche gelten: In der Praxis ist die totalitäre Gesellschaftspolitik der SED-Führung immer wieder mit historischen Konflikten, notgedrungenem Pragmatismus und den unerwarteten Nebenfolgen diktatorischer Allmachtsansprüche konfrontiert worden. Die Frage nach dem Verhältnis von Tradition und Neukonstruktion scheint generell noch nicht hinreichend beantwortet zu sein."[14] Auch im Falle der Fakultät für Luftfahrtwesen scheint dies der Fall gewesen zu sein.

Bei der Betrachtung der Wissenschaftsgeschichte der DDR dürfen die außerordentlich großen Anstrengungen zur Herausbildung einer technischen Intelligenz nicht übersehen werden, in denen sich der von der SED für verbindlich erklärte Führungs- und Leitanspruch besonders deutlich widerspiegelte[15]. Das Versprechen, Bildungschancen gerechter zu verteilen als das Kaiserreich und die Weimarer Republik und auch als die Bundesrepublik, diente der SED auch als eine zentrale Legitimationsbasis ihrer Herrschaft[16]. Zugleich verband die Parteiführung seit Beginn der 1950er Jahre ihre offensiv geführte Wissenschafts- und Technologiepolitik mit einer „Sowjetisierungskampangne"[17]. Dahinter verbarg sich zeitweise die Vorstellung, mit Hilfe der Sowjetunion einen eigenen Weg in der Wissenschaft und Technik gehen zu können. Auch bleibt die Frage offen, ob es sich bei der DDR tatsächlich um eine Gesellschaft handelte, in der sich Wissenschaft und Politik lediglich als ein Verhältnis von Herrschaft und Unterwerfung beschreiben lässt[18]. Generell beanspruchten Wissenschaft, Forschung und Technologie sowohl in den Selbst-

[13] Zur deutschen Wissenschaftspolitik und Hochschullandschaft vor 1945; vgl. z. B. Hammerstein, Nottker: Die Deutsche Forschungsgemeinschaft in der Weimarer Republik und im Dritten Reich. Wissenschaftspolitik in Republik und Diktatur 1920-1945, München 1999.

[14] Burrichter, Clemens/Malycha, Andreas: Wissenschaft in der DDR, in: Eppelmann, Rainer/Faulenbach, Bernd/ Mählert, Ulrich (Hg.): Bilanz und Perspektiven der DDR-Forschung, Paderborn u. a. 2003, S. 300-306, hier 305.

[15] Ebd., S. 306; vgl. auch Schneider: Bildung, S. 7.

[16] Schneider: Bildung, S. 7.

[17] Ciesla, Burghard: Die Transferfalle: Zum DDR-Flugzeugbau in den fünfziger Jahren, in: Hoffmann, Dieter/Macrakis, Kristie (Hg.): Naturwissenschaft und Technik in der DDR, Berlin 1997, S. 193-211, hier 196.

[18] Burrichter/Malycha: Wissenschaft, S. 307; vgl. auch Solga, Heike: Auf dem Weg in eine klassenlose Gesellschaft? Klassenlagen und Mobilität zwischen Generationen in der DDR, Berlin 1995.

darstellungen der SED als auch in der praktischen Politik einen ökonomisch und gesamtgesellschaftlich hohen Stellenwert[19]. Auch war der politischen Führung seit Mitte der 1950er Jahre bewusst, dass man mehr technischen Fortschritt benötigte, um den selbst gesteckten Anspruch erfüllen zu können, eine gesellschaftliche Alternative zur BRD zu sein[20].

Durch dieses Gefüge aus Fortschrittsglauben und technischer Überlegenheit sowie mit dem beginnenden Raumfahrtzeitalter setzte auf beiden Seiten des Eisernen Vorhangs eine regelrechte Technikeuphorie ein. Manche, aus heutiger Perspektive irrational erscheinende politische und wirtschaftliche Entscheidungen werden unter diesem Gesichtspunkt nachvollziehbarer und etwas deutlicher hervortreten. Schon zu Beginn der 1950er Jahre wurden Wissenschaft und Technik in der DDR zu maßgeblichen Faktoren beim Aufbau der neuen Gesellschaftsordnung erklärt. Mit der von der SED offen geführten „Sowjetisierungskampange" der Wissenschafts- und Technikpolitik verband sich deren Vorstellung mit Hilfe der UdSSR einen eigenen Weg im Bereich von Technik und Wissenschaft gehen zu können[21]. In der BRD hielt sich die Regierung mit derartigen Themen sehr bedeckt. Im Sommer 1958 hatte hierzu der Generalsekretär der SED Walter Ulbricht verkündet: „Für die Lösung der Grundaufgabe, die Herbeiführung der Überlegenheit der sozialistischen Gesellschaftsordnung gegenüber Westdeutschland, ist die weitere Entwicklung von Wissenschaft und Technik und die enge Verbindung von Wissenschaft und Praxis von entscheidender Bedeutung."[22] Des Weiteren wird „die Zusammenarbeit unserer Flugzeugbauer mit den genialen sowjetischen Flugzeugbauern, wie dem Genossen Tupolew und anderen, (...) sich für die Deutsche Demokratische Republik günstig auswirken. Ich möchte sagen: Mit tränendem Auge haben im Westen manche Redakteure geschrieben: ,Nun seht diese DDR an, jetzt bauen sie das erste große Düsen-Passagierflugzeug in Westeuropa.' – Wer hätte solche Leistungen erwartet?"[23]

Nicht nur, dass der erste Prototyp der 152 zu diesem Zeitpunkt (Juli 1958) noch gar nicht geflogen war[24], sondern auch die vielgepriesene Zusammenarbeit mit der UdSSR (und den anderen Volksdemokratien) praktisch gar nicht zustande kam – auf dem Gebiet der akademischen Luftfahrtforschung ist sie absolut gering.

Die Stimmung allerdings entwickelte sich damals geradezu euphorisch. Einen Höhepunkt erreichte die Begeisterung, als von der Sowjetunion am 4. Oktober 1957 der erste

[19] Ebd., S. 300.
[20] Steiner, André: Anschluss an den „Welthöchststand"? Versuche des Aufbrechens der Innovationsblockaden im DDR-Wirtschaftssystem, in: Abele, Johannes/Barkleit, Gerhard/Hänseroth, Thomas (Hg.): Innovationskulturen und Fortschrittserwartungen im geteilten Deutschland, (Schriften des Hannah-Arendt-Instituts für Totalitarismusforschung Band 19) Köln/Weimar/Wien 2001, S. 71-88, hier 73.
[21] Ciesla: Transferfalle, S. 196.
[22] Ulbricht, Walter: Für die Lösung der Grundaufgaben ist die Entwicklung von Wissenschaft und Technik entscheidend, in: Protokoll der Verhandlungen des V. Parteitages der Sozialistischen Einheitspartei Deutschlands 1958, 6. und 7. Verhandlungstag, Band II, Berlin (Ost) 1958, S. 959-963, hier 959.
[23] Ebd., S. 962.
[24] Der für den Erstflug festgelegte Termin, der 13. August 1958, konnte nicht eingehalten werden, da die Ergebnisse aus den statischen Belastungsversuchen mit der 152 V2 nicht rechtzeitig vorlagen. Der erste Start erfolgte im Dezember 1958. Vgl. Billig, Detlef/Meyer, Manfred: Flugzeuge der DDR. Typenbuch Militär- und Zivilluftfahrt, Band 1 (bis 1962), Friedland 2001, S. 137.

künstliche Satellit (Sputnik 1) in eine Umlaufbahn um die Erde gebracht wurde. Das Überlegenheitsdenken im sozialistischen System erhielt dadurch enormen Auftrieb. Gerade waren es immer wieder die Raketen, die am Ende der 1950er Jahre Anlass zum Vergleich zwischen den beiden Systemen gaben. Zweifellos überzeugten der kugelförmige „Sputnik" und seine Nachfolger weltweit Millionen von Menschen von der technischen Überlegenheit der UdSSR. Ciesla weist zu Recht darauf hin, dass „im östlichen Bündnissystem die sowjetischen Weltraumerfolge zudem eine regelrechte technologische Fortschrittseuphorie [auslösten]"[25]. Doch entstand mit dem Start von „Sputnik" – also dem beginnenden Raumfahrtzeitalter – ein Riss in den Beziehungen der Luftfahrtindustrien[26] und der Luftfahrtforschung der DDR und UdSSR, da nun viele Entwicklungsprogramme und Aufträge der Luftfahrt in einigen kommunistischen Staaten Europas damit durch die Sowjetunion storniert wurden.

In der Ulbricht-Ära sollte der technische Fortschritt zum Motor der sozialistischen Umgestaltung werden. „Er sollte von der ‚neuen technischen Intelligenz' vorangebracht werden, einer neuen Klasse technischer Spezialisten, hervorgegangen hauptsächlich aus Arbeiterklasse und Bauernschaft und offen für Frauen, doch ohne professionelle Autonomie."[27] Nach dem Ende des Zweiten Weltkrieges wurde der Beruf des Ingenieurs radikal umgestaltet. Denn an die Stelle des westlichen Modells der freien Berufe trat das sowjetische Modell der „Berufsausbildung im Staatsauftrag"[28]. Anzumerken bleibt, dass der Gebrauch des Begriffs „Ingenieur" nicht ganz unproblematisch ist. Denn theoretisch gingen die Ingenieure in die technische Intelligenz[29] auf, „eine Schicht, die alle Personen mit einer formalen höheren Ausbildung auf technischem oder naturwissenschaftlichen Gebiet umfasste; in der Praxis wurden sie jedoch von vielen weiterhin als ein besonderer Berufsstand angesehen (...)"[30]. Die Zerrüttung des deutschen Innovationsprozesses nach 1945 jedoch steht außer Frage[31]. Überhaupt stand das System, im Besonderen das Wirtschaftssystem, des Staatssozialismus und das der DDR im Speziellen vor grundlegenden Schwierigkeiten, Innovationen hervorzubringen[32]. War der Ingenieurberuf auch in der DDR großen Veränderungen unterworfen, so gab es doch natürlich auch Kontinuitäten mit der vorsozialistischen Vergangenheit. Des Weiteren existierte eine gewisse „Ingenieursmenta-

[25] Ciesla: Wohlstandsversprechen, S. 152.
[26] Lorenz: Passagier-Jet 152, S. 37.
[27] Augustine, Dolores L.: Frustrated Technocrats: Engineers in the Ulbricht Era, in: Hoffmann, Dieter/Macrakis, Kristie (Hg.): Science under Socialism. East Germany in Comparative Perspective, Cambridge/Massachusetts/London 1999, S. 173-191, hier 173.
[28] Ebd.; Jarausch, Konrad H.: The unfree professions: German lawyers, teachers and engineers, 1900-1950, New York 1990, S. 22f.
[29] Die Definition des Wortes „Intellektueller" der damals zeitgenössischen Ausgabe des bundesdeutschen Brockhaus-Lexikons sei an dieser Stelle zur Ergänzung und als Anekdote wiedergegeben: „Intellektueller, ein Mensch, der seinem eigenen Verstande nicht gewachsen ist; Verstandesmensch.", in: Der Große Brockhaus, Sechzehnte, völlig neubearbeitete Auflage in zwölf Bänden, Fünfter Band, Wiesbaden 1954, S. 703.
[30] Augustine: Technocrats, S. 174.
[31] Hänseroth, Thomas: Fachleute für alle Fälle? Zum Neubeginn an der TH Dresden nach dem Zweiten Weltkrieg, in: Abele/Barkleit/Hänseroth (Hg.): Innovationskulturen, S. 301. Trotz der bekannten Brüche überdauerte das deutsche Innovationssystem im 20. Jahrhundert.
[32] Steiner: Anschluss, S. 71.

lität"[33], in der die Problemlösung den zentralen Mittelpunkt bildete und die man daher als technokratisch bezeichnen kann. Die „Intelligenz" trat in der sozialistischen Gesellschaft neben die beiden Klassen Arbeiter und Genossenschaftsbauern als dritte Großgruppe hinzu[34]. Als „neue Intelligenz" wurde im Allgemeinen derjenige verstanden, der – meist in den 1930er Jahren geboren – nach 1945 an einer Hochschule studierte. Nach 1949 kam die verstärkte Einbindung der marxistisch-leninistischen Lehre hinzu, der auch der künftige Ingenieur loyal gegenüberzutreten hatte.

Im Vergleich mit Berufen wie Arzt oder Anwalt erfuhren die Ingenieure vor 1933 eine nur unvollständige Professionalisierung[35]. Denn sie waren beispielsweise außerstande, standardisierte Eintrittsbedingungen für ihren Beruf durchzusetzen. Konrad Jarausch hat herausgefunden, dass die Nationalsozialisten die Loyalität vieler Ingenieure gewannen, indem sie diese Trends umkehrten und somit die Ingenieure mit beruflichen Möglichkeiten und Prestige ausstatteten, wie es zuvor in der Weimarer Republik nie der Fall gewesen war. „Diese kollektive Erinnerung an eine Pseudo-Professionalisierung (vielleicht bestärkt durch Vergleiche mit dem Ingenieurberuf in Westdeutschland) bildete einen hintergründigen Bezugsrahmen für die Beziehungen zwischen den Ingenieuren und dem politischen System der DDR", so die Analyse von Dolores Augustine[36]. Die Bezeichnung „Ingenieur" nutzt auch bei Untersuchungen von Kontinuitäten zur Vorkriegszeit. Besonders in der Luftfahrt und Luftfahrtforschung kann man Kontinuitäten und Ähnlichkeiten zwischen dem Dritten Reich und der DDR beobachten. Beide deutsche Staaten hatten zudem kein Problem damit, sich ungebrochen in die Tradition der deutschen NS-Luftfahrttechnik zu stellen[37]. Das Berufsethos des DDR-Ingenieurs war zwar vor der NS-Zeit entstanden, doch es kam erst in jenen Jahren zur vollen Blüte. Anzumerken sei weiterhin, dass es für den Terminus des „Ingenieur" lange Zeit in der deutschen Sprache keine exakte Definition gab, da er sämtliche technische Tätigkeiten oberhalb des Niveaus von Facharbeitern und Meistern einschloss[38]. In der DDR war der Titel Ingenieur generell für Absolventen der Technischen Fachschule („Ingenieure") und der Technischen Hochschule („Diplom-Ingenieur") reserviert, wenngleich in einigen Ausnahmefällen (vermutlich an ältere Ingenieure[39]) auch allein für berufliche Erfahrung und Kompetenz verliehen wurde[40].

---

[33] Ebd.

[34] Kowalczuk, Ilko-Sascha: Geist im Dienste der Macht. Hochschulpolitik in der SBZ/DDR 1945 bis 1961, Berlin 2003, S. 41.

[35] Jarausch: unfree professions, S. 23.

[36] Augustine: Technocrats, S. 174.

[37] Dienel, Hans-Liudger: „Das wahre Wirtschaftswunder" – Flugzeugproduktion, Fluggesellschaften und innerdeutscher Flugverkehr im West-Ost-Vergleich 1955-1980, in: Bähr, Johannes/Petzina, Dietmar (Hg.): Innovationsverhalten und Entscheidungsstrukturen. Vergleichende Studien zur wirtschaftlichen Entwicklung im geteilten Deutschland 1945-1990, (Schriften zur Wirtschafts- und Sozialgeschichte Band 48), Berlin 1999, S. 341-371, hier 342.

[38] Augustine: Technocrats, S. 174.

[39] Ebd.

[40] Zimmermann, H. et al.: „Intelligenz", in: DDR-Handbuch, Köln 1985, Bd. 1, S. 658.

Der Staat ermunterte auch die Frauen, Ingenieurberufe zu ergreifen. Darin lässt sich wohl weniger das Leitbild der angestrebten Gleichberechtigung des kommunistischen Gesellschaftsentwurfes erblicken, als vielmehr einen handfesten Ingenieurmangel nach 1945. Die Zahlen der weiblichen Studierenden des Luftfahrtwesen sprechen hierfür eine deutliche Sprache. Im Anhang dieser Untersuchung befinden sich neben Stundenplänen, Listen von Veröffentlichungen und Dissertationen auch Zahlenübersichten (teils nach sozialer Herkunft und Geschlecht) zur Entwicklung der Studentenpopulation an der Fakultät.

Der Aufbau einer eigenen Luftfahrtindustrie der DDR wird in der modernen Forschung verschieden bewertet. Große Innovationsprojekte spielten eine wichtige Rolle sowohl als Mittel zur Legitimierung des sozialistischen Staates und seiner wirtschaftlichen Leistungsfähigkeit als auch besonders der neuen Planungs- und Entscheidungsstrukturen, nämlich der Plankommission und des Zentralkomitees[41]. Andere sehen darin eher einen politischen Anstoß, um für die zurückkehrenden „Spezialisten"[42] aus der UdSSR attraktive Arbeitsmöglichkeiten zu schaffen[43] oder um indirekt durch „Abschöpfung" dieser Spitzengruppe in der UdSSR die Konversion eines ehemals riesigen Industriezweiges zu ermöglichen. Vor allem jedoch wird der Aufbau einer eigenen Luftfahrtindustrie, -forschung und -ausbildung als wirtschaftliches Prestigevorhaben charakterisiert[44]. Derartige Vorhaben, von denen die meisten nicht als erfolgreich zu bezeichnen sind, begleiteten die DDR vom Anfang bis zu ihrem Ende. Als weitere Prestigevorhaben sind die Mitte der 1950er Jahre beginnenden Anstrengungen auf dem Gebiet der Kernenergie sowie der Aufbau einer mikroelektronischen Industrie in den achtziger Jahren zu nennen[45].

Die neu zu etablierende Gesellschaft der DDR wurde bewusst als Gegenmodell zum liberalen marktwirtschaftlichen System geschaffen, motiviert durch die historischen Erfahrungen mit den großen wirtschaftlichen Wirren der Zwischenkriegszeit und deren Folgen. In der SED beriet und entschied das Politbüro bzw. das Sekretariat des ZK alle grundlegenden wirtschaftlichen Fragen. Eine Orientierung nach den Bedürfnissen des Marktes war ausgeschlossen worden, da das Planungssystem vorsah, die gesamte Volkswirtschaft zu koordinieren und zu lenken. Privates Eigentum an Produktionsmitteln musste weitestgehend ausgeschaltet werden. Im planwirtschaftlichen System der DDR-Volkswirtschaft war der Jahresplan das wichtigste Instrument der Wirtschaftslenkung. Doch wies dieses Wirtschaftssystem zwei grundlegende Probleme auf: das Informations- und das Anreizproblem. Bei der Betrachtung von Hochtechnologiezweigen, wie dem

---

[41] Dienel: Wirtschaftswunder, S. 349.

[42] Zum Spezialistentransfer in die UdSSR, deren Rückkehr und Bedeutung für die DDR-Luftfahrt vgl. z. B. Ciesla: Transferfalle, v. a. S. 199ff.; ders.: Der Spezialistentransfer in die UdSSR und seine Auswirkungen in der SBZ und DDR, in: Aus Politik und Zeitgeschichte B 49-50/93, Bonn 1993, S. 24-31.

[43] Dienel: Wirtschaftswunder, S. 347.

[44] Barkleit, Gerhard: Die Rolle des MfS beim Aufbau der Luftfahrtindustrie der DDR, Dresden 1996 (Hannah-Arendt-Institut für Totalitarismusforschung, Berichte und Studien Nr. 5), S. 9f.; Barkleit/Hartlepp: Zur Geschichte, S. 5.

[45] Zu diesen Themen vgl. u. a. Hampe, Eckhard: Zur Geschichte der Kerntechnik in der DDR 1955-1962. Die Politik der Staatspartei zur Nutzung der Kernenergie, Dresden 1996 (= Hannah-Arendt-Institut für Totalitarismusforschung, Berichte und Studien Nr. 10); Sobeslavsky, Erich/Lehmann, Nikolaus Joachim: Zur Geschichte von Rechentechnik und Datenverarbeitung in der DDR 1946-1968, Dresden 1995 (= Hannah-Arendt-Institut für Totalitarismusforschung, Berichte und Studien Nr. 8).

Flugzeugbau, ist zu beachten, dass der Planungsmechanismus so gestaltet war, dass die Betriebe vor allem dafür belohnt wurden, wenn sie ihre Produktion quantitativ erfüllt hatten[46].

Unmittelbar nach dem Endes des Zweiten Weltkrieges gab es für die auf dem Gebiet der Luftfahrtindustrie tätig gewesenen Fachkräfte keine Arbeit mehr[47], abgesehen von denjenigen Arbeitskräften, die von Franzosen, Briten, Amerikanern und Sowjets[48] teils freiwillig, teils unter Zwang in deren Bereich für Aufgaben der Luftfahrt eingesetzt wurden. In der damaligen Sowjetischen Besatzungszone (SBZ) hatte die Sowjetische Militäradministration (SMAD) unmittelbar nach Veränderung der Demarkationslinie im Juli 1945 begonnen, die ehemaligen Junkers-Werke in Dessau, die in Staßfurt befindlichen Strukturen der Bayrischen Motorenwerke sowie die Askania-Werke in Berlin und weitere Betriebe der Flugzeug- und Flugmotorenindustrie wieder arbeitsfähig zu machen. Das Gleiche erfolgte mit den Raketenspezialisten[49] von Peenemünde und den Atomforschern[50]. Daher erfolgte in den Jahren unmittelbar nach dem Kriegsende weder im Osten noch im Westen Deutschlands für Nachwuchskräfte eine Ausbildung auf dem Luftfahrtgebiet an Berufs-, Fach- oder Hochschulen, zudem waren diese Institutionen auch zumeist und unbefristet geschlossen. Somit konnte 1952 beim Beginn des Aufbaus der Luftfahrt in der DDR nur auf die verbliebenen Bestände an Fachkräften und die aus der Sowjetunion schrittweise zurückgeführten „Spezialisten" zurückgegriffen werden. Ein umfangreiches Bildungsprogramm zur Nachwuchsgewinnung auf diesem Sektor war dafür notwendigerweise ins Leben zu rufen.

Bei der Untersuchung der Umsetzung eines Teils dieses Bildungsprogrammes anhand der Fakultät für Luftfahrtwesen stellte die relativ kurze Zeitspanne, in der akademische Luftfahrtforschung in der DDR bestand, ein Problem dar. Sie währte nur etwa neun Jahre, von 1953 bis 1961. Manche Fragen, zu deren Klärung ein längerer Betrachtungszeitraum nötig wäre, etwa ob und wieweit die Hochschullehrer und die Studentenpopulation dem neuen Staat loyal gegenüber standen, ob sie überwacht wurden oder eine genauere Bewertung der entstandenen Generationenkonflikte zwischen alter und neuer Intelligenz lassen sich dadurch schwerer erfassen und beurteilen.

Es kann und soll keine generelle Bewertung der technischen Intelligenz in der DDR vorgenommen werden. Auch wurde auf eine Bewertung der politischen Verhältnisse der damaligen Zeit insoweit verzichtet, als dass sie keinen direkten Einfluss auf den For-

---

[46] Steiner, André: Von Plan zu Plan. Eine Wirtschaftsgeschichte der DDR, München 2004, S. 10ff.

[47] Barkleit/Hartlepp: Zur Geschichte, S. 190.

[48] Im Verlaufe dieser Untersuchung werden nur die Spezialisten behandelt, die in die UdSSR verbracht wurden und danach beim Aufbau der Luftfahrtindustrie und -forschung in der DDR mitwirkten. Vgl. dazu auch Ciesla: Spezialistentransfer, S. 24ff.

[49] Vgl. hierzu Albring, Werner: Gorodomlia. Deutsche Raketenforscher in Rußland, Hamburg/Zürich 1991; Michels, Jürgen: Peenemünde und seine Erben in Ost und West. Entwicklung und Weg deutscher Geheimwaffen, Bonn 1997; Uhl, Matthias: Stalins V-2. Der Technologietransfer der deutschen Fernlenkwaffentechnik in die UdSSR und der Aufbau der sowjetischen Raketenindustrie 1945 bis 1959, Bonn 2001.

[50] Vgl. hierzu Karlsch, Rainer/Zbynek, Zeman: Urangeheimnisse. Das Erzgebirge im Brennpunkt der Weltpolitik 1933-1960, Berlin 2002; von Ardenne, Manfred: Die Erinnerungen, München 1990.

schungsgegenstand dieser Untersuchung ausüben. Hochschul- und wissenschaftsgeschichtliche sowie sozial- und auch wirtschaftshistorische Aspekte sollen in die Arbeit einfließen und sie bestimmen. Aufgrund der auch technikhistorischen Betrachtungsweise wurden manche luftfahrtspezifischen Details mit aufgenommen.

Sekundärliteratur zum Thema ist wie gesagt dünn gesät. Daher stützt sich diese Untersuchung primär auf die Arbeit an und mit den Quellen. Akten der „Technischen Fakultät für Luftfahrt" im Archiv der Universität Rostock (Arch UR) sowie der Aktenbestand „Fakultät für Luftfahrtwesen" und Teile aus dem Bestand „Rektorat" des Universitätsarchivs der Technischen Universität Dresden (Arch TUDD) bilden die eigentliche Grundlage. Daneben nahm der Verfasser Einsicht in Akten (Bestandssignatur: IV 2/9.04) der Stiftung Archiv[51] der Parteien und Massenorganisationen der DDR im Bundesarchiv (SAPMO-BArch)[52]. In der Abteilung DDR des Bundesarchivs Berlin waren Akten der Staatlichen Plankommission (DE 1) sowie des Ministeriums für Wissenschaft und Technik (DF 4) von großer Wichtigkeit. Schließlich erfolgte auch die Einsichtnahme in Akten der Außenstelle Dresden der Bundesbeauftragten für die Unterlagen des Staatssicherheitsdienstes der ehemaligen Deutschen Demokratischen Republik (BStU). Die recherchierten Akten decken den gesamten Untersuchungszeitraum ab und erlauben einen Einblick in sämtliche untersuchte und beschriebene Aspekte der Luftfahrtforschung und -ausbildung an der Fakultät für Leichtbau/Luftfahrtwesen. Um eine lückenlose Untersuchung der akademischen Luftfahrtausbildung in der DDR anzustellen, sind allerdings weitergehende Recherchen nötig. Akten aus ausländischen Archiven könnten hierfür ebenfalls weitere Aufschlüsse geben.

Die benutzten und angegebenen Links waren zum Zeitpunkt der Fertigstellung der Arbeit aktiv gewesen.

Wie zu sehen sein wird, nahm die Luftfahrtindustrie und die akademische Luftfahrtforschung und -ausbildung in der DDR einen schnellen Aufstieg, und bald schon traten sich viele junge Leute und bereits ausgebildete Ingenieure auf die Füße, um einen der heiß begehrten Plätze in der ingenieurtechnischen Luftfahrtausbildung oder einen Arbeitsplatz in der Flugzeugindustrie zu bekommen. Noch schneller aber kam das Aus, das dafür umso schmerzvoller und schockierender für die Beteiligten sein sollte. Und es mutet wie ein verfrühter Grabgesang für die von Innovations- und Materialschwierigkeiten umwürgte DDR-Planwirtschaft an, wenn kurz, bevor die Lichter in der Fakultät für Luftfahrtwesen ausgingen, die Fakultätsparteileitung aus dem ideologischen Schützengraben den enttäuschten Luftfahrtstudenten psalmodierend entgegenbellte, dass die Perspektive gut genug sei, „als dass man sie mit Friedhofsschändung und Gedanken über Republikflucht oder Fernbleiben von der Flugmechanikklausur beantworten"[53] könne.

---

[51] Für weitergehende Informationen zu den Archiven siehe Mählert, Ulrich: Vademekum DDR-Forschung. Ein Leitfaden zu Archiven, Forschungseinrichtungen, Bibliotheken, Einrichtungen der politischen Bildung, Vereinen, Museen und Gedenkstätten, Opladen 1999, S. 3-5, 77 u. 82.

[52] Für die freundliche Einsichtgewährung in Teile der SAPMO-Akten bedankt sich der Verfasser bei Herrn PD Dr. Burghard Ciesla.

[53] SAPMO – BArch: IV 2/9.04, Nr. 354.

2. Die Ausgangslage

Um die Ausgangslage für die Luftfahrtbranche in Deutschland nach 1945 und der Luftfahrtforschung in der SBZ/DDR zu verstehen und zu beschreiben, ist es notwendig, kurz deren Situation im Dritten Reich und dann in der UdSSR darzustellen, da in beiden die Voraussetzungen dafür zu suchen sind [54]. Daher wird zunächst eine abrissartige Darstellung der akademischen Luftfahrtforschung im Dritten Reich und anschließend, davon ausgehend, die Zwangsverschickung der Luftfahrtelite in die UdSSR als Ausgangssituation für die Luftfahrtforschung in der SBZ/DDR erfolgen.

2.1 Luftfahrtforschung an deutschen Universitäten vor dem Zweiten Weltkrieg

Ende der 1920er Jahre gingen die Studentenzahlen in Deutschland allgemein zurück. Aufgrund der Restriktionen des Versailler Vertrags und der zurückhaltenden Subventionspolitik des Reiches bot der Luftfahrtsektor schlechte Anstellungsmöglichkeiten. Im Durchschnitt wurde auf jeder Technischen Hochschule nur ein Ingenieur pro Semester ausgebildet, und 1932 waren es gerade einmal sechs[55]. Bald schon wurde deutlich, dass der fehlende Ingenieur-Nachwuchs das größte Problem der Luftfahrtforschung im noch jungen Dritten Reich sein würde. Gezielte Maßnahmen zur Nachwuchsförderung waren nur eine unter vielen Aktionen, um die Luftfahrtforschung zu reformieren. Problematisch blieb ebenfalls, dass sich viele Ingenieure nicht in die Industrie begeben wollten, um „sich ihre Karrierechancen nicht durch frühzeitige Bindungen zu verbauen."[56] Die Probleme, Nachwuchs sowie geeignetes leitendes Personal für Forschungsanstalten zu gewinnen, blieben insgesamt pressierend.

Vielen Hochschullehrern mochte der Ausbau der akademischen Luftfahrtforschung als sehr großzügig erscheinen, besonders in Anbetracht der vorangegangenen „mageren" Jahre. In Relation zu den Luftfahrtforschungszentren hielt er sich jedoch in Grenzen[57]. Die luftfahrtwissenschaftliche Gemeinde stand dem Dritten Reich „im Ganzen (...) positiv gegenüber"[58].

Für den außeruniversitären Bereich galt: „Das NS-Regime konnte sich nach der Machtübernahme auf eine Luftfahrtforschung stützen, die im internationalen Vergleich in den grundlagenorientierten Disziplinen die Maßstäbe setzte. Die AVA [Aerodynamische

---

[54] Ciesla, Burghard: Von der Luftkriegsrüstung zur zivilen Flugzeugproduktion. Über die Entwicklung der deutschen Luftfahrtforschung und Flugzeugproduktion in der SBZ/DDR und UdSSR 1945 bis 1954, in: Teuteberg, H.J. (Hg.): Schriftenreihe der Verkehrswissenschaftlichen Gesellschaft (Arbeitskreis Verkehrsgeschichte der DVWG, B 169); Bergisch Gladbach 1994, S. 179-202, hier 180.
[55] Trischler, Helmuth: Luft- und Raumfahrtforschung in Deutschland 1900-1970. Politische Geschichte einer Wissenschaft, Frankfurt/M., New York 1992, S. 229.
[56] Ebd.
[57] Ebd., S. 231.
[58] Hirschel, Ernst Heinrich: Hoher Stellenwert der Luftfahrtforschung im Dritten Reich, in: Hirschel, Ernst H./Prem, Horst/Madelung, Gero: Luftfahrtforschung in Deutschland, Bonn 2001, S.71-95, hier 86.

Versuchsanstalt, der Verf.] und das mit ihr verbundene KWI [Kaiser-Wilhelm-Institut, der Verf.] für Strömungsforschung galten weltweit als das Mekka der Aerodynamik. Im anwendungsbezogenen Bereich dagegen war die deutsche Forschung weit hinter das führende Ausland zurückgefallen", so die Analyse der Situation der Luftfahrt in Deutschland im Jahre 1933 von Helmut Trischler[59]. Um also die deutsche Luftwaffe in eine Schlüsselposition in einem zukünftigen Krieg zu bringen, wie von Göring geplant, war es notwendig, auch die deutsche Luftfahrtforschung zu reformieren. Diese Reform lässt sich in mehrere Abschnitte gliedern[60]. Wichtig dabei ist, dass gleichzeitig mit den Umstrukturierungen die Scientific Community gleichgeschaltet wurde. Erst im Verlauf des Zweiten Weltkrieges begann die politische Führung den Selbststeuerungskräften der Scientific Community zu vertrauen. Dies hatte nicht nur Auswirkungen auf die außeruniversitären Luftfahrtforschungsanstalten und -zentren, sondern auch auf die Luftfahrtausbildung an den Hochschulen. Während der Bedarf an Absolventen von den Technischen Universitäten und Hochschulen dann relativ gut und schnell bedient werden konnte, war der Bedarf der Luftfahrt an Forschungskapazitäten längst nicht gedeckt[61].

Die politische Lenkung der Forschung im Dritten Reich zeigt, dass das „polykratisch strukturierte NS-Regime nicht in der Lage war, den mit der Entstehung der Großforschung verbundenen Problemen gerecht zu werden."[62] Hierzu gehört auch die universitäre Luftfahrtforschung. Es ist auffällig, wie schwer die Anzahl der damaligen Flugzeugbaustudenten zu bestimmen ist[63]. Ebenso erstaunlich ist es, dass die akademische Luftfahrtausbildung und -forschung im Dritten Reich nur unzureichend untersucht ist, hingegen die außeruniversitäre Forschung besser dokumentiert ist. Der Verfasser konnte folgende beispielhafte Zahlen von drei der vor dem Krieg in Deutschland Flugzeugbau lehrenden Hochschulen ermitteln[64]:

Studentenpopulation deutscher Hochschulen, die in der Vorkriegszeit Flugzeugbau lehrten	Hochschule		Wintersemester		Somersemester	
	TH Berlin	1934/35	97 Studenten	1935	55 Studenten
	TH Braunschweig	1935/36	34 Studenten + 76 Gasthörer	1936	25 Studenten + 84 Gasthörer
TABELLE 1	TH Darmstadt	1938/39	118 Studenten		

Des Weiteren lehrten die Technischen Hochschulen Stuttgart, Aachen, Dresden sowie München und die Universität München Flugzeugbau[65]. Vor dem Zweiten Weltkrieg dürften also in ganz Deutschland etwa 600 Studenten Flugzeugbau studiert haben[66]. Der im

[59] Trischler, Helmuth: Historische Wurzeln der Großforschung: Die Luftfahrtforschung vor 1945, in: Szöllösi-Janze, Margit/Trischler, Helmuth (Hg.): Großforschung in Deutschland, Frankfurt/M. 1990, S. 23-37, hier 30.
[60] Ebd.
[61] Ebd., S. 32.
[62] Ebd., S. 36.
[63] Angaben darüber fand der Verfasser im Statistischen Jahrbuch für das Deutsche Reich, 7. Jahrgang 1938, S. 545ff.; Trischler: Luft- und Raumfahrtforschung, S. 215, sowie wenige Hinweise in den Akten der Technischen Fakultät für Luftfahrtwesen: Arch UR: Technische Fakultät für Luftfahrt 3 „Aufbau der Fakultät (1952)".
[64] Ebd.
[65] Trischler: Luft- und Raumfahrtforschung, S. 229.
[66] Arch UR: Technische Fakultät für Luftfahrt 3 „Aufbau der Fakultät (1952)".

„Grundsatzplan" des Jahres 1933 geschätzte Jahresbedarf von 200 Diplom-Ingenieuren und 800 Fachschulingenieuren[67] ist wohl nicht erreicht worden.

Ab 1935, also nach der Enttarnung der Luftwaffe, sollten Hochschullehrer die Möglichkeit zur Tätigkeit in den Forschungszentren erhalten, und umgekehrt sollte die Mitarbeit der außeruniversitären Wissenschaftler in der Lehre den unmittelbaren Zugriff auf den Ingenieurnachwuchs ermöglichen. Die in der deutschen Wissenschaftsgeschichte ein Novum darstellende Ausbringung von Forschungsprofessuren, noch dazu allein für die Luftfahrt, „rüttelte an den Grundfesten der bestehenden Ordnung."[68] Mit der Schaffung von Professuren im Reichsdienst bewegte sich die Staatsverwaltung gar im rechtsfreien Raum. Die Suche nach Möglichkeiten, um die Forschung, besonders auch im Krieg, zu stärken, führte zur Verzahnung von Hochschul- und außeruniversitärer Forschung. Denn eingespielte Kooperationen zwischen den Forschungszentren mit den lokalen Hochschulen gab es schließlich schon lange[69].

Strukturen von Großforschung hatten sich im Bereich der Luftfahrtforschung bereits im Dritten Reich etabliert[70]. Allerdings warfen der starke personelle Aderlass durch die Zwangsverschickung vieler Wissenschaftler ins Ausland sowie die engen Restriktionen für Wissenschaft und Militär durch die Alliierten die Forschung nach 1945 weit zurück. Der Zweite Weltkrieg führte vielerorts zu strukturellen Neuerungen, die in der Nachkriegsära beibehalten wurden.

2.2 Die Situation in Deutschland, speziell in der SBZ/DDR, und die Zwangsverschickung der Luftfahrtelite in die Sowjetunion

Das Gebiet der Sowjetischen Besatzungszone (SBZ) war ein landwirtschaftliches Überschussgebiet, das sich traditionell und potentiell selbst versorgen konnte. Es umfasste etwa 23% der Fläche Deutschlands in den Grenzen von 1937; in ihm lebten 1939 22% der Bevölkerung[71]. Die Arbeitsproduktivität, gerechnet von 1936, erreichte allerdings nur 91% der westlichen Besatzungszonen. Die Ursache hierfür ist in den traditionellen Branchen zu sehen[72]. Ein Nord-Süd-Gefälle in der industriellen und wirtschaftlichen Ausstattung lässt sich ebenfalls beobachten. Ein weiteres Charakteristikum der SBZ war ihre relative Rohstoffarmut. Nur Kali und Braunkohle waren in bedarfsdeckenden Mengen vorhanden, andere Bodenschätze mussten importiert werden. Das Verkehrsnetz lag vor dem Krieg in Ausdehnung und Qualität in etwa beim Reichsdurchschnitt[73]. Während der großen Demontagewellen durch die Sowjets kam es allerdings zum fast vollständigen Ab-

---

[67] Hirschel: Stellenwert, S. 85.
[68] Trischler: Luft- und Raumfahrtforschung, S. 234.
[69] Ebd., S. 271.
[70] Trischler: Großforschung, S. 120.
[71] Steiner, André: Von Plan zu Plan. Eine Wirtschaftsgeschichte der DDR, München 2004, S. 19.
[72] Ebd., S. 20.
[73] Ebd.

bau des „zweiten Gleises". Dadurch sank der Gleisanteil der Bahn gegenüber 1938 um etwa 50%[74]. In einigen Branchen waren die Einschnitte bei den Kapazitäten besonders gravierend.

Besonders einschneidend wirkte sich aus, dass es in den modernsten und bestausgestatteten Fertigungsstätten, wie der Flugzeugproduktion, Aluminiumherstellung, Metallurgie, Mineralölgewinnung, Werkzeugmaschinenbau und Feinmechanik/Optik, „zu Totaldemontagen einzelner Werke gekommen [war], um das deutsche Rüstungspotential zu zerstören." Dabei handelte es sich „bei der Mehrzahl der Demontagen (...) weder um direkte noch um indirekte Rüstungsbetriebe. Die Sowjets waren gerade anfangs stark bestrebt, Betriebe abzubauen, die für den Wiederaufbau ihrer Industrie benötigt wurden."[75] Der Grad der Industrialisierung in der SBZ und in den westlichen Besatzungszonen war annähernd gleich, und „im Schnitt war das Niveau in der östlichen Zone sogar etwas höher"[76]. Auf ihrem Gebiet befand sich ein nicht unbeträchtliches Industriepotential zu dem als wesentlicher Faktor die Flugzeugindustrie zu zählen ist. Der industrielle Flugzeugbau während des Zweiten Weltkrieges bestimmte ohnehin die „industrielle Szene" in allen kriegführenden Mächten[77].

Auf dem mitteldeutschen Gebiet befanden sich bei Kriegsende etwa 61% der Werke der Luftfahrtindustrie[78]; mit anderen Worten, ein relativ kleines Gebiet des ehemaligen Deutschen Reiches beherbergte deutlich mehr als die Hälfte dieser bedeutenden Industrie. Auffallend ist, dass der gesamte Flugzeugbau in Mitteldeutschland vom Junkerskonzern dominiert war[79]. Von den 20 Werken, die 1935 für die erste Planungsperiode der Flugzeugbeschaffungsprogramme benannt wurden, befanden sich bereits zwölf Firmen. Es handelte sich dabei um folgende Werke:

AGO-Flugzeugwerke GmbH, Oschersleben
Arado Flugzeugwerke GmbH, Potsdam
Arado Flugzeugwerke GmbH, Warnemünde
ATG-Maschinenbau GmbH, Leipzig

[74] Ebd., S. 29.
[75] Ebd. Zu den Auswirkungen der Demontagen speziell in der Luftfahrtindustrie vgl. Krienen, Dag/Prott, Stefan: Zum Verhältnis von Demontage, Konversion und Arbeitsmarkt in den Verdichtungsräumen des Flugzeugbaus in der SBZ 1945-1950, in: Karlsch, Rainer/Laufer, Jochen (Hg.): Sowjetische Demontagen in Deutschland 1944-1949. Hintergründe, Ziele und Wirkungen, Berlin 2002, S. 275-328.
[76] Steiner, André: Zwischen Wirtschaftswundern, Rezession und Stagnation. Deutsch-deutsche Wirtschaftsgeschichte 1945 bis 1989, in: Kleßmann, Christoph/Lautzas, Peter (Hg.): Teilung und Integration. Die doppelte deutsche Nachkriegsgeschichte, Bonn 2005, S. 177-191, hier 178.
[77] Prott, Stefan/Budraß, Lutz: Demontage und Konversion. Zur Einbindung rüstungsindustrieller Kapazitäten in technologiepolitische Strategien im Deutschland der Nachkriegszeit, in: Bähr, Johannes/Petzina, Dietmar (Hg.): Innovationsverhalten und Entscheidungsstrukturen. Vergleichende Entwicklungen im geteilten Deutschland, Berlin 1996, S. 303-340, hier 306.
[78] Michels/Werner (Hg.): Luftfahrt Ost, S. 9; Dienel: Wirtschaftswunder, S. 343; Ciesla, Burghard: Von der Luftkriegsrüstung zur zivilen Flugzeugproduktion. Über die Entwicklung der deutschen Luftfahrtforschung und Flugzeugproduktion in der SBZ/DDR und UdSSR 1945 bis 1954, in: Teuteberg, H.J. (Hg.): Schriftenreihe der Verkehrswissenschaftlichen Gesellschaft (Arbeitskreis Verkehrsgeschichte der DVWG, B 169); Bergisch Gladbach 1994, S. 179-202, hier 180f.
[79] Hartlepp, Heinz: Erinnerungen an Samara. Deutsche Luftfahrtspezialisten von Junkers, BMW und Askania in der Sowjetunion von 1946 bis 1954 und die Zeit danach, Oberhaching 2005, S. 11. Mit den Standorten: Dessau, Bernburg, Köthen, Aschersleben, Halberstadt, Schönebeck.

Bücker Flugzeugwerke GmbH, Rangsdorf
Dornier-Werke, Wismar
Erla-Maschinenwerk GmbH, Leipzig
Ernst Heinkel Flugzeugwerke, Rostock
Gothaer Waggonfabrik AG, Gotha
Henschel Flugzeugwerke AG, Schönefeld
Junkers Flugzeug- und Motorenwerke AG, Dessau
Klemm-Flugzeugwerk Halle GmbH (ab 1936 Siebel-Flugzeugwerke Halle GmbH)[80].

Quantitativ allerdings konzentrierte sich die Luftfahrtforschung mehr auf das westliche und südwestliche Deutschland, also den westalliierten Besatzungszonen. Nur drei von insgesamt 11 bedeutenden deutschen Forschungszentren der Triebwerks- und Luftfahrtforschung entfielen auf das mitteldeutsche Gebiet[81]. Eine formale Trennung zwischen Luftfahrtforschung und Flugzeugindustrie entsprach im Dritten Reich jedoch wohl kaum den realen Gegebenheiten. Von den Hochschulen, die Luftfahrt und luftfahrtverwandte Lehrveranstaltungen anboten, blieb auf dem Gebiet der SBZ nur die TH Dresden. Jegliche Luftfahrt und Luftfahrtforschung war von den Alliierten im Potsdamer Abkommen untersagt worden. Dies galt natürlich auch für die Forschungs- und Entwicklungsabteilungen (FuE) in den jeweiligen Firmen und Betrieben. Daher erfolgte in den Jahren nach dem Kriegsende weder im Osten noch im Westen Deutschlands für Nachwuchskräfte eine Ausbildung auf dem Luftfahrtgebiet an Berufs-, Fach- oder Hochschulen[82]. In jedem Falle allerdings lassen sich anhand der hohen Konzentration von Flugzeugindustrie und Luftfahrtforschung im mitteldeutschen Raum bei Kriegsende die dort vorhandenen starken Traditionen im Flugzeugbau erkennen.

In der SBZ versuchte die sowjetische Militäradministration, alle noch verfügbaren Fachspezialisten anzuwerben mit der Aufgabenstellung, an den bisherigen Aufgaben, jedoch nunmehr für die Sowjetunion, weiterzuarbeiten. Dem Potsdamer Abkommen widersprach dies zweifellos. Die eingestellten deutschen Arbeitskräfte aus den ehemaligen Betrieben glaubten damals den Beteuerungen, dass an eine Verlegung dieser Betriebe in die UdSSR nicht zu denken sei[83], obschon seit Oktober 1944 in der UdSSR eine Liste erarbeitet wurde, auf der zur Demontage vorgeschlagene Luftfahrtbetrieb aufgeführt waren[84]. Ziel der sowjetischen Besatzungsmacht war es, möglichst viele ehemalige Fachkräfte der Luftfahrtindustrie und -forschung durch die Arbeit im bisherigen beruflichen Umfeld zu konzentrieren und sie damit dem Zugriff der westlichen Alliierten zu entziehen[85]. Auch der ehemalige Junkers-Chefkonstrukteur Brunolf Baade und etwas später dann der Heinkel-Aerodynamiker Siegfried Günther erklärten sich zur Mitarbeit bereit[86].

[80] Michels/Werner (Hg): Luftfahrt Ost, S. 9.
[81] Ciesla: Luftkriegsrüstung, S. 181. Dies waren die Deutsche Versuchsanstalt für Luftfahrt (DVL) in Berlin-Adlershof, die Heeresversuchsanstalt in Peenemünde und die Technische Akademie der Luftwaffe (TAL) in Berlin-Gatow.
[82] Michels/Werner (Hg): Luftfahrt Ost S. 190ff.
[83] Ciesla: Spezialistentransfer, S. 24f.
[84] Hartlepp: Erinnerungen, S. 24.
[85] Barkleit/Hartlepp: Zur Geschichte, S. 33.
[86] Hartlepp: Erinnerungen, S. 24.

Im Sommer des Jahres 1945 begann die SMAD, auf dem Gebiet der SBZ eine Reihe von Versuchskonstruktionsbüros mit deutschen Fachkräften zu bilden, deren Forschungs- und Entwicklungsaufgaben sich im Wesentlichen auf rüstungsrelevante Gebiete konzentrierten[87]. Ein Teil dieser Fachleute kam dann in einer Sonderaktion, oder besser Zwangsverschickung, im Oktober 1946 in die UdSSR[88]. Im Zusammenhang dieser Untersuchung sollen die politischen Hintergründe und Details nicht weiter betrachtet werden, als sie für den Kontext von Bedeutung sind, ebenso Fragen der „Intellektuellen Reparation".

Die letzten Oktobertage des Jahres 1946 dann stellten für das ostdeutsche, vom Krieg erheblich beeinträchtigte, Transport- und Kommunikationssystem eine schwere Belastungsprobe dar[89]. Denn die wichtigsten der in der SBZ für die SMAD auf rüstungsrelevantem Gebiet arbeitenden deutschen Ingenieure, Naturwissenschaftler und Techniker wurden damals per Bahn in die UdSSR gebracht[90]. Schätzungsweise wurden am Ende des Zweiten Weltkrieges – zwischen 1945 und 1947 – etwa 2500 deutsche Spezialisten mit rund 4000 Angehörigen in verschiedene Gebiete der UdSSR verbracht[91]. 84 Prozent aller als Spezialisten nach 1945 in der UdSSR tätigen Deutschen wurden im Rahmen dieses Transfers dorthin gebracht. Mit eben dieser Verschickung der Luftfahrtelite in die SU endete für etwa acht Jahre das Kapitel Flugzeugindustrie in der SBZ/DDR, womit gleichsam die Luftfahrtforschung bis zum Beginn der 1950er Jahre zu existieren aufhörte[92].

Der Begriff „Spezialist" sei hier in seinem damaligen Kontext, nämlich als sowjetische Sammelbezeichnung für Fachleute, verstanden. Mit anderen Worten bezieht er sich nicht nur auf Spitzenwissenschaftler, sondern auch auf die zur Umsetzung wissenschaftlicher und technischer Erkenntnisse und Projekte notwendigen Ingenieure, Techniker, Meister und Facharbeiter[93].

2.2.1 Die Tätigkeit der Spezialisten in der UdSSR und deren Rückführung in die SBZ/DDR

Nach den Ergebnissen von Ciesla[94] und Albrecht (et al.)[95] „gab es in der UdSSR nach dem Ende des Zweiten Weltkrieges 59 deutsche ‚Spezialisten'-Gruppen und eine Reihe von Einzelforschern, die sich maßgeblich auf den Gebieten Chemie (3 Prozent), Optik (12 Prozent), Raketen (17 Prozent), Flugzeugentwicklung (35 Prozent), Marine (3 Pro-

---

[87] Ciesla: Spezialistentransfer, S. 25.
[88] Ebd.; vgl. auch Albrecht, Ulrich/Heinemann-Grüder, Andreas/Wellmann, Arend: Die Spezialisten. Deutsche Naturwissenschaftler und Techniker in der Sowjetunion nach 1945, Berlin 1992, S. 9ff.
[89] Ebd., S. 24.
[90] Albring, Werner: Gorodomlia. Deutsche Raketenforscher in Rußland, Hamburg 1991, S. 72; Brandner, Ferdinand: Ein Leben zwischen Fronten. Ingenieur im Schußfeld der Weltpolitik, München 1987, S. 177.
[91] Ebd., S. 11f.; Ciesla: Spezialistentransfer, S. 25; Michels: Peenemünde, S. 229.
[92] Ciesla: Luftkriegsrüstung, S. 189.
[93] Ders.: Spezialistentransfer, S. 24.
[94] Ebd.
[95] Albrecht/Heinemann-Grüder/Wellmann: Die Spezialisten, S. 180.

zent) und Atomforschung (11 Prozent) betätigten." Der Anteil der Raketen-Spezialisten dürfte allerdings viel höher gewesen sein[96]. Ebenso muss die Zahl der Luftfahrtspezialisten höher gewesen sein als von Albrecht (et al.) angenommen; vermutlich waren es eher 47 Prozent[97]. Der hohe Anteil der Luftfahrtelite an den, in die UdSSR verbrachten, Spezialisten ist jedoch auffällig. Dies spricht einerseits für das starke Interesse der Sowjets an der Luftfahrttechnik und andererseits besonders für das hohe Niveau der deutschen Luftfahrtindustrie und Luftfahrtforschung im Dritten Reich und davor.

Mit dieser Aktion hatte die UdSSR nicht nur die technischen Dokumentationen des neuesten technischen Standes der Entwicklung auf dem Gebiet des Flugzeug- und Motorenbaus, sondern auch die zur Realisierung erforderlichen Spezialisten sowie die Maschinen und Einrichtungen in Besitz genommen. Die Entwicklungs- und Forschungsarbeiten konnten also nahtlos in der Sowjetunion fortgesetzt werden.

Für die in der UdSSR tätigen Arbeitskräfte bedeutete das die Fortführung und Weiterentwicklung des in vielen Berufsjahren erworbenen Erfahrungsschatzes. Dass diese Tätigkeit von Erfolg gekrönt war, zeigen viele Ergebnisse der sowjetischen Flugzeug- und Triebwerksentwicklung der Folgezeit. Als Beispiele für eine anerkannte Arbeit seien allein aus der Triebwerksentwicklung genannt:

- die Ausrüstung des Verkehrsflugzeuges IL-18, das mit dem im deutschen Team unter dem sowjetischen Hauptkonstrukteur N. D. Kusnezow im damaligen Kuibyschew (heute Samara) entwickelten PTL NK-4 mit 4000 bzw. 5000 PS sowie auch
- die Ausrüstung der TU 114 und anderer Großflugzeuge mit je vier PTL vom Typ NK-12 mit 12000 PS, mit deren Weiterentwicklung durch sowjetische Ingenieure 15000 PS erreicht wurden [98].

Über die genauen Tätigkeiten der Spezialisten ist allerdings bis heute wenig bekannt geworden. Allen Betroffenen wurde damals Schweigepflicht auferlegt[99]. Viele der Luftfahrtspezialisten hatten bei den Junkers-Werken in Dessau gearbeitet. Dort wurde während des Krieges am ersten wirklichen Strahlbomber der Welt, der Ju 287[100], gearbeitet. In der Sowjetunion wurde an den Junkers Strahlbomber Projekten, Prototypen und Entwürfen weitergearbeitet. Abschluss dieser Entwicklung bildete der zweistrahlige Bomber EF-150, später nur noch 150 genannt[101]. Er war der direkte Vorläufer der „152", der noch in der UdSSR von der Gruppe um den ehemaligen Junkers-Flugzeugkonstrukteur Brunolf Baade entworfen wurde und dann zum ersten deutschen Passagier-Jet wurde. Der Name *Baade* wird im Verlauf der Untersuchung noch des Öfteren begegnen. Denn er war nicht

[96] Michels: Peenemünde, S. 229.
[97] Ciesla: Spezialistentransfer, S. 27.
[98] Barkleit/Hartlepp: Zur Geschichte, S. 33; Mewes, Klaus-Hermann: Pirna 014. Flugtriebwerke der DDR. Entwicklung, Erprobung und Bau von Strahltriebwerken und Propellerturbinen, Oberhaching 1997.
[99] Lorenz: Passagier-Jet 152, S. 8.
[100] Die Arado Ar 234 als taktischen Bomber, Jagdbomber und Aufklärer möchte der Verfasser nicht als solchen gelten lassen.
[101] Ebd.; vgl. auch Sobolew, Dimitri Alexejewitsch: Deutsche Spuren in der sowjetischen Luftfahrtgeschichte. Die Teilnahme deutscher Firmen und Fachleute an der Luftfahrtentwicklung in der UdSSR, Hamburg/Berlin/Bonn 2000.

nur der Kopf des späteren Großflugzeugbauprogramms in der DDR, sondern auch eine wichtige Kapazität der Luftfahrtforschung; als deren Spiritus Rector und Dozent an der Fakultät für Leichtbau/Luftfahrtwesen der TH Dresden. Allerdings bleibt offen, ob die deutschen Spezialisten, zumindest die Akademiker unter ihnen, in der Sowjetunion auch ihr Wissen an staatlichen Hochschulen an die sowjetischen Studenten weitergaben. Wahrscheinlich ist es aufgrund ihrer dortigen Isolierung allerdings nicht. Für weitere Komplikationen und Verwirrungen in Hinblick auf eine Lehrtätigkeit dürfte gesorgt haben, dass das deutsche Bildungssystem mit seiner Unterteilung in Hoch- und Fachschulausbildung in der UdSSR nicht geläufig war[102]. Weniger problematisch für die Sowjets schien hingegen die Zugehörigkeit zu nationalsozialistischen Organisationen gewesen zu sein. So waren die deutschen Spezialisten im OKB-2 in Uprawlentscheski „zum großen Teil Mitglieder der NSDAP gewesen"[103].

Die eigentliche Rückführung der Spezialisten aus der UdSSR begann 1950. Man kann daraus indirekt ableiten, dass die sowjetische Seite in diesem Zeitraum das deutsche Wissen und Know-how abgeschöpft hatte[104]. Nach Albrecht (et al.) lassen sich Remigrationsschübe ausmachen[105]. Nach der „Abschöpfungsphase" (1945-1950/51) folgte eine „Abkühlungsphase" (1951-1958), in der sich die in der Sowjetunion verbliebenen Spezialisten mehr und mehr zivilen Aufgaben zuwenden konnten. Ihre starke territoriale und informelle Isoliertheit schränkte solche Forschungsarbeiten jedoch stark ein.

Der größte Teil der bei der Zwangsverschickung direkt aus dem Bereich „Forschung" mitgenommenen Spezialisten traf ab 1954 wieder in der DDR ein. Als dann 1952 in der DDR geplant wurde, den Flugzeugbau wieder aufzunehmen, waren die ab 1954 in die Heimat entlassenen Luftfahrtspezialisten das einzige Kapital, mit dem potentiell gerechnet werden konnte. Denn nur durch die für 1954 angekündigte Rückkehr der Luftfahrtelite entschied sich die DDR Partei- und Staatsführung, entgegen der 1953 getroffenen Aussage keine Luftfahrtindustrie aufzubauen, doch für deren Aufbau[106].

Die DDR-Führung brachte den Rückkehrern große Aufmerksamkeit entgegen, da man sich von diesen Spezialisten belebende Impulse im Hinblick auf Forschung und Lehre sowie auch auf die Innovationsfähigkeit der DDR-Wirtschaft und einen Reputationsgewinn versprach[107]. In jedem Fall gab es jedoch nach 1945 eine Abwanderung von Fachkräften in die westlichen Besatzungszonen[108], die auch die lukrativen Angebote der DDR-Führung an die Heimkehrer nur begrenzt auffangen konnten. So versuchte man den

[102] Hartlepp: Erinnerungen, S. 62. Dort wurde unter dem Terminus Diplom-Ingenieur ein Ingenieur mit Zeugnis verstanden und unter Fachschulingenieur eben einer ohne Zeugnis.
[103] Ebd., S. 63. Bericht des damals dort tätigen und heute Prof. em. für Luft- und Raumfahrt in Samara Ingenieurs W. Orlow. Er wurde damals dem Leiter der Turbinen-Gruppe Dr. Cordes zugeteilt, der uns später an der TH Dresden noch begegnen wird.
[104] Ciesla: Spezialistentransfer, S. 28.
[105] Albrecht/Heinemann-Grüder/Wellmann: Die Spezialisten, S. 180ff.
[106] Dienel: Wirtschaftswunder, S. 347; Michels/Werner (Hg.): Luftfahrt Ost, S. 73.; Barkleit/Hartlepp: Zur Geschichte, S. 36.
[107] Ebd.; Ciesla: Spezialistentransfer, S. 28f.; Dienel: Wirtschaftswunder, S. 348.
[108] Ebd., S. 343.

heimkehrenden Spitzenkräften und ihren Familien die meisten ihrer Wünsche zu erfüllen. Das dies einigen Unmut in der Bevölkerung auslöste, lässt sich leicht vorstellen. Es ist auch einer der Gründe für die später hervorbrechenden Generationenkonflikte mit der neuen technischen Intelligenz. Vor allem aber gab es Probleme bei der beruflichen Neuorientierung der Spezialisten und bei den Arbeitsverträgen durch hohe Gehaltforderungen sowie Unstimmigkeiten bei der Betreuung der Rückkehrer unter den Mitarbeitern in den staatlichen Stellen[109]. Die Sowjets hofften, dass sich die heimgekehrten Spezialisten sehr schnell wieder in die Scientific Community eingliedern würden und damit wissenschaftliche und technische Informationen aus dem Westen vielleicht leichter für die UdSSR zugänglich sein würden[110]. Außerdem handelte Baade mit der DDR-Führung unter Walter Ulbricht und der UdSSR andererseits eine Abmachung aus, um endlich in die Heimat zurückkehren zu können: Die DDR sollte eine eigene prestigeträchtige Luftfahrtindustrie erhalten, und der UdSSR wurde die Bewahrung ihrer Rüstungsgeheimnisse zugesichert[111].

Offensichtlich wurde dann auf politischer Ebene entschieden, die Fachspezialisten an eine sie fesselnde Aufgabe in und für die DDR zu binden. Der Aufbau einer eigenen Luftfahrtindustrie und -forschung war zweifellos eine solche Herausforderung für die Luftfahrtelite. Durch diese und die oben genannten Maßnahmen gelang es dann der DDR-Führung ab Mitte der 1950er Jahre die Abwanderung von Fachpersonal in die Westzonen, zumindest im Luftfahrtsektor, weitgehend zu stoppen. Zumal sogar jedem Spezialisten freigestellt war, sich auch in die Bundesrepublik entlassen zu lassen, dafür dann jedoch keine Arbeitsplatzvermittlung erfolgen würde. Nur ein sehr geringer Teil übersiedelte, zumeist aus privaten Gründen, dann in den Westen[112]. „Fachkräfte bindet man am besten mit einer großartigen Aufgabe"[113], war und ist die Zauberformel.

Für alle Besatzungszonen, bzw. ab 1949 für beide deutsche Staaten, bestand bis 1955 generelles Verbot der Flugzeugproduktion. Während in der SBZ nach der zwangsweisen Verlagerung der Sonderkonstruktionsbüros in die Sowjetunion seit 1946 keine technisch-industriellen Strukturen für die Flugzeugproduktion mehr bestanden, gelang es den Unternehmern in den westlichen Besatzungszonen, mit zivilen Produkten außerhalb der Flugtechnik „ihre Betriebe aufrecht zu erhalten und zum Teil relativ schnell wieder in die Gewinnzone zu führen."[114]

2.2.2 Qualifikationsstruktur der Spezialisten

Die von Ulrich Albrecht (et al.) ermittelte und von Burghard Ciesla korrigierte Gesamtzahl der in die UdSSR verbrachten Spezialisten von rund 2500 Personen, wurde bereits genannt. Berücksichtigt man jedoch, dass die sowjetische Besatzungsmacht auf die gesamte SBZ zurückgreifen konnte, lag ihre Deportation etwa in derselben Größenordnung wie

[109] Ciesla: Spezialistentransfer, S. 29.
[110] Ebd.; BStU, ASt. DD: Objektakte 2087/62: „Schlussbetrachtungen" (zur Bewertung der „152") (Bl. 83f.).
[111] Lorenz: Passagier-Jet 152, S. 10.
[112] Barkleit/Hartlepp: Zur Geschichte, S. 37.
[113] Lorenz: Passagier-Jet 152, S. 10.
[114] Dienel: Wirtschaftswunder, S. 343.

die amerikanische, die nur auf das westliche Sachsen und Thüringen Zugriff hatte. Die überwiegende Zahl der deutschen Naturwissenschaftler, Ingenieure und Techniker, die für die sowjetische Rüstung mobilisiert wurden, stammten aus der Industrie. „Nur 3,3% der von Ciesla erfassten 2401 ‚SU-Spezialisten', also etwa 80 Personen, arbeiteten vor ihrer Deportation in außerindustriellen Forschungseinrichtungen wie der Kaiser-Wilhelm-Gesellschaft, der Deutschen Versuchsanstalt für Luftfahrt oder universitären Instituten. Von ihnen führte gerade ein gutes Dutzend den Professorentitel", so die Analyse von Ralph Jessen[115]. Der hohe Anteil an Ingenieuren war vor allem dem Interesse der Sowjets geschuldet, Spezialisten der angewandten Forschung anzuwerben[116].

Es können wohl kaum Zweifel daran bestehen, dass die Universitäten des sowjetischen Besatzungsgebietes durch die amerikanischen Deportationen weitaus mehr Wissenschaftler einbüßten als durch die sowjetischen: 200 bis 300 US-Deportierten aus den Universitäten Jena, Leipzig und Halle standen 80 SU-Deportierte aus dem gesamten staatlichen Forschungsbereich der SBZ gegenüber[117]. Mit sowjetischer Rücksichtnahme auf ostdeutsche Hochschulinteressen dürfte dieser Unterschied aber wohl nichts zu tun gehabt haben. Er ergab sich eher aus der völlig übereilten und überhasteten Wahllosigkeit der amerikanischen Aktion und aus der Tatsache, dass so mancher interessante Naturwissenschaftler schon außer Landes war, als die Rote Armee einrückte, sowie aus dem russischen Interesse an unmittelbar rüstungsrelevanten Experten, für deren Auswahl man über ein Jahr Zeit hatte[118].

Die erwähnte überwiegende Rückkehr der Spezialisten aus dem Bereich „Forschung" ab 1954 weist auch darauf hin, dass die höher qualifizierten bzw. die „wichtigeren" Spezialisten zeitlich verzögert zurückkehrten. Beispielsweise betrug bei den im Juli 1954 zurückgekehrten letzten Luftfahrt- und Triebwerksspezialisten das Verhältnis der Akademiker zu den Nicht-Akademikern 133 zu 15[119]. Den verantwortlichen Stellen war diese Tatsache schon frühzeitig bekannt. Im Zusammenhang mit den bestehenden Problemen bei der Eingliederung der Spezialisten heißt es in einem Bericht vom Juni 1952 hierzu, dass „die jetzt noch in der SU weilenden Spezialisten hohe Qualifikation besitzen und darum in jeder Beziehung gut betreut werden müssen."[120]

Während anfangs die Rückkehrankündigungen durch die sowjetischen Stellen meist kurzfristig und überraschend eintrafen, wurden die deutschen Stellen auf die den Sowjets wichtig erscheinenden deutschen Fachleute ausreichend vorbereitet[121].

Die meisten der heimgekehrten Fachleute arbeiteten nach ihrer Rückkehr wieder im Maschinenbau. Der größte Teil ging in den Fahrzeug- bzw. Schiffbau (45 Prozent)[122].

---

[115] Jessen: Akademische Elite, S. 269f.
[116] Ciesla: Spezialistentransfer, S. 29.
[117] Jessen: Akademische Elite, S. 270.
[118] Ebd.
[119] Ciesla: Spezialistentransfer, S. 29.
[120] Zitiert nach ebd., S. 30.
[121] Ebd.
[122] Ebd.

Später wechselten viele dieser Spezialisten, besonders aus dem Schiffbau, in die neugegründete Flugzeugindustrie und teilweise dann auch in die damit neugegründete – sowohl in die FuE der Betriebe bzw. in die akademische – Luftfahrtforschung.

2.3 Die Wiedereröffnung der Hochschulen und die Wiederaufnahme des Lehrbetriebs

Die Wiedereröffnung der Hochschulen in der SBZ sowie die Wiederaufnahme von Lehre und Forschung in der SBZ/DDR sind ebenso notwendige Vorbetrachtungen, wenn es um die Untersuchung der akademischen Luftfahrtforschung geht. Diese soll im Folgenden abrissartig vorgenommen werden.

Am 25. August 1945 erschien der Befehl Nr. 40 des Obersten Chef der SMAD über die „Vorbereitung der Schulen auf den Unterricht."[123] In diesem Befehl wurde auf die Notwendigkeit hingewiesen, dass am 1. Oktober 1945 an allen allgemein- und berufsbildenden Schulen der SBZ gleichzeitig die Lehre wieder aufzunehmen sei. Da dieser Entscheidung seitens der SMAD große Bedeutung beigemessen wurde, wurde sie recht übereilt getroffen[124]. Schließlich berührte die Rückkehr der Kinder an die Schulen fast jede deutsche Familie, bedeutete dies doch auch einen wichtigen Schritt bei der „Normalisierung" des Lebens nach dem unmittelbaren Ende des Zweiten Weltkriegs.

Viele Menschen, die in der SBZ lebten, glaubten bis zur Veröffentlichung dieses Befehls nicht, dass es den sowjetischen Behörden bereits 1945 gelingen würde, die Schulen wieder zu eröffnen. Doch es gelang bis zum Sommer. Ein wesentlich schwierigeres Bild bot sich jedoch an den Hochschulen und Universitäten.

Nachdem sich die Arbeitsbelastungen, die sich für die zuständigen SMAD-Behörden im Zusammenhang mit dem Befehl Nr. 40 ergaben, etwas legten und die Überprüfung der Schulen nachließen, begann man im Hochschulsektor, die Möglichkeiten der Wiederaufnahme der Lehre an den Hochschulen zu erwägen[125]. Bis zum Sommer 1945 hatte eine Überprüfung der Hochschulen nur sporadisch, am Rande von Inspektionsreisen an Schulen, stattgefunden. Das Weiterforschen an Hochschulen war von den Sowjets nur für rüstungsrelevante Zwecke erlaubt[126]. An einen Lehrbetrieb war zu diesem Zeitpunkt nicht zu denken.

Pjotr Nikitin, Leiter des Sektors Hochschulen und Wissenschaft der SMAD, erinnert sich in seinen Memoiren, dass vorgeschlagen wurde, die gleichzeitige mögliche Eröffnung der Hochschulen in der SBZ zum 1. Oktober 1945 zu untersuchen[127]. Konkrete Anweisungen vom Militärrat der SMAD gab es zu dieser Zeit keine, nur die Aufgabe als solche war gestellt worden. Am 4. September 1945 unterzeichnete Marschall Shukow dann den

[123] Nikitin, Pjotr I.: Zwischen Dogma und gesundem Menschenverstand. Wie ich die Universitäten der deutschen Besatzungszone „sowjetisierte", Berlin 1997, S. 55.
[124] Ebd.
[125] Ebd., S. 55f.
[126] Ciesla: Spezialistentransfer, S. 25.
[127] Nikitin: Dogma, S. 55f.

Befehl Nr. 50 „Über die Vorbereitung der Hochschulen auf den Unterrichtsbeginn."[128] So kam es, dass die ersten Hochschulen Anfang des Jahres 1946 wieder mit einem ersten, wenn auch sehr provisorischen, Lehrbetrieb beginnen konnten.

Von Januar bis Februar 1946 wurden fünf Universitäten in der SBZ sowie die Bergakademie Freiberg wieder eröffnet[129]. Die Berliner Universität nahm die Tätigkeit sämtlicher Fakultäten am 20. Februar 1946 wieder auf, die Universität Halle (mit Ausnahme der medizinischen Fakultät) am 1. Februar, die Leipziger am 5. Februar, die Bergakademie Freiberg am 8. Februar sowie die Universitäten Rostock und Greifswald am 15. bzw. 25. Februar 1946. Aufgrund der schwerwiegenden Zerstörungen durch den Krieg konnte die Technische Hochschule Dresden erst am 1. Oktober 1946 mit drei Fakultäten, der pädagogischen, der forstwirtschaftlichen und der Fakultät für Kommunalwirtschaft, eröffnet werden. Die Jenaer Universität hatte ihre Türen bereits am 1. Dezember 1945 auf Befehl des stellvertretenden Chefs der Verwaltung der SMA Thüringen geöffnet[130].

Wie nun sah die Lage an den hier interessierenden Hochschulen – der Universität Rostock und der Technischen Hochschule Dresden – genauer aus? Welches Bild bot sich nach dem Kriege dar?: Die Universitätsgebäude in Rostock waren zur Hälfte zerstört. 34 Professoren und 24 Dozenten waren übrig geblieben, und der gesamte Zustand der Universität im Frühjahr/Sommer 1945 ließ eine Wiedereröffnung nicht vor Januar 1946 zu[131]. Außerdem war das Hauptgebäude der Universität eine Zeitlang von der SMA besetzt gewesen und stand daher zeitweise nicht für den Hochschulbetrieb zur Verfügung. In den letzten Kriegsmonaten hatte die Universität mehrere Tonnen Bücher, Lehrmittel und Laboreinrichtungen vorsorglich ausgelagert und begann diese nun, wenn auch offenbar unter erheblichen Schwierigkeiten, zurückzuführen[132]. Die Wiedereröffnung der Technischen Hochschule Dresden wurde auf den Herbst 1946 verschoben, da die Hochschule das Schicksal der total zerstörten Stadt teilte. Immense Wiederaufbauarbeiten waren zu leisten. In einem Brief Pjotr Nikitins heißt es dazu: „Die Technische Hochschule Dresden ist die einzige Hochschuleinrichtung in der Zone, die Ingenieure für die Industrie ausbildet. Unter Berücksichtigung des wachsenden Bedarfs an ingenieurtechnischem Personal sowie der Tatsache, dass durch den Krieg die THD zu über 85 Prozent zerstört wurde, bitte ich darum, für diese Hochschule zusätzlich 2,85 Mio. Mark zum Wiederaufbau der Institute für Physik, für Maschinen- und Bauingenieurwesen bereitzustellen."[133]

In den ersten beiden Jahren nach der Wiederaufnahme der Lehre gab es an den Universitäten keine grundlegenden Veränderungen, die es erlaubt hätten, von der Schaffung einer Hochschule „neuen Typs" in der SBZ zu sprechen[134]. So kommt denn auch Arno

---

[128] Ebd., S. 62.
[129] Ebd., S. 70.
[130] Ebd., S. 71.
[131] Ebd., S. 61.
[132] Kowalczuk, Ilko-Sascha: Geist im Dienste der Macht. Hochschulpolitik in der SBZ/DDR 1945 bis 1961, Berlin 2003, S. 103f.
[133] Nikitin: Dogma, S. 52.
[134] Ebd., S. 71f.

Hecht zu dem Urteil, dass „nach dem Ende des II. Weltkrieges (...) die Universitäten in der Sowjetischen Besatzungszone in ihren Strukturen den Universitäten in den westlichen Besatzungszonen Deutschlands (entsprachen).“[135] Weiter heißt es dort: „Mit Gründung und der weiteren Entwicklung der DDR entstanden neben den klassischen Universitäten und Hochschulen solche, die sich aus den Besonderheiten des politischen und ökonomischen Systems der DDR ergaben. Es bestanden die Universitäten, die aus den traditionellen Einrichtungen hervorgingen. Es existierte der Typ der Technischen Hochschule. In Dresden, Erfurt und Magdeburg wurden auf der Grundlage vorher bestehender medizinischer Einrichtungen die Medizinischen Akademien gegründet. Außerdem ist auf die Militärmedizinische Akademie in Bad Saarow zu verweisen. So existierten 1989 auf dem Gebiet der DDR 10 Universitäten, 47 Hochschulen und 243 Fachschulen.“ Ab 1949 kamen dann die Arbeiter- und Bauern-Fakultäten (ABF) hinzu[136], um die Kinder von Arbeitern und Bauern an ein Hochschulstudium heranzuführen. Zwischen 1949 und 1963 haben etwa 35.000 Personen an den ABF ihre Hochschulreife erlangt[137]. Ein paar von ihnen gelangten auch an die TH Dresden.

Hochschullehrer und wissenschaftliche Mitarbeiter (auch als akademischer Mittelbau bezeichnet) an den Hochschulen gehörten in der Terminologie der DDR zur Intelligenz[138]. Dieser Begriff ist ebenso wie der des Intellektuellen (siehe Kapitel 1) nicht einheitlich definiert. Erstmals in Russland Mitte des 19. Jahrhunderts aufgetaucht, wurde er zur sozialen Abgrenzung der Gebildeten gegenüber der Geistlichkeit benutzt. Während die Charakterisierung von Hochschulabsolventen als Intelligenz in den westlichen Demokratien kaum eine Rolle spielte, diente dieser Begriff in der Sowjetunion und in den übrigen Ostblockstaaten zur Kennzeichnung einer sozialen Schicht, in der die künstlerische, die wissenschaftlich-technische und die medizinische Intelligenz unterschieden wurden. Im Prinzip umfasste sie den Personenkreis mit einer akademischen Ausbildung. „Es lässt sich der Angehörige der Intelligenz als Hochschulabsolvent definieren, der im Ergebnis der angeeigneten Kenntnisse in verschiedenen gesellschaftlichen Bereichen eine leitende und anleitende Tätigkeit annehmen kann, die von reproduktiven Aufgabenstellungen bis zu deren schöpferischer Umsetzung reicht. Seiner sozialen Herkunft nach stammt der Hochschulabsolvent vorwiegend aus den Ober- und Mittelschichten. Allein im ‚real existierenden Sozialismus‘ stand allen Schichten der Weg zu höherer Bildung und Ausbildung vorbehaltlos offen.“[139] Wegen ihrer besonderen Rolle bei der gesellschaftlichen Organisation der Arbeit wurde die Intelligenz auch im Sozialismus als eigene Schicht betrachtet[140]. Nach der tätigkeitkeitspezifischen Merkmalsunterscheidung, wie sie Kowalczuk vor-

---

[135] Hecht: Wissenschaftselite, S. 32.
[136] Schneider: Bildung, S. 8.
[137] Ebd., S. 9.
[138] Kowalczuk: Geist im Dienste, S. 25ff., Hecht: Wissenschaftselite, S. 11.
[139] Ebd., S. 11f.
[140] Kowalczuk: Geist im Dienste, S. 41.

nimmt, lässt sich die Intelligenz im Bereich der Luftfahrtforschung in der DDR sowohl der „technischen" als auch der „wissenschaftlichen" Intelligenz zuordnen[141]. Auf der Ersten Zentralen Kulturtagung der KPD am 3. Februar 1946 in Berlin erklärte Wilhelm Pieck: „Alle diejenigen aber, die uns im Kampf um die Erneuerung der deutschen Kultur zur Seite stehen, werden unsere tatkräftige und uneingeschränkte Unterstützung finden. Wir sind zwar ein bettelarmes Volk geworden, aber wir werden es trotz unserer Armut durchsetzen, dass unseren Kulturschaffenden die materiellen Sorgen abgenommen werden, damit sie ungestört und ungehemmt ihre schöpferischen Energien frei und voll entfalten können und ihr Wirken letzte Ausdruckstiefe und höchste Fruchtbarkeit gewinnt."[142] Und in einer Entschließung des Parteivorstandes der SED vom 11. Februar 1948 heißt es: „Entscheidende Voraussetzung für eine dauernde Gewinnung namhafter Gelehrter und Künstler ist die Verwirklichung der in unseren Grundsätzen verkündeten Förderung von Kunst, Literatur und Wissenschaft. (...) In enger Verbindung damit steht die Sorge um das materielle Wohl der Intellektuellen, die das Gefühl haben müssen, dass ihre Leistungen auch in dieser Hinsicht Anerkennung finden."[143] Aus diesen Worten geht unter anderem hervor, dass ein uneingeschränkter akademischer Lehrbetrieb wieder aufgenommen werden sollte, natürlich unter der Anleitung und Vorgabe der UdSSR, und dass auf alte Strukturen zurückgegriffen werden musste. Dabei gab es neben einem der Hauptprobleme, der Entnazifizierung des Hochschullehrkörpers, mannigfaltige Probleme zu lösen. Ein Dorn im Auge der SED bei der beabsichtigten Durchdringung von Lehre und Forschung war auch, dass Deutschland vor 1945 ein Teil eines modernen imperialistischen Industriestaates mit einer hoch entwickelten Wissenschaft und Technik war. Um dieses Potential, der alten intellektuellen Eliten aus dem Dritten Reich und davor, für sich nutzen zu können waren große rhetorische Anstrengungen notwendig, für die nur der Begriff der staatlichen Propaganda zu kurz gegriffen wäre. Umfassende Entnazifizierungen und Geheimhaltungen waren unerlässlich.

Schwertner und Kempke sprechen in ihrem zeitgenössischen Werk über die ostdeutsche Hochschul- und Wissenschaftspolitik das an, womit sich diese Untersuchung unter anderem auch beschäftigt: den Traditionen und Kontinuitäten innerhalb der deutschen Wissenschaftsgeschichte. Die beiden Autoren lassen klar erkennen, dass die SED sich der deutschen Hochschul- und Wissenschaftstraditionen wohl bewusst war und diese fortzuführen bestrebt war. Des Weiteren kommt die Vernetzung von Wissenschaft und Industrie zur Sprache, was am Beispiel der Luftfahrtforschung und -ausbildung zwischen der TH Dresden mit der Industrie auch nachvollzogen werden kann: „Seit vielen Jahrzehnten haben deutsche Wissenschaftler und Techniker die Geschichte ihres Wissenschaftsgebietes mitgeprägt und waren wegen der hoch entwickelten Produktivkräfte infolge der hohen Vergesellschaftung des Kapitals in der Lage, die Wissenschaftsentwicklung wichtiger Ge-

[141] Ebd., S. 46.
[142] Pieck, Wilhelm: Reden und Aufsätze. Auswahl aus den Jahren 1908-1950, Band II, Berlin 1954.
[143] Dokumente der Sozialistischen Einheitspartei Deutschlands, Bd. I; zitiert nach Schwertner, Edwin/Kempke, Arwed: Zur Wissenschafts- und Hochschulpolitik der SED (1945/46-1966), Berlin (Ost) 1967, S. 11.

biete mitzubestimmen. Wir denken an Justus Liebig, Robert Koch, an die Entdeckung des Wirkungsquantums durch Max Planck, der Relativitätstheorie und der Lichtquanten durch Albert Einstein und an andere hervorragende Gelehrte, die auf der Grundlage einer modernen Industrie und der Möglichkeiten, die diese der wissenschaftlichen Forschung bot, ihre revolutionierenden Entdeckungen machten. Die Partei musste also alles tun, um das hohe Niveau wissenschaftlicher Arbeit und technischer Entwicklungen zu erhalten und später unter sozialistischen Bedingungen weiter zu heben. Diese Aufgabe konnte nur aus eigener Kraft gelöst werden. Sie verlangte eine kluge Investitionspolitik, die Herstellung einer engen Verbindung der Wissenschaft mit der sozialistischen Industrie sowie die Heranbildung einer neuen, sozialistischen Intelligenz."[144]

Der Umfang der wissenschaftlichen Arbeiten an den Universitäten und deren Thematik waren in jener Zeit unmittelbar nach Kriegsende natürlich äußerst gering, was hauptsächlich an fehlenden finanziellen Mitteln, Materialien und Ausrüstungen sowie an den Restriktionen des Potsdamer Abkommens lag. Ein bedeutender Teil der technischen Basis der Universitäten, Fach- und Hochschulen war im Zuge von Kriegshandlungen zerstört worden, insbesondere während der groß angelegten Bombenangriffe der Alliierten auf deutsche Städte in den Jahren 1943 bis 1944. Ein nicht zu unterschätzender Teil wertvoller Ausrüstungen ging auch bei den Evakuierungen durch die Deutschen verloren. Schließlich wurde vieles von dem, was noch erhalten geblieben war, von Anfang Mai 1945 an von verschiedenen sowjetischen Ministerien und anderen Einrichtungen in die UdSSR abtransportiert. Die damals im Apparat des Stellvertreters des Obersten Chefs der SMAD für Wirtschaftsfragen tätige Verwaltung zum „Studium der Errungenschaften von Wissenschaft und Technik Deutschlands" schloss im Interesse sowjetischer Ministerien Verträge mit verschiedenen deutschen Forschungseinrichtungen bzw. mit einzelnen Wissenschaftlern, die die Durchführung konkreter Forschungsaufträge zum Inhalt hatten[145].

Einige der SU-Spezialisten müssen als Teilgruppe des alten Professorats innerhalb der Gründergeneration genannt werden, „die strukturell am ehesten den ‚Entnazifizierten' glichen."[146] Bei diesen Naturwissenschaftlern und Technikern war an die Stelle der Entnazi-fizierungspause die noch viel wirksamere „Rehabilitierungsschleuse"[147] der Tätigkeit als Spezialist in der UdSSR getreten. Obwohl der Anteil der hochqualifizierten Akademiker unter diesen Spezialisten nicht besonders groß war, setzte die Führung der DDR sehr große Hoffnungen in sie. Nicht nur der beabsichtigte Aufbau einer eigenen Luftfahrtindustrie und die Bemühungen zur friedlichen Nutzung der Kernenergie hingen im entscheidenden Maß von den Ingenieuren und Physikern, die aus der Sowjetunion heimkehrten, ab. Auch für die Hochschulen und Akademieinstitute wurde eine kräftige Personalaufstockung erwartet[148].

---

[144] Schwertner/Kempke: Wissenschafts- und Hochschulpolitik, S. 13.
[145] Nikitin: Dogma S. 126f.
[146] Jessen: Akademische Elite, S. 309f.
[147] Ebd.
[148] Jessen: Akademische Elite, S. 310; Ciesla: Transferfalle, S. 194.

Die ersten Spezialisten, die seit 1950 in Schüben von mehreren hundert Personen in die DDR zurückkehrten, setzten sich aus Facharbeitern und Industrieingenieuren zusammen, die für eine Tätigkeit in der Hochschullehre nicht in Frage kamen[149]. Als seit 1953/54 die Rückkehr der höherkarätigen Fachleute begann, damit auch Teile der Luftfahrtelite, hatten sich „die anfänglich unvorbereiteten und unkoordinierten Apparate der verschiedenen Fachministerien auf die Situation eingestellt und gaben sich alle Mühe, sie in der DDR zu halten und in passende Stellen zu vermitteln. Die für eine Dozentur oder Professur in Frage kommenden Rückkehrer wurden vom Staatssekretariat für das Hochschulwesen kontaktiert, das mit ihnen über ihre beruflichen Wünsche und materiellen Forderungen verhandelte und die Fakultäten zu Berufungsanträgen zu bewegen versuchte."[150]

Die Wiedereingliederung der wenigen ehemaligen Hochschullehrer bereitete keine besonderen Probleme. Bedeutend schwieriger gestaltete sich die Berufung solcher Kräfte, die bisher in der industriellen Forschung und Entwicklung gearbeitet hatten. Aufgrund ihrer extrem spezialisierten und meist geheimen Forschungstätigkeit war ihr inhaltliches Profil schmal und kaum durch Publikationen belegt. Zumeist waren sie nicht habilitiert und manchmal nicht einmal promoviert. „Gerade die traditions-, qualitäts- und machtbewussten naturwissenschaftlichen Fakultäten beharrten aber darauf, dass ihre Berufungskandidaten dem etablierten Anforderungskodex genügten. Während das Staatssekretariat auf Berufung drängte, waren die Fakultäten teilweise nicht bereit, die zehnjährige Arbeit in der Sowjetunion als wissenschaftliche Tätigkeit anzuerkennen und hielten, wie ein Bericht von 1954 kritisierte, ‚oft schwerfällig an ihre(n) im Prinzip richtigen Traditionen fest'."[151]

Manche Spezialisten waren verärgert und drehten der Hochschule angesichts derartiger Schwierigkeiten den Rücken zu. Ausweichmöglichkeiten und Alternativen dazu boten die Akademie, die Industrie oder schließlich eine passende Position in Westdeutschland. „Ihr Drang in die Universität war auch deshalb nicht übermäßig entwickelt, weil im außeruniversitären Bereich meist bessere Gehälter gezahlt wurden."[152] Ebenso zweifelten manche daran, ob sie dem akademischen Lehrbetrieb überhaupt gewachsen seien. Ein Zwischenbericht des Staatssekretariats für das Hochschulwesen von Anfang 1954 berichtet hierüber: „Die Hoffnung einen großen Teil der aus der Sowjetunion zurückgekehrten Spezialisten für die Lehrtätigkeit an unseren Hochschulen zu gewinnen, hat sich leider nicht erfüllt. Zu einem hohen Prozentsatz sind diese Wissenschaftler an die Institute der Deutschen Akademie der Wissenschaften zu Berlin gegangen, einmal, weil die Akademie eine höhere Bezahlung gewährt und zum anderen, weil diese Wissenschaftler behaupten, dass sie allzu lange von dem internationalen wissenschaftlichen Leben abgeschlossen gewesen

[149] Jessen: Akademische Elite, S. 310f.
[150] Ebd., S. 311.
[151] Ebd.
[152] Ebd., S. 311f.

wären, dass sie sich jetzt erst einmal selbst wieder weiterbilden und orientieren müssten, ehe sie im Lehrbetrieb tätig sein könnten."[153]

Eine andere Alternative war der Weggang nach Westdeutschland. Professor Hellmut Frieser von der TH Dresden beispielsweise zögerte nicht lange und verließ die DDR fünf Monate nach seiner Rückkehr aus der UdSSR[154]. Leitende Mitarbeiter der Luftfahrtindustrie, wie der 1960 in die BRD abgewanderte Leiter der Triebwerksentwicklung Fritz Freytag – nach Brunolf Baade die „Nummer 2" in der Flugzeugindustrie der DDR – fanden in westdeutschen Betrieben sofort Anstellung[155]. Zwei weitere Beispiele sind die Ingenieure der Arado-Flugzeugwerke Brandenburg und Warnemünde, die in Duisburg für den ehemaligen Arado-Chefkonstrukteur des Arado-Konzerns, Walter Blume, arbeiteten und der Fakt, dass 1961 unter den sieben leitenden Angestellten in der Flugzeugentwicklung des Hamburger Flugzeugbaus „nicht weniger als vier ehemalige ‚Spezialisten' aus Dresden" waren[156]. In der Luftfahrtforschung spielte die Abwanderung in den Westen eine (zahlenmäßig) untergeordnete Rolle. Wie viele potentielle Hochschullehrer aus dem Kreis der SU-Spezialisten jedoch abwanderten, lässt sich derzeit nicht genau bestimmen. Nach älteren Schätzungen von Ciesla betrug der Abgang aus der Gesamtgruppe bis 1961 etwa 20-25 Prozent[157].

Bedingt durch die genannten großen Schwierigkeiten und Hemmnisse sollte man die Auswirkungen des Zustroms aus dem Osten auf die Entwicklung der Hochschullehrerschaft „nicht zu hoch veranschlagen"[158]. Nur etwa 5 Prozent aller Deportierten nahmen nach ihrer Rückkehr in die DDR eine Tätigkeit im Forschungsbereich auf[159]. Eine Zählung des Staatssekretariats für das Hochschulwesen vom 15. Juli 1955 kam auf 39 SU-Spezialisten in den Hochschulen seines Zuständigkeitsbereiches, zu dem zu diesem Zeitpunkt allerdings noch nicht die neuen Technischen Hochschulen zählten[160]. Es kann jedoch mit einiger Berechtigung davon ausgegangen werden, dass die qualitative Wirkung der Spezialisten-Integration über ihren rein quantitativen Anteil hinausging[161].

Die Spezialisten brachten einen nicht zu unterschätzenden Prestigegewinn für die DDR-Wissenschaft und schließlich einen Erfahrungstransfer aus der UdSSR. Der Innovationsschub, der von der wiedergekehrten Luftfahrtelite auf die Luftfahrtindustrie und -forschung ausgeübt wurde, war deutlich spürbar. „Gerade weil es sich z. T. um Großmeister ihres Faches handelte, die von der DDR-Regierung mit üppigen Gehältern, Institutsdirektoraten und einflussreichen Beraterposten etwa im 1957 gegründeten For-

[153] Zitiert nach ebd., S. 312.
[154] Ebd.
[155] Dienel: Wirtschaftswunder, S. 344.
[156] Budraß, Lutz/Krienen, Dag/Prott, Stefan: Nicht nur Spezialisten. Das Humankapital der deutschen Flugzeugindustrie in der Industrie- und Standortpolitik der Nachkriegszeit, in: Baar, Lothar/Petzina, Dietmar (Hg.): Deutsch-deutsche Wirtschaft 1945-1990. Strukturveränderungen, Innovationen und regionaler Wandel im Vergleich, St. Katharinen 1999, S. 466-529, hier 495f., 506.
[157] Ciesla: Spezialistentransfer, S. 29.
[158] Jessen: Akademische Elite, S. 312.
[159] Ciesla: Spezialistentransfer, S. 26.
[160] Jessen, Akademische Elite, S. 312f.
[161] Ebd., S. 313.

schungsrat umworben wurden, war ihre Rolle innerhalb der traditionalistischen Fraktion in den Naturwissenschaften ambivalent." Denn zum einen waren sie hoch privilegierte Akteure in Hybridgremien wie dem Forschungsrat, welche die Wissenschaften mit dem diktatorischen Plansystem verknüpften. Andererseits konnten sie in diesen Gremien auch als Interessenvertreter der Wissenschaftler wirken. „Und schließlich festigten diese durch Amt, wissenschaftliche Leistung und den Nimbus des Sowjetunionaufenthalts schwer angreifbaren Persönlichkeiten die autoritär-patriarchalischen Machtverhältnisse in den Instituten, die für die SED-Gruppen vor Ort so schwer zu durchdringen waren."[162]

Durch die Eingliederung der Spezialisten, durch Westberufungen und vor allem durch die Integration NS-belasteter Wissenschaftler restaurierten die Hochschulpolitiker der SED seit 1947/48 in den Naturwissenschaften, den technischen Fächern sowie der Medizin, aber auch in Fächern wie den Landwirtschafts- oder Forstwissenschaften und der Veterinärmedizin nolens volens das alte Professorat[163]. Auch dort, wo die Entnazifizierung die direkte personelle Kontinuität unterbrach, blieben die Grundlagen des alten Milieus erhalten. In der Luftfahrtelite, die nun in der DDR eine Luftfahrtindustrie aufbauen sollte und wollte, gab es allerdings wohl keine „echten" Nazis. Prägend aber war die Restauration des alten Milieus auf Basis einer wechselseitigen Indienstnahme von Politik und (Natur-)Wissenschaften: „Während die sich konstituierende SED-Diktatur dringend auf die Fachkompetenz der ‚Experten' angewiesen war, nutzten diese die Gunst der Stunde, nahmen die großzügigen Angebote des neuen Systems wahr und fundierten so ihre Nachkriegskarriere auf Basis ‚konstruierter Kontinuitäten'."[164] Eine Art „apolitischer Technizismus"[165] war auch in der Luftfahrtelite zu spüren. Die meisten deutschen Ingenieure waren zum größten Teil unpolitisch und fühlten sich der Partei, zumindest anfangs, nicht sonderlich verpflichtet. Eine Parallele dazu findet sich ebenfalls am Beginn des Dritten Reiches[166].

3. Aufstieg aus dem Untergang

3.1 Planung und Beginn der Luftfahrtindustrie in der DDR

Während der Zeit der Weimarer Republik gelang es der Regierung und der Industrie, die Waffenentwicklungen im Verborgenen fortzusetzen. „Man förderte Mehrzwecktechnologien, bei denen man die zivile Nutzung in den Vordergrund stellen konnte; die militärische Forschung unterlag der Geheimhaltung, und manche Projekte wurden im Ausland

[162] Ebd.
[163] Ebd., S. 314.
[164] Ebd.
[165] Albrecht/Heinemann-Grüder/Wellmann: Die Spezialisten, S. 17; Ash, Mitchell G.: Wissenschaftswandel in Zeiten politischer Umwälzungen. Entwicklungen, Verwicklungen, Abwicklungen, in: Internationale Zeitschrift für Geschichte und Ethik der Naturwissenschaften, Technik und Medizin, 3. Jahrgang, 1995, S. 1-21, hier 14.
[166] Cornwell, John: Forschen für den Führer. Deutsche Naturwissenschaftler und der Zweite Weltkrieg, Bergisch Gladbach 2004, S. 171.

realisiert.“[167] Auch die Versailler Restriktionen in Bezug auf die Weiterentwicklung der Luftwaffe „waren während der Weimarer Jahre ein ständiger Stein des Anstoßes und Quell gekränkten Stolzes. Die Deutschen hegten eine ungemeine Begeisterung fürs Fliegen, und Segelfliegen wurde zur nationalen Leidenschaft – mit eindeutig militärischen Unterton.“[168] Hitlers Diktatur verhieß ein rasches Wachstum der Militärtechnologien und bis dahin ungeahnte und unvorstellbare Erfolgsaussichten. Nach Jahren der Agonie und Untätigkeit, „einer Zeit, in der etwa 5000 unzufriedene Ingenieure und Techniker in der Sowjetunion Arbeit angenommen hatten“[169], bot ihnen Hitler die Gelegenheit, ihre Fähigkeiten und Fertigkeiten im eigenen Land einzusetzen[170]. Auch nach dem Ende des Zweiten Weltkrieges und der Gründung der DDR 1949 sind ähnliche Tendenzen sichtbar. Zu Beginn der 1950er Jahre fanden verdeckte Wiederaufrüstungsmaßnahmen statt, die von der UdSSR teils gefördert und gefordert wurden und den Bestimmungen des Potsdamer Abkommens eindeutig zuwiderliefen[171]. Die deutsche Begeisterung für die Fliegerei scheint nach Kriegsende nur wenig geschwunden zu sein. Wobei allerdings die Gründe für den erneuten Aufbau einer Luftfahrtindustrie und Luftfahrtforschung verschieden zu bewerten sind.

Vor allem aber sollte klar sein, dass jegliche Luftfahrt, damit ebenso die Luftfahrtforschung, ihre Wurzeln in militärischen Interessen und Ambitionen haben. Denn Militär war und ist Bestandteil jeder staatlichen Organisationsform, weil es der Befriedung von inneren und äußeren Sicherheitsinteressen dient, der Gewährleistung territorialer Integrität, aber auch Macht- und Druckmittel in der Außenpolitik ist. Daher bildet der Finanzbedarf für das Militär auch eine „immanente Ingredienz der Staatsausgaben. Das Ausmaß der Rüstungs- und Sicherheitsbedürfnisse, die Art und Weise der Finanzierung des Militärs sowie die Stellung der Rüstungsindustrie im allgemeinen Wirtschaftsgefüge charakterisieren einen Staat, seine Politik und sein nationales und internationales Selbstverständnis.“[172] Bis zum Jahr 1953 gab es in der DDR-Wirtschaft keine eigenständige Rüstungsindustrie[173]. Dies war ein deutlicher Unterschied zum eigentlich kopierten Modell der UdSSR „mit seinen nahezu homogenen Rüstungsbereichen von der Zulieferung über Halbzeugproduktion bis zur Endfertigung“[174]. Auch die Tschechoslowakei und Polen entwickelten von Anbeginn Bereiche der Rüstungsproduktion und bauten Bestehen-

---

[167] Ebd., S. 174.
[168] Ebd., S. 172.
[169] Ebd., S. 174.
[170] Albrecht/ Heinemann-Grüder/Wellmann: Die Spezialisten, S. 19f.
[171] Michels, Jürgen: Luftfahrtindustrie in der Sowjetischen Besatzungszone unter sowjetischer Regie, in: Michels/Werner (Hg.): Luftfahrt Ost, S. 18; vgl. dazu auch Baarß, Klaus-Jürgen: Lehrgang X. In geheimer Mission an der Wolga, Berlin/Bonn/Hamburg 1995; Sobolew, Dimitri Alexejewitsch: Deutsche Spuren in der sowjetischen Luftfahrtgeschichte. Die Teilnahme deutscher Firmen und Fachleute an der Luftfahrtentwicklung in der UdSSR, Hamburg/Berlin/Bonn 2000.
[172] Diedrich, Torsten: Aufrüstungsvorbereitung und -finanzierung in der SBZ/DDR in den Jahren 1948 bis 1953 und deren Rückwirkungen auf die Wirtschaft, in: Thoß, Bruno (Hg.): Volksarmee schaffen – ohne Geschrei! Studien zu den Anfängen einer verdeckten Aufrüstung in der SBZ/DDR 1947-1952, (Beiträge zur Militärgeschichte, herausgegeben vom Militärgeschichtlichen Forschungsamt, Band 51), München 1994, S. 273-336, hier 273.
[173] Ebd., S. 278.
[174] Ebd.

des aus. Dass allerdings eine solche Militarisierung der DDR im Gefolge der II. Partei-konferenz geplant war, konnte nachgewiesen werden[175].

Während des Zweiten Weltkrieg hatten im Dritten Reich und in der Sowjetunion zen-tralistische Strukturen dafür gesorgt, dass auch letzte Reserven für die Rüstung mobilisiert werden konnten. Die Vorstellungen der UdSSR fanden über ihre Wirtschafts- und Mili-tärberater Eingang in das ostdeutsche wirtschaftsstrategische Denken und wirkten sich besonders in den ersten Jahren der Mangelwirtschaft sehr nachteilig aus[176]. Durch die Zentralisierung war es der SBZ- und später der DDR-Führung mittels Umverteilungen kurzfristig möglich, spezielle Anforderungen zur Finanzierung bzw. materiellen Absiche-rung von Aufrüstungsmaßnahmen zu realisieren, auch wenn dabei Abstriche an anderen wirtschaftlichen Bereichen notwendig wurden.

Bis 1949 existierten auf dem Gebiet der SBZ nur in SAG-Betrieben eine Rüstungs-produktion im engeren Sinne, die für den Bedarf der Besatzungstruppen produzierte – so wie es das Potsdamer Abkommen eigentlich vorsah[177]. Die alliierten Vereinbarungen sa-hen außerdem vor, dass bis zum Abschluss eines Friedensvertrages mit Deutschland „mit dem Ziel der Vernichtung des deutschen Kriegspotentials die Produktion von Waffen, Kriegsausrüstung und Kriegsmitteln, ebenso die Herstellung aller Typen von Flugzeugen und Seeschiffen zu verbieten und zu unterbinden"[178] sei. Dazu war eine Überwachung der Industrie, die dafür benutzt werden konnte, vorgesehen. Außerdem wurden bis zu diesem Zeitpunkt keine „zentral geleiteten Initiativen" in der SBZ/DDR ergriffen, die das Poten-tial der ehemaligen Kriegsluftfahrtindustrie im Sinne einer technologisch orientierten Konversionspolitik nutzbar machen konnten.

Die Wirtschaftspläne der HVA und der HVS sowie der beginnende Aufbau der Luft-streitkräfte deuten darauf hin, dass bereits Ende 1950/Anfang 1951 ein weit größeres Mi-litärprogramm angedacht war, als letztlich realisiert worden ist[179]. Erste Planungen für ei-ne eigene Luftfahrtindustrie der DDR finden sich zwar erst Anfang 1952[180], aber entspre-chende Absichten und „grobe" Planungen muss es bereits vorher gegeben haben. Denn derartig große Vorhaben brauchen in der Regel längere Vorlaufzeiten in puncto Entwick-lung von Ideen, und um diese dann in konkrete Planungen umzusetzen. Während einer Besprechung von führenden SED-Funktionären mit der Sowjetischen Kontrollkommis-sion in Karlshorst am 30. Juli 1951 wurden Überlegungen angestellt, „wie zivile und mili-tärische Interessen sowohl im Bereich der Luftfahrt als auch im Fahrzeugbau optimiert werden konnten"[181].

[175] Ebd.
[176] Ebd., S. 291.
[177] Ebd., S. 291f.
[178] Zitiert nach ebd.
[179] Ebd., S. 292f.
[180] Barkleit/Hartlepp: Zur Geschichte, S. 8; Werner, Jochen: Luftfahrtindustrie in der DDR (1952-1961), in: Mi-chels/Werner (Hg.): Luftfahrt Ost, S. 72.
[181] Diedrich: Aufrüstungsvorbereitung, S. 293.

Die allgemeinwirtschaftlichen Zusammenhänge machten wirtschaftliche Probleme innerhalb der materiellen Versorgung der bewaffneten Organe der DDR sichtbar. Ökonomische Schranken, die den Aufbau einer Rüstungsindustrie begrenzten, werden sehr bald erkennbar. Denn die wirtschaftlichen Ausgangsbedingungen, die eingeschränkten Rohstoffressourcen und Exportmöglichkeiten sowie die Reparationen und Besatzungskosten setzten der DDR-Wirtschaft von vornherein enge Grenzen für die Schaffung eines Rüstungsbereiches, wie etwa dem Flugzeugbau, der als Teil der Wiederaufrüstungsmaßnahmen konzipiert war. Besonders für die unmittelbare Nachkriegsperiode bis 1956 war für die DDR-Wirtschaft ein großer Mangel an Stahl- und Edelmetallwerkstoffen, Energieträgern und Maschinen typisch[182]. Vor allem waren davon jene Produktionszweige betroffen, die eine besondere Bedeutung für die Rüstungsproduktion hatten. Das Kapazitätsreaktiv der Metallurgie war bereits 1950 erschöpft. Notwendigen Neu- und Erweiterungsinvestitionen standen relativ geringe Mittel für die Akkumulation gegenüber. Eine Rüstungsproduktion für die bewaffneten Organe in der DDR musste zwangsläufig den Sektor ziviler Konsumtion einschränken. Die Investitions- und Produktionsmöglichkeiten der SBZ/DDR reichten nach Abzug der Reparationsleistungen und Besatzungskosten nicht aus, um innovativ die gesamte Wirtschaft kontinuierlich zu entwickeln. Demzufolge konzentrierte man sich auf Schwerpunktbereiche, wie etwa die Grundstoff- und Schwerindustrie[183].

Eine Vorreiterrolle für die Entwicklung eines eigenständigen Sektors der Rüstungsproduktion spielte der Schiffbau[184]. Von Anbeginn nahm die Werftindustrie in der DDR eine Sonderstellung ein, die weit bis in die 1960er Jahre Bestand hatte. Für die UdSSR, speziell das sowjetische Militär, waren das deutsche „Know-how" im Flugzeug- und im Schiffbau gleichermaßen interessant[185]. Seit Ende des Zweiten Weltkrieges nutzte die UdSSR die ostdeutschen Schiffbau- und Reparaturkapazitäten in großem Maße als Reparationsleistungen aus. Doch auch der Schiffneubau in der SBZ/DDR war, wenn auch eher indirekt, von militärischem Interesse[186]. Die Überführung der liquidierten Luftfahrtindustrie des Ostseeraumes in den Schiffbau nur „als regionalen Konversionsprozess"[187] zu begreifen, bedarf wohl einer Revision: handelte es sich doch hierbei um die Umwandlung eines militärisch relevanten Industriezweiges in einen anderen.

Die spezielle Rüstungsproduktion umfasste fast das ganze Spektrum an Militär- und Rüstungsgütern, ausgenommen die aus der UdSSR gelieferten Waffen, Großtechnik und dazugehörige Munition. Neben dem bereits beschrieben militärischen Schiffbau und seiner Sonderstellung strebte die DDR-Führung danach, nun insbesondere drei Bereiche zu einem eigenständigen Rüstungssektor auszubauen:

---

[182] Ebd.; vgl. auch Steiner, André: Von Plan zu Plan. Eine Wirtschaftsgeschichte der DDR, München 2004, S. 51f.
[183] Ebd., S. 79.
[184] Diedrich: Aufrüstungsvorbereitung, S. 297.
[185] Ebd.
[186] Thoß, Bruno: Die Sicherheitsproblematik im Kontext der sowjetischen West- und Deutschlandpolitik 1941-1952, in: Thoß (Hg.): Volksarmee schaffen, S. 46ff.
[187] Prott/Budraß: Demontage und Konversion, S. 319.

1. den Reparatur- und Instandsetzungssektor für die Kfz- und Panzertechnik,
2. den Sektor der Handfeuerwaffen- und Munitionsproduktion und eben
3. den Flugzeugbau[188].

Im Jahre 1952 wurden dann im Auftrag des MdI durch Mitarbeiter des militärwirt-schaftlichen Apparates erste Exposés über den Aufbau einer Flugzeugindustrie und über die Produktion von Munition und Sprengmitteln erarbeitet[189]. Es war vorgesehen, dass beide Industriezweige schrittweise entwickelt werden sollten, wobei sowohl für die Muni-tionsfertigung als auch für den Flugzeugbau bereits für 1953 ein Produktionsausstoß vor-gesehen war. Der hohe Stellenwert, dem man dem Flugzeugbau schon von Anfang an beimaß, ist unübersehbar.

In einem zweiten Entwurf, der von Erich Miller stammt, einem Mitarbeiter im Ministe-rium für Maschinenbau der DDR, heißt es zum Aufbau einer Luftfahrtindustrie in der DDR: „Die schnelle wirtschaftliche Entwicklung in der DDR und das sprunghafte An-wachsen der Außenhandelsbeziehungen machen es erforderlich, dass für die Zwecke des Kurier- und Postdienstes, für den geschäftlichen Reiseverkehr sowie für die rasche Beför-derung hochwertiger Güter eine eigene Luftfahrt aufgebaut wird. Außerdem wird es not-wendig, zur verbesserten Ausrüstung der Polizei und für die zu bildenden nationalen Streitkräfte neben der Produktion von Zivil-Luftfahrzeugen mit der Erzeugung von leich-ten und schweren Kampfflugzeugen zu beginnen. Zur Förderung des Fluggedankens un-ter den Jugendlichen ist neben dem Bau von Segelflugzeugen die Produktion von Schul-flugzeugen und Sportflugzeugen aufzunehmen."[190]

Im selben Entwurf wurden dann Untersuchungen angestellt, welche Gebiete und Be-triebe bereits vor 1945 ähnliche Erzeugnisse hergestellt hatten und über welche Produkti-onskapazitäten sie noch verfügten. Ein besonderes Kriterium zur Standortwahl einer künftigen Luftfahrtindustrie war die Entfernung zur Demarkationslinie zwischen beiden deutschen Staaten. Eine auf mindestens 50 km Abstand festgelegte Entfernung zur De-markationslinie sollte hier garantiert werden[191].

Nachdem in den Jahren 1952 bis 1955 eine eigene Schiffbauindustrie und ein Übersee-hafen entstanden waren, sollte nun mit einer eigenen Luftfahrtindustrie eine alle anderen Industriezweige befruchtende Hochtechnologie aufgebaut werden[192] und dazu eine schlagkräftige Waffe in der Landesverteidigung. Möglicherweise war der Aufbau eines na-tionalen Luftverkehrsnetzes, sowohl ziviler wie militärischer Natur, auch angedacht, um das im Krieg stark in Mitleidenschaft gezogene Verkehrsnetz[193] zu unterstützen. Indirekte Hinweise darauf gibt aber der oben zitierte Planentwurf Millers.

[188] Diedrich: Aufrüstungsvorbereitung, S. 316.
[189] Ebd., S. 317.
[190] Zitiert nach Werner: Luftfahrtindustrie, S. 72.
[191] Diedrich: Aufrüstungsvorbereitung, S. 316.
[192] Lorenz: Passagier-Jet 152, S. 16.
[193] Zu den Kriegsschäden im ostdeutschen Verkehrsnetz siehe u. a. Steiner: Plan, S. 22.

Der Aufbau einer eigenständigen Luftfahrtindustrie in der DDR begann 1952 mit der Bildung der Hauptverwaltung (HV) 18 genannten Spezialabteilung des Ministeriums für Maschinenbau in Pirna, die sich mit Fragen des Wiederaufbaus der Luftfahrtindustrie im Rahmen der Landesverteidigung beschäftigte[194]. Zwei Etappen beim Aufbau des Industriezweiges lassen sich unterscheiden: „Die erste begann mit der Bildung der ‚Verwaltung der Luftfahrtindustrie' (VLI) im ‚Amt für Technik der Deutschen Demokratischen Republik' (Leiter: Staatssekretär Wolf). (...) Die zweite Etappe begann 1958 mit der Bildung der ‚Vereinigung Volkseigener Betriebe Flugzeugbau' (VVB Flugzeugbau). Die Abteilung Maschinenbau der Staatlichen Plankommission, innerhalb derer der Sektor Luftfahrtindustrie (Leiter: Hans Cichy) für den neuen Industriezweig zuständig war, stand unter der Leitung von Helmut Wunderlich, dem Stellvertretenden Vorsitzenden der SPK und Minister für Allgemeinen Maschinenbau. Die fachliche Leitung des Vorhabens wurde Brunolf Baade übertragen, der in den USA, in Deutschland und in der Sowjetunion erfolgreich als Flugzeugkonstrukteur tätig gewesen war."[195]

Als künftige Standorte einer eigenen Flugzeugindustrie wählte man die Räume Leipzig/Dessau und Dresden/Bautzen aus. Langfristig entstand das Kombinat Spezialtechnik Dresden. Als tragende Werke der künftigen Flugzeugindustrie waren der VEB Waggonbau Gotha, das RAW und Elmo in Dessau, der VEB Abus-Kranbau Köthen, Nagema in Schkeuditz und Heidenau sowie das Druckmaschinenwerk Leipzig vorgesehen. Außerdem war dort die Produktion von Flugzeugzellen, Fahrwerken, Luftschrauben und Triebwerken angedacht. An Bau- und Ausrüstungskosten ermittelte das Exposé [„Aufstellung über den Finanzbedarf der Flugzeugindustrie"; der Verf.] für 1952 circa 16 Mio. DM, für 1953 mit Produktionskosten (27,3 Mio. DM) und Reserven (21,2 Mio. DM) insgesamt 110 Mio. DM an Investitionen. „Diese plante man 1954 mit 255 Mio. DM bereits mehr als zu verdoppeln. Schon 1953 sollten die Fertigungsstätten 160 (vorrangig Schulflugzeuge), 1954 1002 Flugzeuge, darunter bereits 398 Jagdflugzeuge verlassen."[196]

In der ersten Planungsphase war sogar der Neubau eines Bomberwerks angedacht. Es sollte entweder im Raum Mecklenburg oder Dresden entstehen. Die dafür anfallenden Baukosten wurden mit 10 Mio. DM veranschlagt. Für die Ausrüstung mit Maschinen und den Flugplatz gesellten sich dann noch einmal 9 Mio. DM hinzu. Für die 34 Flugzeugzellen, die man sich für die Jahre 1954/55 erhoffte, wurden Produktionskosten in Höhe von 19 Mio. DM kalkuliert[197]. Das Gesamtprogramm des Aufbaus einer Luftfahrtindustrie sah für 1952 ein Investitionsvolumen von 27 Mio., für 1953 von 271 Mio. und bis 1955 insgesamt von 1,123 Mrd. DM vor. Zu diesem Programm zählten der Bau von Flugplätzen in Bautzen, Preschen, Müncheberg und im Raum Rügen mit Investitionen von 22-25 Mio.

---

[194] Barkleit, Gerhard: Die Spezialisten und die Parteibürokratie. Der gescheiterte Versuch des Aufbaus einer Luftfahrtindustrie in der Deutschen Demokratischen Republik, in: Barkleit, Gerhard/Hartlepp, Heinz: Zur Geschichte der Luftfahrtindustrie in der DDR 1952-1961, Dresden 1995 (Hannah-Arendt-Institut für Totalitarismusforschung, Berichte und Studien Nr. 1/95), S. 5-29, hier 7.

[195] Ebd., S. 7f.

[196] Diedrich: Aufrüstungsvorbereitung, S. 318.

[197] Ebd.

DM, von Einsatzflugplätzen für ca. 10-11 Mio. DM sowie die Kosten der Personalentwicklung von 1952/53, für die allein 43 Mio. DM eingeplant wurden[198].

Im Sommer 1952 verkündete der Generalsekretär der SED Walter Ulbricht: „Es kann kein Zweifel darüber bestehen, dass die deutsche Wissenschaft und Technik in unserer Republik einer neuen Blüte entgegengehen. Je rascher und gründlicher wir von der Sowjetwissenschaft lernen, desto besser werden sich unsere eigenen Forschungsarbeiten entwickeln und neue Siege der deutschen Wissenschaft und Technik errungen werden."[199] Doch bereits zu Beginn der 1950er Jahre ließ sich ein deutlicher Innovations- und Produktivitätsrückstand im Vergleich zur Bundesrepublik erkennen[200]. Vorerst jedoch wurde diese Entwicklung dadurch überdeckt, dass die industriellen Erzeugnisstrukturen zu Beginn der fünfziger Jahre durch Technologieentwicklungen bestimmt wurden, die schon in der Zeit zwischen den beiden Weltkriegen als Innovationsprozesse begonnen hatten und sich nun weltweit in den entwickelten Industriestaaten entfalteten. „Über dieses Technologieniveau verfügten die meisten ostdeutschen Industriebetriebe trotz sowjetischer Demontagen und Know-how-Transfers noch hinreichend, so dass der Rückstand im Bereich innovativer Technologien leicht aufholbar erschien."[201] Es konnte also der DDR-Führung als logisch erscheinen, eine Flugzeugindustrie (wieder) aufzubauen, selbst unter den enorm hohen Kosten. Schließlich hoffte man auch, dass sich eine Luftfahrtindustrie nach einiger Zeit durch den Verkauf von modernsten Flugzeugen an den für sicher gehaltenen Hauptabnehmer UdSSR selbst tragen würde.

Von einschneidender ökonomischer Bedeutung erwiesen sich zudem die Anforderungen dieses Industriezweiges an den bereits stark strapazierten Rohstofffonds der DDR. Besonders in den stahl- und aluminiumerzeugenden Zweigen der Grundstoffindustrie wurden größere Investitionen nötig. Für 1953 plante man hierfür 6,4 Mio. DM ein[202]. Auch die Importaufkommen an Chrom, Nickel, Molybdän und Vanadium mussten wesentlich gesteigert werden. Wie in anderen Schwerpunktbereichen erfolgte die notwendige Ausstattung mit Produktionsmitteln in hohem Maß durch die Umsetzungen von Maschinen aus den so genannten „Nichtschwerpunkt"-Bereichen[203]. Die wirtschaftlichen Folgen dessen lassen sich heute kaum ermitteln, allerdings müssen sie, etwa für die Konsumgüterindustrie, sehr groß gewesen sein.

Von 1953 bis 1960 wuchs die Flugzeugindustrie in den Räumen Dresden und Karl-Marx-Stadt (heute Chemnitz) auf ca. 25.000 Mitarbeiter an[204]. Von Anfang an wurde großer Wert auf den Bereich der Forschung und Entwicklung (FuE) gelegt. Man ging davon aus, den noch immer als bestehend angenommenen internationalen Vorsprung, insbeson-

---

[198] Ebd., S. 319.
[199] Ulbricht, Walter: Die gegenwärtige Lage und die neuen Aufgaben der Sozialistischen Einheitspartei Deutschlands. Referat und Schlusswort auf der II. Parteikonferenz der SED, 9.-12. Juli 1952, Berlin (Ost) 1952, S. 105.
[200] Ciesla: Transferfalle, S. 197.
[201] Ebd.
[202] Diedrich: Aufrüstungsvorbereitung, S. 319.
[203] Ebd.
[204] Dienel: Wirtschaftswunder, S. 346, 348.

dere im Bereich des Triebwerksbaus, nutzen zu können. In Pirna/Sonnenstein entstand eigens für die Entwicklungen im Flugzeugbau eine Forschungseinrichtung. 1952 standen dafür 6 Mio. DM zur Verfügung, und 1953 wurden bereits 116 Mio. DM Investitionsmittel eingeplant[205].

Besonders bei den in den Jahren 1950 bis 1953 zurückgekehrten deutschen Spezialisten, die im Flugzeugbau oder allgemein in der Waffentechnik gearbeitet hatten, wurde ihr rüstungsorientiertes Aufgabenfeld für die weitgehend als abgerüstet anzusehende Wirtschaft und Grundlagenforschung zu einem Beschäftigungsproblem. Und das trotz des großen Mangels an qualifizierten Fachkräften[206]. Durch die Initiierung von Forschungsprogrammen, die Gründung von wissenschaftlichen Einrichtungen bzw. Forschungsinstituten sowie durch den Neu- bzw. Wiederaufbau des Luftfahrtindustriezweigs sollten nun einerseits Wissenschaft und Technik einen signifikanten Entwicklungsschub erfahren und andererseits die sich seit 1950 aufstauenden Beschäftigungsprobleme gelöst und dadurch auch der Westabwanderung entgegengewirkt werden[207]. Diese hochgesteckten Erwartungen und Ziele sollten sich jedoch nicht erfüllen. Dazu Ciesla: „Rückblickend wohl auch deshalb nicht, weil sich folgender Gegensatz im sowjetischen und damit auch von Anfang an im ostdeutschen Wissenschafts- und Techniksystem in paradoxer Weise verstärkte: Einmal wurde eine unbegrenzte wissenschaftliche und technische Leistungsfähigkeit des Sozialismus propagiert und anscheinend alles dafür getan, gleichzeitig gab es eine weit reichende Geheimhaltung des wissenschaftlich-technischen Wissens und damit verbunden den Versuch einer Abschottung der institutionellen Strukturen, d. h. die Selbsterhaltung des Systems zog eine massive Isolierung nach sich. Auf die Innovationsfähigkeit der Wirtschaft und Leistungsfähigkeit der wissenschaftlichen Forschung musste ein solcher Mechanismus eines geschlossenen Systems freilich fatale Folgen haben. Das Verhältnis von Staat, Wissenschaft und Technik geriet dadurch frühzeitig in eine selbstinduzierte Krisensituation, die jedoch durch den Systemwettstreit während des Kalten Krieges, die Innovationswirkungen aus der Zwischenkriegszeit und durch die große Technikbegeisterung der fünfziger Jahre verdeckt wurde."[208]

Das oben dargestellte Überlegenheitsdenken im sozialistischen System ist eine Voraussetzung für das tiefere Verständnis der Grundprobleme der Wirtschaftsentwicklung der DDR in den frühen 1950er Jahren. Auch daraus ergeben sich wichtige Teilantworten auf die Frage, warum die SED-Führung 1952 und 1958 überzogene und aus heutiger Sicht irrational erscheinende Überhol- und Modernisierungsprogramme gestartet hat[209].

---

[205] Diedrich: Aufrüstungsvorbereitung, S. 318; zum Bereich des Triebwerksbau siehe Mewes, Klaus-Hermann: Pirna 014. Flugtriebwerke der DDR. Entwicklung, Erprobung und Bau von Strahltriebwerken und Propellerturbinen, Oberhaching 1997.
[206] Ciesla: Transferfalle, S. 198.
[207] Ebd.; ders.: Spezialistentransfer, S. 25ff.; Ciesla, Burghard/Judt, Matthias (ed.): Technology Transfer Out of Germany After 1945, Amsterdam 1996, S. 119-130.
[208] Ciesla: Transferfalle, S. 199.
[209] Ciesla, Burghard: „All das bremst uns, kann uns aber nicht aufhalten". Wohlstandsversprechen und Wirtschaftswachstum: Grundprobleme der SED-Wirtschaftspolitik in den fünfziger Jahren, in: Hoffmann, Dierk/ Schwartz, Michael/Wentker, Hermann (Hg.): Vor dem Mauerbau. Politik und Gesellschaft in der DDR der fünfziger Jahre (Schriftenreihe der Vierteljahreshefte für Zeitgeschichte, Sondernummer), München 2003, S. 149-164, hier 150.

1952 kamen 1650 deutsche Spezialisten, die nach 1945/46 in sowjetische Dienste zwangsverpflichtet worden waren, aus der UdSSR zurück[210]. Das Bedeutsame daran war, dass die SED-Führung die 196 Luftfahrtforscher, Konstrukteure und Techniker als das „geistige Zentrum"[211] des neuen Industrie- und Forschungszweiges der DDR betrachtete. Diese stellten dann 1954 auch das Reservoir dar, aus dem die späteren Führungskader für die Bereiche Forschung, Lehre, Entwicklung und Fertigung angeworben wurden. Diese „Kerngruppe" war erst Ende 1953 in der UdSSR entstanden. Ihre Aufgabe bestand in der Projektierung eines strahlgetriebenen Passagierflugzeuges, das in Serie produziert werden sollte, die „152". Der Vorgänger dieses Projekts war der Bomber „150" gewesen, dessen erster Prototyp noch in der Sowjetunion hergestellt worden war. Später kamen dann die zivilen Projekte „153", „153a", „154" und „155", mit ihren jeweiligen Varianten, die aber allesamt nicht gebaut wurden, hinzu. Begonnen wurde die Flugzeugproduktion mit dem Lizenzbau der sowjetischen IL-14 und dem Bau von Gleit- und Segelflugzeugen. Des Weiteren wurde an Flugtriebwerken und Ersatzteilen gebaut. Die Erzeugnispalette sollte in den kommenden Jahren wesentlich erweitert werden.

Das Flugzeug „152" trägt wohl nicht ganz zufällig diese Typennummer. Vielmehr sollte wahrscheinlich das erste zivile Nachkriegsprojekt der ehemaligen Junker-Flugzeugbauer an die „völkerverbindenden Traditionen der Hugo-Junkers-Flugzeuge vor dem Krieg erinnern, speziell an die erfolgreiche Ju 52[212]. Deshalb wurde ein Sprung in der Typennummerierung von der 150 zur 152 vorgenommen bzw. eine Vorstudie als Projekt eingeschoben, von der feststand, dass sie nicht weiter verfolgt würde", so Lorenz[213]. Ziviler Flugzeugbau auf höchstem Niveau war der Anspruch des Entwicklerteams um Prof. Baade. Die Ziele, welchen man folgte und zu erreichen hoffte, formulierte Baade 1957 in einem Vortrag wie folgt: „Im Gegensatz zu allen anderen Staaten ist die Luftfahrtindustrie der DDR mit rein zivilen Aufgaben beschäftigt. Und wenn man vom Segelflugzeugbau absieht, haben unsere Werke ausschließlich die Aufgabe, Verkehrsflugzeuge und die hierfür erforderlichen Triebwerke und Ausrüstungen zu entwickeln und zu produzieren. Im Westen unseres Vaterlandes ist es allerdings anders. Dort werden die Verkehrsflugzeuge importiert, während der Bau von Militärflugzeugen in großer Stückzahl anläuft."[214]

Diese zivile Ausrichtung der Flugzeugproduktion und der damit verbundenen zivilen Luftfahrtforschung in der DDR wurde zwar vordergründig ideologisch gegen den Westen ins Feld geführt, doch hatte sie auch reale ökonomische Grundlagen. Bei Baade klingt dies so: „Da im gesamten kapitalistischen Ausland bisher etwa 95 Prozent des Flugzeugbaus Kriegszwecken dient und nur fünf Prozent der privaten und Verkehrsluftfahrt, ist deshalb leicht einzusehen, dass auch die Mittel für Forschung und Entwicklung etwa im

---

[210] Diedrich: Aufrüstungsvorbereitung, S. 318.
[211] Ciesla: Transferfalle, S. 194.
[212] Dieses populäre Flugzeug wurde im Volksmund bald nur noch „Tante Ju" genannt. Unter diesem Namen ist sie auch heute noch in luftfahrtinteressierten Kreisen bekannt.
[213] Lorenz: Passagier-Jet 152, S. 15.
[214] Zitiert nach ebd.

selben Verhältnis auf die zukünftigen Anwendungsgebiete verteilt sind."[215] Er folgerte also, dass bei Anwendung der Forschungsmittel auf den zivilen Flugzeugbau viel schneller leistungsfähige Verkehrsflugzeuge entstehen könnten als über den Umweg des Militärflugzeugbaus. Dieser Gedankengang hat einiges für sich und ist sicher nicht falsch, aber vom Standpunkt des auf Rentabilität arbeitenden Luftfahrtunternehmens, das diese individuell nachweisen muss, geht diese Rechnung nicht unbedingt auf. Wenn die Kosten aus dem Militärbudget gezahlt werden können und diese Ergebnisse auf den zivilen Sektor angewendet werden, kann man billiger und risikoloser produzieren und projektieren. Mit einem Wort: Der Flugzeugbau in der DDR war von Anfang an mit einem hohen Risiko belastet.

Allerdings hätten es die Planer in der DDR zu Beginn sehr schwer gehabt, wenn sie ausschließlich Flugzeuge für den militärischen Einsatz produzieren wollten. Denn unter vielen der zurückgekehrten Spezialisten und den an den ehemaligen Standorten des Flugzeugbaus, wie z. B. Dessau, Bernburg, Halle, Rostock, Roßlau, Eisenach, Pirna, Dresden und Schönebeck angeworbenen Fachkräften, traten immer wieder Diskussionen über die Rechtmäßigkeit der Flugzeugproduktion im Zusammenhang mit den geltenden Bestimmungen des Potsdamer Abkommens auf[216]. Manche weigerten sich gar, an militärischen Projekten mitzuarbeiten. Der prominenteste Fall ist sicher der des Aerodynamikers Werner Albring, der sich nach seiner Rückkehr 1952 weigerte, weiter an militärischen Projekten und Waffentechnik zu arbeiten[217].

Es waren jedoch gerade die Spezialisten wie Baade und Albring, die für den Flugzeugbau absolut notwendig waren und somit zum „Zirkel der Unersetzlichen"[218] gehörten. Ihre Erfahrungen und ihr Wissen waren von unschätzbarem Wert; nicht nur für den Aufbau der Luftfahrtindustrie, sondern auch um die Luftfahrtforschung wieder beleben und neu aufbauen zu können. Auch an die Heranziehung von Fachkräften aus Pirna als mögliche zusätzliche Lehrkräfte in der Luftfahrtforschung wurde gedacht. Die Qualifizierung seiner eigenen Fachkader gedachte das Konstruktions- und Entwicklungsbüro Pirna über eigene Fachkurse durchzuführen. An mehreren Fachschulen war vorgesehen, Fachzeitschriften und -bücher aus Westdeutschland sowie dem Ausland zur Auswertung für die Konstruktions- und Entwicklungsstellen zu beschaffen. Außerdem sollten die technischen Verlage in der DDR mit der Herausgabe eigener Lehrbücher und Fachzeitschriften beginnen. Im Versuchswerk Drewitz bei Cottbus sowie in den umzustellenden Produktionsbereichen

---

[215] Ebd.
[216] Diedrich: Aufrüstungsvorbereitung, S. 318.
[217] Cornwell: Forschen, S. 478.
[218] Dieser Begriff bezog sich zwar zu Beginn nur auf eine Liste mit 16 Namen von hervorragenden Dresdner Wissenschaftlern, Ingenieuren und Technikern sowie Geistes- und Wirtschaftswissenschaftlern, die der damalige Dresdner Bürgermeister Walter Weidauer im August 1945 im Auftrag der Landesverwaltung Sachsens erstellte. Die darin aufgeführten Fachleute galten als „unersetzlich" und wurden beispielsweise im Rahmen der Entnazifizierungen kaum oder gar nicht belangt. Der Terminus der „Zirkel der Unersetzlichen" soll im Kontext dieser Arbeit als Personengruppe verstanden werden, die zur Durchführung und Umsetzung eines bestimmten, von der DDR-Führung verordneten Projekts absolut notwendig waren und dafür meist mit großen (materiellen) Privilegien ausgestattet wurden und relative Entscheidungsfreiheit hatten. Vgl. auch Hänseroth: Fachleute, S. 45.

waren auch Lehrwerkstätten eingeplant, wobei die theoretische Ausbildung der neuen jungen Kader in Spezial-Berufsschulen erfolgen sollte. Ebenfalls war die Bildung von Sonderabteilungen für die schnelle Umschulung von Facharbeitern vorgesehen, um die Luftfahrtindustrie aufbauen zu können[219].

Nach im Dritten Reich bewährtem Muster hoffte man Nachwuchs für das fliegende Personal durch die Mobilisierung der Jugend zu gewinnen. Zur Popularisierung des Flug-gedankens entstanden Flugmodellbaugruppen bei den Jungen Pionieren und Segelflug-gruppen bei der Freien Deutschen Jugend (FDJ)[220]. Die Bezirksgruppen der Organisation „Neue Technik", dem Vorläufer der Gesellschaft für Sport und Technik (GST), die erst am 7. August 1952 gegründet wurde, begannen die Sportfliegerei aktiv zu betreiben[221]. Die Ausbildung von Bodenpersonal und fliegendem Personal für die polizeilichen bzw. militärischen Aufgaben konnten durch die damalige Hauptverwaltung Ausbildung (HVA) der Deutschen Volkspolizei (DVP), Zweigstelle Berlin Johannisthal, organisiert werden.

Den direkten Einstieg in die Luftfahrtindustrie hatten die Verantwortlichen offensicht-lich recht optimistisch geplant. Man war der Auffassung gewesen, dass die Entwicklung und Fertigung eines kleinen Sportflugzeuges zunächst am wenigsten Schwierigkeiten be-reiten würde. Auffällig bei diesem kleinen projektierten Reiseflugzeug, dem Projekt 101, ist, dass es der legendären Arado Ar 79 aus den dreißiger Jahren im Design gleicht[222]. Daraufhin wollte man sich dann ganz den großen Projekten, wie dem Lizenzbau der IL-14 und der 152 zuwenden und ebenso der neben den FuE in den Betrieben der zugehöri-gen (auch akademischen) Luftfahrtforschung.

3.2 Der Beginn der akademischen Luftfahrtforschung an der Universität Rostock

In etwa zeitgleich mit den beginnenden Planungen für die Luftfahrtindustrie setzten auch entsprechende Planungen für die Luftfahrtforschung ein. Denn ein Industriezweig funk-tioniert nur dann, wenn ständig gut ausgebildete Fachkräfte nachrücken und den Prozess der Forschung, Entwicklung und damit die Produktion am Laufen halten. Gerade in ei-nem Zweig der Hochtechnologie wie dem Flugzeugbau ist es besonders wichtig, dass ne-ben der Forschung und Entwicklung in den Betrieben ein akademischer Nachwuchs her-angebildet wird, der dann so gut ausgebildet ist, um entweder Tätigkeiten und Aufgaben in der Industrie direkt zu übernehmen oder sich nach dem Abschluss des Studiums einer wissenschaftlichen Tätigkeit widmen zu können. Die Ausbildung muss Wissen und Fä-higkeiten auf dem neuesten technischen und wissenschaftlichen Stand vermitteln und da-

[219] Werner: Luftfahrtindustrie, S. 73.
[220] Ebd.
[221] Ebd.; vgl. auch Köllner, Eberhard: Hohe Disziplin in Ausbildung und Sport. Fliegen und Fallschirmspringen in der GST, in: Berger, Ulrich (Hg.): Frust und Freude. Die zwei Gesichter der Gesellschaft für Sport und Technik, Schkeuditz 2002, S. 77-82.
[222] Werner: Luftfahrtindustrie, S. 74.

bei auch in hohem Maß praxisbezogen sein. Einen „Stillstand" in Forschung und Lehre kann man sich in einem so komplexen Feld wie der Luftfahrt nicht erlauben. Forschung in und für die Luftfahrt dient der Erzeugung konkreten Wissens als Grundlage für die Leistung der Flugzeugindustrie.

Um die Eröffnung einer Luftfahrttechnischen Fakultät in der DDR zu beschleunigen und um dieses möglichst zeitgleich mit dem Beginn der Flugzeugproduktion zu realisieren, wählte man den Standort Rostock aus[223]. Dort gab es dann „den Vorschlag, neben der Technischen Fakultät für Schiffbau eine selbständige Fakultät für Luftfahrtwesen zu errichten."[224]

Mehrere Gründe sprechen für diese Standortwahl. Rostock hat beispielsweise eine ausgezeichnete Rolle in der deutschen Luftfahrttradition. Teile der modernen Heinkel-Werke befanden sich dort. Es sei hier stellvertretend für viele wichtige Ereignisse der Luftfahrtgeschichte Rostocks und Mecklenburg-Vorpommerns der weltweit erste Start eines Turbinen-Luftstrahlflugzeuges, der Heinkel He 178, am 27. August 1939 vom Flugplatz Marienehe/Rostock aus durchgeführt[225], erwähnt. Weiterhin verfügen die Stadt und das Umland über Häfen und Werften mit großer Erfahrung und langer Tradition. Die Bedeutung des (militärischen) Schiffbaus und -instandsetzung nach dem Zweiten Weltkrieg, auch als Teil der Reparationsleistungen, wurde bereits erwähnt. Der Schiffbau und die Forschung in diesem Bereich haben allerdings auch einige Gemeinsamkeiten und Parallelen mit der Luftfahrt: Hydro- und aerodynamische Forschung besitzen einige Gemeinsamkeiten. Selbst die Bauweisen und -techniken im Schiff- und Flugzeugbau befruchteten sich, zumindest eine Zeit lang, gegenseitig. Nicht zuletzt existiert auch eine, schon recht alte, Universität in Rostock, die dazu noch über eine Fakultät für Schiffbau verfügte. Dort war vieles vorhanden, was auch einer luftfahrttechnischen Fakultät zugute kommen konnte: Strömungslabore, Schleppwasser-Kanäle und hochqualifizierte Lehrkräfte. Die Wahl, die künftige akademische Luftfahrtforschung an dieser Universität zu etablieren, spricht recht eigentlich für eine geplante Dislozierung der gesamten Industrie an der Ostsee.

3.2.1 Der Aufbau der Fakultät für Luftfahrtwesen

Soweit bekannt, wurde der erste Anstoß „zur Einrichtung einer Abteilung Flugzeugbau und einer Forschungsstelle auf dem gleichen Gebiet an der Technischen Fakultät der Universität Rostock (...) von der Leitung der FDJ-Hochschulgruppe der Universität Rostock und der Leitung der Interessengemeinschaft Segelflug der FDJ in einem Schreiben an den Stellvertreter des Ministerpräsidenten und Generalsekretär der SED Walter Ulbricht vom 20.6.1952 gegeben."[226] Diese Worte wurden nur kurze Zeit, nachdem in

---

[223] In der Forschung wird die Fakultät für Luftfahrt an der Universität Rostock meist übergangen. Auch Prott/Budraß: Demontage und Konversion, S. 330, erwähnen für das Jahr 1953 die beiden Fachschulen für Flugzeugbauer in Köthen und Dresden, nicht jedoch die bereits ein Jahr zuvor gegründete Rostocker Fakultät.
[224] Arch UR: Technische Fakultät für Luftfahrt 3 „Aufbau der Fakultät (1952)".
[225] Wagner, Wolfgang: Die ersten Strahlflugzeuge der Welt, Bonn 1989 (= Die deutsche Luftfahrt Band 14), S. 22f.
[226] Arch TUDD: Fakultät für Luftfahrtwesen: Nr. XX/36.

Deutschland die Fliegerei wieder erlaubt wurde und noch viele Luftfahrtspezialisten in der UdSSR arbeiten mussten, geschrieben. Sie könnten ein Beleg für die ungebrochene Luftfahrtbegeisterung der Deutschen nach dem Krieg, in Ost- sowie in Westdeutschland, sein oder aber auch ein Indiz dafür, dass die Planungen für den Aufbau einer Luftfahrtindustrie geschickt auf diese Weise gezielt „kanalisiert" wurden. Von nun an jedenfalls ging alles sehr schnell.

Bereits Mitte September 1952 wurden daraufhin Vorbereitungen zur Errichtung der Fakultät für Luftfahrtwesen an der Universität Rostock getroffen[227]. Neben dem Vorschlag zur Errichtung eben jener Fakultät gab es weitere Vorschläge, die unter anderem vorsahen, eine Technische Fakultät einzurichten mit den drei Fachrichtungen Schiffbau, Flugzeugbau und Werkstoffkunde. Der letztere Vorschlag stützte sich darauf, dass eine Reihe technischer Einrichtungen, Laboratorien, Strömungskanäle, Werkstoffinstitute usw. von allen drei Fachrichtungen gleichermaßen beansprucht wurden und nur einmal errichtet werden mussten. Ähnliche Fachkombinationen waren auch von anderen Fakultäten, z.B. den naturwissenschaftlichen, bekannt. An der TH Dresden dagegen etwa waren gewöhnlich für diese Spezialfächer auch Spezial-Fakultäten eingerichtet worden, die trotzdem gemeinsam Laboratorien und Einrichtungen benutzten. Für den schnelleren Aufbau und die besonderen Aufgaben der Fakultät erschien es den Planern, wie etwa im Staatssekretariat für das Hochschulwesen, zweckmäßiger, eine gesonderte Fakultät zu errichten, aber eine enge Zusammenarbeit der Fakultäten zu organisieren und die gemeinsamen Institute nur an der einen oder anderen Fakultät einzurichten und für deren gleichberechtigte Nutzung zu sorgen[228].

Als Lehrkörper der künftigen Fakultät kamen potentiell folgende Personen in Betracht: Prof. Dr. phil. Klose (Prof. mit Lehrstuhl für Mathematik und Aerodynamik, der gleichzeitig die Organisation der Fakultät übernehmen sollte), Prof. Schubert (Lehrstuhlinhaber an der Mathematisch-naturwissenschaftlichen Fakultät für Mathematik, Strömungslehre und Propellerantrieb), Dr. Robert Irrgang (Dozent für Mathematik an der ABF Rostock, vorgesehen als Oberassistent für Mathematik und Aerodynamik), Prof. Dr. Ing. F. C. Althof (Lehrstuhl für technische Mechanik und Werkstoffkunde, der die Lehre dieser beiden Disziplinen an der Fakultät für Luftfahrtwesen übernehmen sollte), Dipl.-Ing. Schlorf (tätig im Dieselmotorenwerk Rostock), Dipl.-Ing. Schröder (tätig im Dieselmotorenwerk Rostock – vorgesehen für die Disziplinen Maschinenbau, Maschinenelemente und Normen), Dipl.-Ing. Hermann Landmann (tätig in der Warnow-Werft, Warnemünde – vorgesehen für die Einführung in den Luftfahrzeugbau, Flugzeugentwurf und -konstruktion und für eine Professur mit Lehrauftrag), Prof. Kunze (Experimentalphysiker an der Mathematisch-naturwissenschaftlichen Fakultät der Universität Rostock. Er betreute den Schiff- und Flugzeugbau und sollte als Verstärkung Dipl.-Phys. Karl Lanius [Berlin] erhalten), Dr. Schulz (Oberassistent in der Fakultät für Schiffbau), Prof. Biermann (Fakultät

[227] Arch UR: Technische Fakultät für Luftfahrt 3 „Aufbau der Fakultät (1952)".
[228] Ebd.

für Schiffbau und sollte mit der Lehrtätigkeit für Luftfahrtwesen und Statik betraut werden. Zu seiner Unterstützung waren Dipl.-Ing. Pappel [Industrie-Entwurf Rostock] und evtl. Dipl.-Ing. Kittel [Statiker in der Warnow-Werft] vorgeschlagen sowie Dipl.-Ing. Weißleder oder Dipl.-Ing. Böning – vorgesehen für den Antrieb. Tätig bei Agfa-Wolfen)[229].

Im Zusammenhang mit der Errichtung einer Fakultät für Luftfahrt in der DDR und der zugehörigen Planung und Ausführung von Lehre und Forschung fällt immer wieder der Name Albring. So heißt es beispielsweise eindeutig: „Der geeignetste Mann wäre jedoch Dr. Albring (...)."[230] Gerade in der ersten Phase des Aufbaus der Luftfahrtforschung gehörte der 1914 geborene renommierte Strömungsmechaniker und Schüler Ludwig Prandtls zum Zirkel der Unersetzlichen[231]. Anderen Personen, die ebenfalls zu diesem Personenkreis gehörten, werden uns im weiteren Verlauf begegnen. Weiter heißt es dort, dass „er [also Albring, der Verf.] von der TH Dresden vor unserer Verfügung und zunächst ohne unsere Genehmigung Lehrbeauftragter wurde, Spezialist für Flugzeugantrieb ist einschließlich der neuesten, und in Dresden ganz am Rande beschäftigt mit Strömungslehre und Wasserturbinenbau. Wir halten diesen Einsatz für völlig unzweckmäßig, da gerade auf diesem Gebiet sehr schwer Spezialisten zu bekommen sind und Dr. Albring der bestbezahlte Spezialist auf diesem Gebiet in der Sowjetunion war[232]. Wir bitten, dafür Sorge zu tragen, dass Dr. Albring nach Rostock geht als Professor mit Lehrstuhl für Flugzeugantrieb."[233] Albring war nämlich erst kurz zuvor aus der UdSSR zurückgekehrt und konnte sich in Dresden niederlassen und an der dortigen Technischen Hochschule arbeiten. Dieser anspruchsvolle und gut dotierte Arbeitsplatz erschwerte seine Abwerbung an die neue Fakultät ungemein. Dort wurden seine Erfahrungen dringend für die Erstellung eines geeigneten Lehr- und Unterrichtsplans für die neue Fakultät für Luftfahrtwesen benötigt. Für die Mitarbeit bei der Erstellung eines Studienplans in Zusammenarbeit mit Prof. Klose konnte er aber relativ schnell gewonnen werden.

Der vorläufige Studienplan sollte in den ersten beiden Jahren im Wesentlichen identisch sein mit dem der Technischen Fakultät für Schiffbau[234]. In einer Sitzung am 11. No-

[229] Ebd.; vgl. auch Arch UR: Technische Fakultät für Luftfahrt 7 „Lehrbeauftragte 1952-53".
[230] Ebd.: Technische Fakultät für Luftfahrt 3 „Aufbau der Fakultät (1952)".
[231] Zur Person Werner Albring: Geboren am 26.09.1914 in Schwelm (Westfalen); Vater Studienrat; Realgymnasium; 1934-38 Studium des Maschineningenieurwesens an der TH Hannover; 1938 Assistent; 1941 Promotion; dann stellvertretender Leiter am Institut für Aerodynamik und Flugtechnik der TH Hannover. 1946 Abteilungsleiter für Aerodynamik des Zentralwerke Bleicherode (Thür.); 1946-52 leitender Mitarbeiter in einer deutschen Spezialistengruppe in der UdSSR; 1952 Berufung auf den Lehrstuhl für Angewandte Strömungslehre der TH Dresden, 1955-60 nebenamtlicher Leiter des Bereichs Grundlagenforschung in der Forschungs- und Versuchsanstalt für Strömungsmaschinen Dresden; 1961 ordentliches Mitglied der DAW; 1961-63 und 1968-70 Dekan der Fakultät für Maschinenwesen der TU Dresden; 1972 NP; ab 1973 Vertreter der DDR in der Internationalen Union für theoretische und angewandte Mechanik, Mitglied der Nationalen Kommission für Mechanik; 1979 em.; 1985 Ehrenpromotion in Leningrad, Berufung in die Ev. Forschungsakademie Berlin. Vgl. Meinecke, Klaus-Peter: Werner Albring, in: Müller-Enbergs, H./Wiehlgohs, J./Hoffmann, D. (Hg.): Wer war wer in der DDR? Ein biografisches Lexikon, Berlin 2000, S. 20.
[232] Dies ist nicht sehr verwunderlich, arbeitete er doch in der UdSSR u. a. am Projekt R-15, einem Überschallflugzeug. Zur Realisierung kam es nicht. Vgl. Michels, Jürgen: Überstellung der mitteldeutschen Luftfahrtindustrie und ihrer wichtigsten Fachleute in die Sowjetunion (1946-1958), in: Michels/Werner (Hg.): Luftfahrt Ost, S. 61.
[233] Arch UR: Technische Fakultät für Luftfahrt 3 „Aufbau der Fakultät (1952)".
[234] Ebd.

vember 1952 wurde in weiterer Zusammenarbeit mit den Herren Dipl.-Ing. Elsner, Dr. Howitz, dem Referenten W. Schmidt vom Staatssekretariat für Hochschulwesen, weiterhin mit den Herren Dipl.-Ing. Rudolf Müller, Landmann und Böning der Studienplan überarbeitetet und ergänzt[235]. Vom Staatssekretariat war bei Einbeziehung der nichtfachlichen Pflichtvorlesungen (wie etwa Gesellschaftswissenschaften, russische und deutsche Sprache, Körpererziehung) als Maximum für die Wochenstundenzahl 35 festgesetzt worden. Mit Rücksicht auf diese Zahl ergab sich die Notwendigkeit, die Ausbildungszeit auf fünf Studienjahre festzusetzen, einschließlich der praktischen Ausbildung (sechs Monate im Zusammenhang und sechs Monate verteilt auf die Ferienzeit) und einschließlich der Vorbereitung auf die Diplom-Prüfung (also der Abfassung der Diplom-Arbeit im letzten Studiensemester). Das entsprach auch der Ausbildungszeit an der Technischen Fakultät für Schiffbau[236].

Von Prof. Dr. Alfred Klose stammt ein Entwurf für den Aufbau der Fakultät, der detaillierte Auskunft über die Vorstellungen in Bezug auf Ziel und Planung, Studienplan, Studentenpopulation und den Lehrkörper gibt. Klose sah die Ziele und Aufgaben der künftigen Fakultät wie folgt: „Die Fakultät hat die Aufgabe, die technisch-wissenschaftlichen Richtungen des Luftfahrtwesens neu aufzubauen und zu pflegen a) durch Lehre, mit dem Ziel, Dipl.-Ingenieure für die Arbeit in der Industrie und Nachwuchs für die Forschungsarbeit auszubilden, b) durch Forschung bewährter Fachkräfte auf dem Gesamtgebiet des Luftfahrtwesens."[237] Die hauptsächlichen Fachrichtungen waren: a) Grundlagenforschung (insbesondere Aerodynamik bzw. Strömungslehre, Festigkeitslehre und Statik) mit dem Ziel, Nachwuchs für die Grundlagenforschung auszubilden und in Theorie und Praxis die Grundlagen des Flugzeugbaus weiter auszubauen. b) Flugzeugbau (Entwurf von Flugzeugen) mit dem Ziel, Flugzeugkonstrukteure für die Industrie auszubilden sowie in enger Zusammenarbeit mit der Fachrichtung Grundlagenforschung, und unter „Beachtung der Forderungen der Fachrichtungen Triebwerksbau und Messgerätebau, Wege für eine Weiterentwicklung des Flugzeugbaus zu suchen." c) Triebwerksbau (Entwurf von Flugzeugmotoren, Düsenantrieb und allgemein Triebwerksfragen) mit dem Ziel, Diplom-Ingenieure für die Flugzeugtriebwerke bauende Industrie auszubilden sowie in Zusammenarbeit mit der Fachrichtung Grundlagenforschung neue Wege für die Weiterentwicklung des Antriebs von Flugzeugen zu suchen. d) Messgerätebau (Entwicklung von Navigationsgeräten, die Ort und Bewegungszustand des Flugzeuges zu bestimmen gestatten, von Geräten für die automatische Steuerung, von Peilgeräten, von Radargeräten usw.) mit dem Ziel, Konstrukteure für die Gerätebauindustrie und Nachwuchs für die Forschung auf dem Gebiet des Messgerätebaus auszubilden sowie die Fachrichtung Messgerätebau durch For-

[235] Ebd.
[236] Ebd.
[237] Ebd.: „Entwurf für den Aufbau der Technischen Fakultät für Luftfahrtwesen an der Universität Rostock von Prof. Dr. Alfred Klose" (ohne Datum).

schungsarbeiten weiter auszubauen durch Vervollkommnung der bestehenden und durch Aufsuchen und Entwicklung neuer Messmethoden und -geräte[238].

Bei jeder der oben aufgeführten Fachrichtungen sollten die Forschungsarbeiten teils der Initiative des Lehrkörpers der Fakultät, teils Aufgaben, die von außen her, z. B. aus der Industrie an die Fakultät herangetragen wurden, entspringen. Außer diesen Fachrichtungen standen unter anderem folgende mit dem Luftfahrtwesen in Zusammenhang: e) Meteorologie. f) Luftfahrtmedizin (dabei insbesondere medizinische Fragen bei Höhenflügen und beim Sturzflug). g) Luftfahrtrecht. h) Hilfseinrichtungen des Flugwesens (z. B. den Bau und die Einrichtung von Flugplätzen, Flugzeughallen, Startkatapulten, Fallschirmen usw.). i) Flugzeugführung (umfasste die Ausbildung von Flugzeugführern, Beobachtern, Bodenpersonal usw.)[239].

Zu diesem Zeitpunkt bestanden noch keine endgültigen Pläne über die praktische Ausbildung, speziell an welcher Stelle des Studiums das Praxissemester liegen sollte. In der Schiffbau-Fakultät, bei der man viele Anleihen nahm, lag das Praktikum nach dem zweiten Semester. Prof. Klose schien es allerdings zweckmäßiger zu sein, um den Zusammenhang des Studiums nicht zu stören, das Praktikumssemester an den Anfang des Studiums zu legen. Nach seiner Meinung könnte das Praktikum in einer „beliebigen Maschinenfabrik oder Schiffswerft oder in einer Flugzeugfabrik absolviert werden."[240] Man sieht, wie unklar die Planungen zu Beginn der 1950er Jahre in Bezug auf die Luftfahrtindustrie waren bzw. wie ungenau die jeweils Beteiligten informiert wurden. Denn zu diesem Zeitpunkt existierte noch kein Flugzeugwerk in der DDR, und es war noch nicht klar, wo und wie viele es geben sollte und würde. Aus diesen oder ähnlichen Erwägungen wurde vorgeschlagen, den im Oktober 1952 immatrikulierten Studenten das Praktikumssemester zu erlassen[241]. Somit würde man ein halbes Jahr gewinnen. Viele Studenten hatten ohnehin vor dem Studium irgendeine praktische Tätigkeit ausgeübt. Die Ferienpraktika dagegen sollten in der Flugzeugindustrie absolviert werden, oder solange diese noch nicht existierte, in eigens dafür eingerichteten Lehrwerkstätten. Auch die Arbeit in Werkstätten für den Bau von Segelflugzeugen sollte auf die Praktikumszeit angerechnet werden können.

Die Absicht bestand, am Anfang des Studiums eine allgemeinwissenschaftliche Grundausbildung einzufügen: „Mathematik I bis IV, darstellende Geometrie I und II, Mechanik I bis IV, Experimentalphysik I bis III (III=Praktikum), Chemie I, Thermodynamik I und II (im 3. und 4. Studiensemester). Eine allgemein-technische Ausbildung in: Maschinennormen I, Maschinenelemente I, Maschinenzeichnen I und II (im 2. und 3. Studiensemester), Werkstoffkunde I bis III (einschließlich Schweißtechnik). Eine für alle Fachrichtungen gemeinsame Ausbildung im Luftfahrtwesen: Strömungslehre I (im 4. Studiensemester), Festigkeitslehre I (im 4. Studiensemester), Flugmotoren I (im 5. Studiensemester), Übungen

[238] Ebd.
[239] Ebd.
[240] Ebd.
[241] Ebd.

am Flugzeug I und II (im 6. und 8. Semester). Die allgemein-wissenschaftliche Ausbildung geht also bis zum 5. Semester (Mechanik V). Die ersten Fachvorlesungen über Luftfahrttechnik beginnen im 4. Studiensemester. Der frühe Beginn dieser Fachvorlesungen war nötig mit Rücksicht auf den Umfang des Studiums. Die Aufspaltung der Fachvorlesungen nach Fachrichtungen beginnt im 5. Studiensemester. Im 9. Studiensemester wird in erster Linie die Diplom-Arbeit abgefasst."[242]

Bei der Abfassung des Studienplanes mussten sich Klose und Albring zunächst auf die allgemeine Grundausbildung und die Ausbildung für die Fachrichtungen Flugzeugbau und Grundlagenforschung beschränken. Die Ausarbeitung für die Fachrichtung Triebwerksbau sollte erst erfolgen, sobald Vertreter dieser Fachrichtung in die Fakultät eingetreten wären. Angestrebt war es, den Aufbau dieser Fachrichtung beschleunigt durchzuführen[243]. Grundbedingung für die Ausbildung in der Fachrichtung Messgerätebau ist das Vorhandensein einer Fakultät für Elektrotechnik. Da diese Fakultät lediglich an der TH Dresden existierte, wurde von den beiden Hauptausarbeitern vorgeschlagen, die Ausbildung von Diplom-Ingenieuren für Messgerätebau zunächst an der TH Dresden durchzuführen. Der Zusammenhang mit dem Luftfahrtwesen ließe sich dabei völlig ausreichend dadurch herstellen, dass „Prof. Albring (Dresden) beauftragt würde, in Dresden eine allgemeine Einführung in die Fluglehre (etwa 2 Stunden) zu lesen. In der hiesigen technischen Fakultät wäre es ratsam, für die Fachrichtung Flugzeugbau Spezialvorlesungen über Elektrotechnik und über Navigation einzurichten. Nebenher könnte die Einrichtung einer Fakultät für Elektrotechnik in Rostock betrieben werden, die dann eine Fachrichtung Messgeräte beinhalten würde."[244]

Eines der wichtigsten Probleme, die es anfangs zu lösen galt, war Klarheit über die Zahl der Studierenden zu gewinnen. Das Staatssekretariat für Hochschulwesen hatte entschieden, dass für die Studienjahre 1952/53 und 1953/54 mit einer Studentenzahl von jeweils 300 zu rechnen ist[245]. Man war sich aber darüber im Klaren, dass eine entsprechend hohe Zahl von Diplom-Ingenieuren nur so lange in der Industrie unterzubringen ist, wie die Flugzeugindustrie noch im Entstehen wäre. Außerdem könnte bei einer geringeren Studentenpopulation die Ausbildung viel intensiver gestaltet werden. Prof. Klose schlug daher vor, die Zahl der Studenten pro Studienjahr auf 50 festzusetzen[246]. Allerdings wäre es dann notwendig, eine „Ausbildungsstätte für Fachschulingenieure"[247] einzurichten. Prof. Klose fährt wie folgt mit seinen Erörterungen fort: „Die gelegentlich vorgeschlagene Lösung, einen Teil der ausgebildeten Dipl.-Ingenieure mit Arbeiten zu beschäftigen, die normalerweise von Fachschulingenieuren erledigt werden, ist abzulehnen, da sie unfehlbar eine Senkung des Leistungsniveaus zur Folge hat. Jeder Dipl.-

[242] Ebd.
[243] Ebd.
[244] Ebd.
[245] Ebd.
[246] Ebd.
[247] Ebd. Als ein dafür vorgeschlagener Ort kam Wismar in den engeren Betracht. Etwa 250 Fachschulingenieure sollten dort jährlich ausgebildet werden. Später dann wurde sie in Dresden errichtet.

Ingenieur sollte nach Meinung des Unterzeichneten so ausgebildet sein, dass er Führungs-aufgaben in der Industrie und Forschung übernehmen kann, und er sollte anschließend für derartige Aufgaben eingesetzt werden."[248]

Nach Klose dürfte die Aufteilung auf die Fachrichtungen, unabhängig von der Studen-tenzahl, nach diesem von ihm erarbeiteten Schlüssel erfolgt sein:

Die Zahl der im Messgerätebau unter-zubringenden Diplom-Ingenieure dürfte ähnlich wie im Triebwerksbau bemessen gewesen sein, also auf 70 bzw. 10 pro Jahr. Die Erfahrungen, die die beiden

Flugzeugbau	ca. 70%	also ca. 200 bzw. 35 Studenten
Triebwerksbau	ca. 20%	also ca. 70 bzw. 10 Studenten
Forschung	ca. 10%	also ca. 30 bzw. 5 Studenten
TABELLE 2	bei	300 bzw. 50 Studenten

Hauptausarbeiter zu diesem Zeitpunkt bereits gesammelt hatten, machten sich bezahlt und kamen einer realistischen Planung zugute. Denn man wusste, dass es besser zu vermeiden sei, die Studierenden nach einem formalen Schlüssel auf die Fachrichtungen zu verteilen, denn ein „tüchtiger Flugzeugkonstrukteur oder Triebwerksbauer wird jederzeit auch an Forschungsstätten Verwendung finden können. Ebenso wird ein tüchtiger aus der Abtei-lung Elektrotechnik hervorgegangener Diplom-Ingenieur oder auch mancher Diplom-Physiker sich verhältnismäßig schnell in die Fragestellung des Messgerätebaus einarbei-ten."[249] Das Studienjahr 1952/53 umfasst ca. 300 Studierende des 1. Studienjahres, ca. 50 des 2. und ca. 13 Studierende des 3. Studienjahres (Fachrichtung Flugzeugbau).

Die Studierenden des ersten Studienjahres sollten größtenteils aus den ABF kommen, und zwar Absolventen des dortigen zweiten Studienjahres. Es hatte sich gezeigt, dass nur die Absolventen der Fachrichtung Mathematik den Anforderungen gewachsen waren. Ein kleiner Teil sollten Absolventen von Oberschulen sein. Die Studierenden des zweiten Studienjahres sollten dann von Prof. Albring aus den Studierenden der TH Dresden aus-gewählt werden. Auf eigenen Wunsch sollten schließlich die Studierenden des dritten Stu-dienjahres von der Rostocker Schiffbaufakultät kommen. Nach Klose sei mit dem Ab-schluss des Studiums zu rechnen bei: 13 Studenten im Mai 1955 bzw. bereits im Dezember 1954, bei 50 Studenten im Mai 1956 bzw. bereits im Dezember 1955 und bei 300 Studenten im Mai 1957 bzw. bereits im Dezember 1956[250].

Nach einer anderen Planung sollten ebenfalls im ersten Studienjahr 300 Studenten im-matrikuliert werden[251]. 250 sollten aus den ABF nach Absolvierung des zweiten Studien-jahres vor Ablegung des Abiturs in Rostock immatrikuliert werden. „Das wird niveaumä-ßig nach Rücksprache mit den Professoren keine Schwierigkeiten geben", so dachte es sich zumindest der Planer. Die anderen 50 Studenten sollten aus freien Bewerbungen immatrikuliert werden. Geplant war weiterhin: „Anfang Januar [1953, der Verf.] sollen aus der Technischen Hochschule Dresden und den Naturwissenschaftlichen Fakultäten der

---

[248] Ebd.
[249] Ebd.
[250] Ebd.
[251] Ebd. Das Schreiben datiert vom 18. September 1952. Die Unterschrift, und somit der Planer, ist nicht lesbar.

Universitäten (insbesondere Physiker) etwa 50-60 im 4. Semester Flugzeugbau immatrikuliert werden. Das ist ohne Schwierigkeiten möglich und würde die Ausbildung der Flugzeugbauer um ein halbes Jahr beschleunigen. Es muss noch geprüft werden, ob Anfang Januar gleichzeitig das 6. Semester Flugzeugbau beginnen kann, das man ebenfalls aus dem Kreise der Studenten der Technischen Hochschule Dresden und der math.-nat. Fakultäten der Universitäten mit etwa 20-30 Mann besetzen könnte. Das würde die Ausbildung um drei Jahre beschleunigen. Bei Letzteren ist fraglich, ob bis dahin die Anlagen in Rostock für eine qualifizierte Ausbildung ausreichen."[252]

Die Zahl der Professoren und Dozenten sollte, soweit es Vorlesungen und Übungen betraf, im Wesentlichen unabhängig von der Zahl der Studierenden sein. Die Zahl der Assistenten musste hingegen proportional zur Studentenzahl angesetzt werden, und zwar nicht mehr als 30 Studenten je Assistent. Noch nicht hinzugerechnet waren fakultätsfremde Professoren und Dozenten für Gesellschaftswissenschaften, deutsche und russische Sprache sowie Körpererziehung.

Wenn es anfangs auch verschiedene Vorschläge und Vorstellungen über die Struktur, Dauer, praktische Ausbildung und Inhalte des Studiengangs Luftfahrtwesen gab, so herrschte doch in einem Punkt Einmütigkeit: „Es wird notwendig sein, für den Aufbau der Fakultäten vordringliche Regierungsaufträge sicherzustellen."[253] – Es waren beträchtliche Geldsummen und viele Sachmittel notwendig. Adäquate Regierungsbeschlüsse sollten den Auf- und späteren Ausbau beschleunigen.

Schon Anfang Oktober 1952 schrieb der Leiter der HA und stellvertretender Staatssekretär Goßens an den Rektor der Universität Rostock, Prof. Dr. Schlesinger, folgenden Brief: „Im Rahmen der Erfüllung des Fünfjahrplanes und der Entwicklung der deutschen Wissenschaften wurde die Erweiterung der Ausbildungsmöglichkeiten in den naturwissenschaftlichen und technischen Fächern notwendig. Neben den Erhöhungen der Studentenkontingente wurde vom Ministerrat daher am 4. 9. 1952 unter Ziffer 5b beschlossen, in Rostock eine Fakultät für Luftfahrtwesen zu errichten. In Ausführung dieses Beschlusses wird an der Universität Rostock mit Wirkung vom 1. 9. 1952 eine Fakultät für Luftfahrtwesen errichtet. Für das 1. Studienjahr – das seinen ersten Unterricht am 6. 10. 1952 aufnimmt – erhält die Universität Rostock ein Kontingent von 300 Studenten. Ich bitte Sie, dafür Sorge zu tragen, dass der Aufbau dieser Fakultät beschleunigt durchgeführt wird."[254] – Die Pläne von Albring und Klose waren also im Staatssekretariat nur zum Teil angenommen worden.

In einem Nachtrag dieses Briefes an Rektor Schlesinger heißt es konkretisierend: „Errichtung der Fakultät für Luftfahrtwesen: 1. Mit dem Aufbau der Fakultät für Luftfahrtwesen wird vorläufig Herr Prof. Dr. Klose, Professur für angewandte Mathematik an der Mathematisch-naturwissenschaftlichen Fakultät der Universität Rostock, beauftragt. 2. Bis

[252] Ebd.
[253] Ebd.
[254] Ebd. Das Schreiben datiert vom 8. Oktober 1952.

zur anderweitigen Unterbringung stützt sich die Fakultät auf die Fakultät für Schiffbau. 3. Das Studium wird vorläufig nach dem Entwurf durchgeführt, den Prof. Klose mit Dr. Albring ausgearbeitet hat. 4. Über die Struktur der Fakultät für Luftfahrtwesen ergeht nähere Anweisung, sobald entsprechende Vorschläge von Herrn Prof. Dr. Klose und Herrn Dr. Albring ausgearbeitet worden sind. Goßens – HA-Leiter und Stellv. d. Staatssekretärs."[255] Auffällig ist, dass sich mit einer so wichtigen Entscheidung, wie dem Aufbau der akademischen Luftfahrtforschung in der DDR, nur der stellvertretende Staatssekretär für das Hochschulwesen beschäftigt, und nicht sein Vorgesetzter. Ein Faktum, das nicht unbedingt auf schnelle und konkrete Beschlüsse durch das zuständige Staatssekretariat hoffen ließ.

Mittlerweile hatten Klose und Albring den Studienplan für die Fakultät überarbeitet und zum Abschluss gebracht. Er wurde auf einer Sitzung in Rostock am 12. Oktober 1952 beschlossen und angenommen. Darin wurden nun endgültig die Durchführung des ersten Studienjahres geregelt und die Prüfungsfächer festgelegt. Das zweite und fünfte Studienjahr der Fakultät konnte im Entwurf fertig gestellt werden[256].

Für das erste Studienjahr, das den Unterricht am 6. Oktober 1952 aufgenommen hatte, erhielt die Universität ein Kontingent von 300 Studenten. 250 von ihnen wurden dann nach Absolvierung des zweiten Studienjahres vor Ablegung des Abiturs von den ABF immatrikuliert und 50 Studenten wurden aus freien Bewerbungen aufgenommen[257]. Ab dem 1. November wurde ein fünftes Semester an der Fakultät errichtet. Auch konnte der Studienplan für das fünfte Semester gesichert werden, da Dipl.-Ing. Müller das Fach „Festigkeit und Statik des Flugzeuges" und Dipl.-Ing. Landmann das Fachgebiet „Entwurf und Konstruktion von Flugzeugen" übernahmen.

3.2.2 Forschung und Lehre an der Fakultät

Der Lehrkörper der Fakultät war allerdings völlig unzureichend. Das Grundstudium stützte sich auf den vorhandenen Lehrkörper der Technischen Fakultät für Schiffbau und wurde von dort aus betreut, so dass es demnach gesichert schien.

Erster Dekan war Prof. Klose und der Lehrkörper bestand nun aus den SU-Spezialisten Prof. Dr. Klose, Dipl.-Ing. Müller sowie den Herren Dipl.-Ing. Landmann (Leiter der FuE-Stelle der Warnow-Werft) und Ing. Reck. Landmann und Müller wurden mit der Wahrnehmung einer Professur mit Lehrstuhl beauftragt. Ab dem 1. Januar 1953 wurde der Lehrkörper dann erweitert um Dipl.-Ing. Göcke (Oberschule Rostock), Dipl.-Ing. Böning (IG-Farben), Dr. phil. Irrgang (ABF Rostock) und Ing. Freund von der ABF Rostock. Außerdem hatten verschiedene Herren des Lehrkörpers der Universität Rostock

[255] Ebd.
[256] Ebd. Die Beschlussvorlage datiert vom 28. Oktober 1952.
[257] Ebd.

Lehraufträge[258]. Im Frühjahrssemester 1953 gab es nur 15 Lehraufträge[259]. Im Gegensatz zu der geringen Anzahl der Lehrbeauftragten hieß es etwa vollmundig in den Planungen: „Mit Rücksicht auf den Umfang der Fakultät für 1953 sind etwa 120 Professoren, Dozenten, Assistenten, Angestellte und Arbeiter vorgesehen."[260] Ende 1952 gab es jedoch nur drei Professoren mit Lehrstuhl, zwei mit Lehrauftrag, zwei Dozenten, vier Oberassistenten, acht Assistenten, drei technische Assistenten sowie drei Sekretärinnen, zwei Heizer, einen Hausmeister und vier Reinigungskräfte[261].

Als Mitte Februar 1953 der erste Dekan, Prof. Klose, starb, war dies ein herber Schlag für den ohnehin schon dünn besetzten Lehrkörper. Als sein Nachfolger wurde kommissarisch Dipl.-Ing. Müller eingesetzt[262].

Auf dem Stundenplan eines jeden Studenten des Luftfahrtwesens standen für die Zwischenprüfungs- und Abschlussfächer: Für die Fachrichtung Flugzeugbau: im ersten Studienjahr: Russische Sprache und Literatur, Gesellschaftswissenschaften, Höhere Mathematik, Technische Mechanik und Werkstoffkunde. Im zweiten Studienjahr: Russische Sprache und Literatur, Gesellschaftswissenschaften, Höhere Mathematik, Technische Wärmelehre und Elektrotechnik. Generell ab dem dritten Studienjahr wurde dann spezialisiert in Russische Sprache und Literatur, Gesellschaftswissenschaften, Statik und Festigkeit des Flugzeuges, Strömungslehre, Triebwerke und Schwingungslehre. Im vierten Jahr standen Gesellschaftswissenschaften, Messgeräte und Messtechnik, Luftschrauben, Schweißtechnik und Betriebswirtschaft auf dem Stundenplan. Die Abschlussprüfungen hatten zu erfolgen in Statik und Festigkeit des Flugzeuges, Strömungslehre, Flugzeugkonstruktion und zwei der folgenden Fächer: Grundlagen der Meteorologie, Navigation, Flugmedizin, Flugfunkwesen, Luftbildwesen, Luftrecht, Korrosion und Oberflächenschutz sowie in Sonderfragen des Wasserflugzeugbaus[263]. Eine weitere Aufschlüsselung des Unterrichts der jeweiligen Fachrichtungen ist im Anhang wiedergegeben.

Um die Qualität von Lehre und Forschung sichern und ausbauen zu können, war es notwendig, den Lehrkörper mit möglichst zahlreichen hochkarätigen Dozenten zu besetzen – nach dem Tod von Prof. Klose wurde dieses Problem umso drängender. Doch noch waren viele, zumeist die besten, dieser Fachkräfte als Spezialist in der UdSSR tätig. Einer der wichtigsten Personen aus dem Kreise der Luftfahrtelite war natürlich Werner Albring. Bei der Co-Ausarbeitung der Studien- und Forschungspläne für die Fakultät für Luftfahrtwesen hatte er wertvolle Arbeit geleistet, doch war sein Arbeitsplatz weit ent-

---

[258] Arch TUDD: Fakultät für Luftfahrtwesen: Nr. XX/36: „Notizen zur Entwicklung der Fakultät für Luftfahrtwesen".
[259] Arch UR: Technische Fakultät für Luftfahrt 7 „Lehraufträge 1952-1953". Diese Lehraufträge gingen an: Prof. Dr. Ing. F. C. Althof, Ass. Heinz Burmeister, Prof. Dr. Willy Düker, Ass. Dr. oec. Käthe Gries-Hertwig, Oberass. Dr. Maria Haase, Oberass. Günter Heidorn, Prof. Dr. phil. Klose, Dipl. Physiker Peter Möhrke, Oberass. Heinrich Beck, Prof. Dr. H. Falkenhagen, Ass. Gerdes, Doz. Dipl.-Ing. Göcke, Prof. Landmann, Oberass. Reck und der Lehrbeauftragte Schöne.
[260] Ebd.: Technische Fakultät für Luftfahrt 15 „Stellenplanung 1952-1953".
[261] Ebd.
[262] Arch TUDD: Fakultät für Luftfahrtwesen: Nr. XX/36: „Notizen zur Entwicklung der Fakultät für Luftfahrtwesen".
[263] Arch UR: Technische Fakultät für Luftfahrt 2 „Auflösung der Fakultät (1953)".

fernt in Dresden. Nach seiner Rückkehr nach (Ost-)Deutschland war er nicht mehr bereit gewesen, sich und seine Kenntnisse in den Dienst der Rüstung zu stellen, und daher zog er es vor, relativ unabhängig in Dresden forschen zu können. Einem Ruf an die Rostocker Fakultät zu folgen, war er nicht bereit.

In einem Brief an Prof. Klose vom 28. September 1952 erklärte Albring seine Sicht der Dinge, und dass er unter keinen Umständen bereit sei, nach Rostock zu kommen. In diesem aufschlussreichen Brief, der auch einiges über Albrings ausgeprägtem Bewusstsein für die eigene Wichtigkeit aussagt, heißt es hierzu: „Am 23. September bekam ich die Aufforderung, zu einer Rücksprache mit dem Staatssekretär Prof. Harig (...) nach Berlin zu kommen. Ich nahm an, dass es sich dabei um eine Besprechung des Studienplanes für die Fakultät Flugzeugbau in Rostock handeln würde, und fuhr nichtsahnend nach Berlin. Dort eröffneten mir Herr Elsner und Dr. Grefrath, dass sie größten Wert darauf legten, dass ich sofort nach Rostock gehe. Ich habe mich mit allen Argumenten dagegen gewehrt (...). Ich möchte nun alles daran setzen, weiter in Dresden bleiben zu können. Ich habe aber, (...), mich grundsätzlich bereit erklärt, auf jeden Fall von hier aus beratend beim Aufbau der aerodynamischen Versuchsanlagen mitzuwirken, und gegebenenfalls die Projekte auszuarbeiten. (...). Interessant war für unsere Kameraden in Russland, dass der Staatssekretär mir erklärte, er habe für sechs Spezialisten Magnus, Conrad, Schwarz, Schmidt, Umpfenbach, Zeise bei der S.K.K. den Antrag auf Rückführung gestellt, und dass die Russen schnelle Erledigung zusagten. Die beiden letztgenannten Spezialisten halte ich allerdings für wenig geeignet im Lehrbetrieb mitzuarbeiten, das habe ich aber in Berlin nicht gesagt, denn es gibt ja noch genügend andere Arbeitsmöglichkeiten für sie hier in Deutschland. (...). Übrigens könnten doch zunächst Aerodynamikvorlesungen auch von Herrn Schulz (Schiffbaufakultät) übernommen werden, bis das Staatssekretariat bessere Kräfte herangezogen hat. Ich hörte, dass man sich um Dr. Beerbohm (früher bei Messerschmidt) und Herrn Oswatitsch (früher in Göttingen) bemüht. Beide Herren sind meines Wissens zur Zeit in Österreich."[264]

Auch hier ist bemerkenswert, dass sich um den Aufbau und die Durchführung der Beschlüsse über die Fakultät für Luftfahrtwesen bislang der stellvertretende Staatssekretär kümmerte. Nun allerdings, um den Lehrkörper mit Spitzenleuten verstärken zu können, setzte sich der Staatssekretär persönlich ein – ja sogar um einen einzelnen Spezialisten, nämlich Albring, zu überzeugen. Offenbar standen diejenigen Spezialisten, die noch in der Sowjetunion arbeiten mussten, mit den schon wieder heimgekehrten in Kontakt. Es hat den Anschein, dass in wichtigen Fragen, wie etwa Art und Umfang der Tätigkeiten in der UdSSR oder der geplanten Zurücksendung der übrigen Spezialisten, Albring genauso viel wusste wie die Mitarbeiter in den Regierungsstellen der DDR, wenn nicht gar mehr. Ohne Zweifel allerdings – dies bringt auch der Brief klar zum Ausdruck – wusste Albring mehr über die konkreten Bemühungen des Staatssekretariats um Rückführung einiger, namentlich sogar genannter, Spezialisten als Prof. Klose, für den diese Informationen

---

[264] Ebd.: Technische Fakultät für Luftfahrt 14 „Forschung (1953)".

wichtig waren, da er schließlich als Dekan die Verantwortung für Planung und Leitung der Forschung und Lehre in der Fakultät trug[265]. Albring war bereit, einige seiner Informationen an seinen Kollegen Klose weiterzugeben, um in Dresden bleiben zu können. Klose hätte diese und andere Dinge früher oder später sowieso erfahren.

Immerhin formulierte Albring, auf einem „Schmierblatt", den Forschungsplan für die Fakultät. Dieser umfasste: A) Entwicklungen von Messeinrichtungen für Strömungserscheinungen. Darin waren enthalten: 1. Untersuchungen über Strömungen durch Rohre, Düsen, Krümmer, Gleichrichter, ferner über Leitschaufeln. 2. Untersuchungen über Propeller für Wasser- und Luftströmung mit bestem Wirkungsgrad. 3. Konstruktion einer elektrischen Messeinrichtung für Potentialströmung. 4. Konstruktion eines Kleinst-Windkanals für Laminaruntersuchungen. 5. Konstruktion eines kleinen Windkanals für überkritische Strömung. 6. Konstruktion eines mittelgroßen Wasserkanals. 7. Konstruktion eines mittelgroßen Windkanals. 8. Untersuchungen über Düsen für sehr hohe Geschwindigkeiten. 9. Messungen zu einem ebenen Wasserkanal für Überschallanalogie. 10. Konstruktion eines Windkanals für sehr hohe Geschwindigkeiten. 11. Entwicklung von Messgeräten für Wasserströmungen und 12. die Entwicklung von Messgeräten für Luftströmungen. B) Die Entwicklung von Flugzeugen. Dieser Plan umfasste 1. Entwicklung, Konstruktion und Bau von Motorseglern und 2. die Beurteilung von Fessel- und Hubschraubern mit elektrischem Antrieb. C) Die Sichtung und Verarbeitung der vorhandenen luftfahrttechnischen Literatur. Diese beinhaltete 1. die systematische Kartei der wesentlichen Zeitschriften und Fachbücher. 2. Typenbilder von Flugzeugen, Übersichtszeichnungen, Baudaten und aerodynamische Daten. 3. Notizblätter für den Flugzeugingenieur. Schließlich D) Einzeluntersuchungen. Diese beinhalteten 1. Instationäre Luftkräfte bei hohen Geschwindigkeiten und 2. Fotografische Untersuchungen des Schwirrflugs bei Insekten[266]. Die Erforschung des Insektenfluges nimmt in der kurzen Geschichte der akademischen Luftfahrtforschung der DDR einen relativ hohen Stellenwert ein, was, angesichts der knappen Ressourcen, zu der Vermutung leitet, dass auf dem Gebiet der Rotorflugzeuge und Senkrechtstarter eine eigene Forschungsdomäne etabliert werden sollte.

Besonders die Wind-, Wasser- und Strömungskanäle verschlangen große Investitionssummen. Der von der SPK in Köpenick geplante Schleppkanal sollte daher in Rostock errichtet werden, wodurch ca. 10 Mio. DM eingespart werden konnten[267]. Nur Wasser- und Flachwasserkanäle waren in Rostock vorhanden, die unter Mithilfe und Beratung von Albring entstanden und ausgebaut wurden, der mit den Göttinger Wasserkanälen über eine entsprechend große Erfahrung verfügte. Es ließen sich noch einige Beispiele für das Gerangel um kostspielige Forschungsinvestitionen an den einzelnen Einrichtungen in der DDR anführen. Der zuvor wiedergegebene Wunsch nach Sicherstellung von „vordringli-

[265] Vgl. dazu ebd.: Technische Fakultät für Luftfahrt 3 „Aufbau der Fakultät (1952)".
[266] Arch UR: Technische Fakultät für Luftfahrt 14 „Forschung (1953)".
[267] Ebd.

che(n) Regierungsaufträgen", war also nur eine leere Floskel. So wären beispielsweise frühestens ab 1954 Windkanäle in Rostock verfügbar gewesen[268]. Festzuhalten bleibt, dass das Kompetenzgerangel groß war und die Fakultät für Luftfahrtwesen bei Weitem nicht die Mittel zugewiesen bekamen, die für die Luftfahrtforschung ausreichend gewesen wären. Allerdings hielten sich die Beschwerden darüber noch in Grenzen. Später, in Dresden, jedoch sollte sich dies ändern.

Mit den übrigen Einrichtungen der Fakultät sah es nicht viel besser aus: „1953 stand ein inmitten von Trümmern stehendes Gebäude zur Verfügung." Räume, um die Fakultät unterbringen zu können, waren gar nicht in der Universität vorhanden. Daher musste eine Unterbringung in der Tischlerei „Strobelberg" vorgenommen werden, die als Pächter in universitätseigenen Räumen eingesetzt war[269]. Dort sollte die Fakultät für die nächsten zwei Jahre untergebracht werden, da danach der Abriss des Gebäudes geplant war[270]. Allein die Ausstattung des Gebäudes war überaus provisorisch: die Studenten saßen an Gartenstühlen, und Tische gab es zunächst überhaupt nicht. Der Hörsaal – von den Studenten „32-Masten-Zirkus" genannt – war kalt, denn die Heizung funktionierte noch nicht. Die Klausuren wurden in Mänteln geschrieben. Die Studenten waren z. T. in Baracken in der Nähe des Sportplatzes untergebracht.

Geplant wurde daher, einen großen und einen kleinen Hörsaal zu bauen, sowie drei große Zeichensäle, fünf Seminarräume und Räume für die Fakultät, Professoren und Assistenten. Doch die Geldmittel dafür wurden sehr knapp zugeteilt. Denn offenbar wollte man von Seiten der SPK die ohnehin schon knappen Gelder mehr in die angewandte Forschung investieren. Es war den Verantwortlichen sowieso klar, dass die vor Ort ansässigen Projektierungsbüros dafür nicht ausreichen würden, obwohl es absolut notwendig war, „für diesen gesamten Komplex schnellstens ein Raumprogramm aufzustellen. Die Projektierungsarbeiten für diese technischen Anlagen (Institute, Labors, Werkstätten) müssen von qualifizierten Architekten sofort in Angriff genommen werden. Einige wichtige Institute müssen noch im Jahre 1953 fertiggestellt werden."[271]

Sollten diese Institute, Laboratorien und Werkstätten nicht bis 1954 vorhanden sein, so würden die 300 immatrikulierten Studenten fachlich nicht ausgebildet werden können. Gegenüber der sehr primitiven Unterbringung der Fakultät und der Studenten war der Ausbau der Fakultät sehr großzügig geplant. So sollte z. B. die Halle für das Festigkeitslabor eine Größe von 50 x 100 x 12 m haben. Die Kosten sollten sich auf ca. 8,5 Mio. DM belaufen[272].

---

[268] Ebd.: Technische Fakultät für Luftfahrt 14 „Forschung (1953)".

[269] Ebd.

[270] In den Akten heißt es hierzu: „Ab 1953 stand ein inmitten von Trümmern stehendes Gebäude Am Vogelsang zur Verfügung (...), das am besten schon jetzt abgerissen werden sollte." Vgl. Arch TUDD: Fakultät für Luftfahrtwesen: Nr. XX/36: „Notizen zur Entwicklung der Fakultät für Luftfahrtwesen".

[271] Arch UR: Technische Fakultät für Luftfahrt 14 „Forschung (1953)".

[272] Ebd.

Im Herbstsemester 1952/53 waren nur ein 1. und ein 5. Semester vorhanden. Die ersten Studenten waren offensichtlich schlecht ausgesucht worden[273]. Besonders jene Studenten, die von den ABF kamen, bereiteten die größten Sorgen. Die Prüfungsergebnisse fielen denn auch „relativ" schlecht aus. Gründe dafür waren unter anderem der fehlende Abschluss der für die Universität erforderlichen Vorbildung, die schlechten Wohn- und Studienverhältnisse und nicht zuletzt die ungenügende Sorgfalt bei der Auswahl der Studenten unter dem Gesichtspunkt der fachlichen Eignung. Auch waren die Liefertermine viel zu knapp, um rechtzeitig alle Lehr- und Unterrichtsmittel parat zu haben. Da, wie bereits berichtet (Kapitel 2.3), im Krieg viele Materialien verloren gingen, musste so ziemlich alles neu beschafft werden. Als Sofortmaßnahme waren bspw. nötig: 600 Reißschienen, gute Zirkelkästen, entsprechend viele Bleistifte, Rechenschieber usw. Außerdem mussten sofort zwei Integratoren, die jeweils 1000 DM (West) kosteten, angeschafft werden, und nur eine Firma in Zürich konnte diese liefern.

Trotz aller Schwierigkeiten und der kurzen Dauer der Lehrtätigkeit in Rostock – es verging von der Eröffnung der Fakultät Anfang Oktober 1952 bis zur endgültigen Auflösung Mitte 1953 nur ein dreiviertel Jahr – wurde großer Wert darauf gelegt, dass die Studenten sich praktisch sowohl im Flugzeugbau als auch in der Führung von Segelflugzeugen betätigten. Besonders Albrings, Kloses und Landmanns große Erfahrungen aus der Zeit des Dritten Reiches spiegeln sich hier wider, die eine derartige Flugpraxis unbedingt im Lehrplan verankert haben wollten. Schließlich war das „Ingenieurmäßige Fliegen" eine große Innovation in der Luftfahrtgeschichte und musste beibehalten und weiterentwickelt werden. Doch ganz soweit kam man in Rostock nicht mehr.

Die Fakultät bekam noch im Jahre 1952 vom Zentralvorstand der GST zwei Gleitflugzeuge zur Anfängerschulung vom Typ SG 38, zwei Baby IIb Segelflugzeuge und eine Schleppwinde zugewiesen[274]. Alles in allem hatten diese Gegenstände einen Gesamtwert von rund 27.000 DM[275]. Mitte Mai 1953 wurde die „Schaffung einer besonderen Ausbildungsmöglichkeit für fliegerisch fortgeschrittene Kameraden der Technischen Fakultät für Luftfahrtwesen, Universität Rostock (frühere Inhaber der C-Prüfung Segelflug bzw. des L1- oder L2-Scheines)" verfügt. Mehrere Lehrgänge wurden organisiert und ausgeführt, unter anderem in Schönhagen und Laucha[276]. Ende 1952 wurde von den Studenten eine „wissenschaftliche Vereinigung"[277] gegründet, in deren Rahmen die ersten Vorarbeiten für die Entwicklung eines Segelflugzeuges geleistet wurden, die später dann in einem

---

[273] Arch TUDD: Fakultät für Luftfahrtwesen: Nr. XX/36: „Notizen zur Entwicklung der Fakultät für Luftfahrtwesen".
[274] Ebd.
[275] Arch UR: Technische Fakultät für Luftfahrt 13: „Zusammenarbeit mit der Gesellschaft für Sport und Technik Flugsport 1952-1953".
[276] Diese beiden Orte waren in der DDR die Hauptleistungs- und Ausbildungsorte für den Flugsport, besonders im Segelflug. In Schönhagen befand sich auch die Hauptinstandsetzung für Segelflugzeuge, und praktische Flugforschungen wurden dort ebenfalls durchgeführt.
[277] Dies ist vermutlich als Gegenstück zu den westdeutschen Akafliegs zu betrachten, deren Wurzeln schon in der Weimarer Republik zu finden sind und im Dritten Reich stark ausgeprägt und sehr wichtig für die Forschung und für die Ausbildung der Studenten waren.

Forschungsauftrag weitergeführt wurden. Prof. Landmann stellte sich als deren wissenschaftlicher Leiter zur Verfügung.

3.2.3 Die Auflösung der Fakultät für Luftfahrtwesen an der Universität Rostock

Anfang 1953 wurde vom Staatssekretariat bekannt gegeben, dass die Fakultät nach Dresden verlegt werden sollte[278]. In einem Schreiben des Staatssekretärs Prof. Dr. Harig an den Rektor der Universität Rostock heißt es dazu nur lakonisch: „In Durchführung neuer Beschlüsse der Regierung teile ich Ihnen mit, dass die Fakultät für Luftfahrtwesen an der Universität Rostock mit dem Ablauf des Studienjahres 1952/53 ihre Tätigkeit einstellt. Die Fakultät ist mit dem Ende des Studienjahres aufgelöst. Alle weiteren für die Abwicklung der Geschäfte der Fakultät notwendigen Maßnahmen werden mit Ihnen und der Fakultät in Kürze durch eine Kommission, welche unter der Leitung des Hauptabteilungsleiters Herrn Goßens stehen wird, besprochen. Ich danke Ihnen für die Mühe und Sorgfalt, welche Sie auf die Errichtung dieser Fakultät verwendet haben."[279]

Einige der vorgeschlagenen Forschungsaufgaben konnten in Rostock begonnen werden, wie etwa der Bau eines Motorseglers unter Prof. Landmann oder der Fachbibliothek, andere hingegen konnten erst später in Dresden umgesetzt werden, wie beispielsweise die Erforschung des Insektenfluges, das meiste aber konnte großenteils wegen Geldmangels, unklaren Anweisungen der Staats- und Parteiführung und unvorhersehbaren politischen Unwägbarkeiten, wie dem 17. Juni 1953, nicht verwirklicht werden. Der Beschluss die Fakultät von Rostock nach Dresden zu verlegen, stammte noch aus der Zeit vor dem 17. Juni, weshalb es fraglich ist, ob diese Verlagerung direkt im Zusammenhang mit den Beschlüssen der SED-Führung nach dem 17. Juni 1953, die gesamte Industrie nach Sachsen zu verlegen, auch um die Geheimhaltung des Projekts besser gewährleisten zu können als an „prominenten ehemaligen Luftrüstungsstandorten wie Dessau oder Rostock"[280], zu verstehen ist.

Versucht man die Geldmenge zu errechnen, die bis zur Schließung der Fakultät in Rostock insgesamt darin investiert wurde, so ist man gezwungen, mit ungenauen Zahlen und Extrapolierungen zu arbeiten. Die Akten lassen nur ungefähre Schlussfolgerungen zu. Insgesamt flossen demnach mindestens bis Juli 1953 ca. 16 Mio. DM[281] an Forschungs- und Investitionsmitteln in die Fakultät und die Institute, die diversen Bauten, Versorgungseinrichtungen, Lehrmittel, Heiz- und Brennstoffkosten, Lehrgänge und Benzinkontingente, Löhne, in Literaturbeschaffung usw.

[278] Arch TUDD: Fakultät für Luftfahrtwesen: Nr. XX/36: „Notizen zur Entwicklung der Fakultät für Luftfahrtwesen".
[279] Arch UR: Technische Fakultät für Luftfahrt 2 „Auflösung der Fakultät (1953)".
[280] Budraß/Krienen/Prott: Nicht nur Spezialisten, S. 484.
[281] Ebd.; vgl. dazu auch Arch UR: Technische Fakultät für Luftfahrt 3 „Aufbau der Fakultät (1952)"; ebd.: Technische Fakultät für Luftfahrt 13: „Zusammenarbeit mit der Gesellschaft für Sport und Technik Flugsport 1952-1953".

4. Akademische Luftfahrtforschung an der TH Dresden

Noch im Sommer 1952 verkündete Walter Ulbricht, dass „die große Wettbewerbsbewegung aus Anlass der II. Parteikonferenz, die bedeutenden Selbstverpflichtungen der Arbeiter, der Angestellten, der technischen Intelligenz, der werktätigen Bauern der Ausdruck der großen Fortschritte [sind], die wir dank der zielbewussten Politik der Sozialistischen Einheitspartei Deutschlands erreicht haben."[282] Doch das Jahr 1953 mit seinen politischen Erschütterungen führte zur Aufgabe der teuren militärisch geprägten Planungen in der DDR[283] – und damit vorerst auch zum Ende der geplanten Flugzeugindustrie und Luftfahrtforschung. Einmal löste der Tod Stalins (am 5. März 1953) einen politischen Machtkampf in der Führungsspitze der Sowjetunion aus, der deutliche Veränderungen in der sowjetischen Deutschlandpolitik nach sich zog. Andererseits wirkte sich die durch den Beschluss zum Aufbau des Sozialismus (im Sommer 1952) heraufbeschworene Krise in der DDR, die in den Ereignissen um den 17. Juni 1953 ihren Höhepunkt fand[284], unmittelbar auf die militärischen Planungen aus.

Vom Sommer 1952 bis Mitte 1953 gab die Regierung der DDR für die Aufrüstungsmaßnahmen – also Militärausgaben im engeren Sinne – über zwei Milliarden DM aus[285]. Dies stellte eine immense Belastung des öffentlichen Haushalts dar. Vergleichsweise stellte der Staatshaushalt 1952 für den Gesamtbereich Bildung, Kultur und Wissenschaft 1,96 Mrd. DM und beispielsweise für das Gesundheitswesen 1,7 Mrd. DM zur Verfügung[286], und „im Gesamtgefüge von systembedingten wirtschaftlichen Problemen und gravierenden Fehlentscheidungen der Regierenden stellte die Aufrüstung in der DDR 1952/53 eine wesentliche Mitursache für die Krise dar."[287] In einem Bericht des Politbüros der SED wurde u. a. ausgeführt: „Im Plan für das Jahr 1953 sind nicht die Voraussetzungen enthalten, die notwendig sind, um die Produktion für die Verteidigung im Jahr 1954 durchführen zu können."[288] Als Aufgaben, die nicht wirtschaftlich geplant worden seien, wurden die Luftfahrtindustrie, strategische Maßnahmen auf dem Gebiet des Verkehrswesens und ungedeckte Forderungen für den Aufbau der Verteidigung genannt. Außerdem hatte die Sowjetunion ihre Importwünsche in einem Volumen von 275 Mio. Rubel vor allem auf schwere Ausrüstungen und wichtige Chemikalien verlegt, was die Probleme der DDR-Wirtschaft weiter vergrößerte. Weiterhin heißt es in dem Bericht: „Ungedeckt seien die Luftfahrtindustrie mit 150 Mio., strategische Maßnahmen des Verkehrswesens mit 120 Mio. sowie zusätzliche Importe mit ca. 100 Mio., zusätzliche Lieferungen an die UdSSR mit 350 Mio. und Außenhandelsrückstände mit 340 Mio. DM. Damit waren 1,1 Mrd. DM

---

[282] Ulbricht, Walter: Die gegenwärtige Lage und die neuen Aufgaben der Sozialistischen Einheitspartei Deutschlands. Referat und Schlusswort auf der II. Parteikonferenz der SED, 9.-12. Juli 1952, Berlin (Ost) 1952, S. 20.
[283] Ciesla: Transferfalle, S. 200.
[284] Steiner: Plan, S. 73ff.
[285] Ebd., S. 326; Steiner: Plan, S. 75.
[286] Diedrich: Aufrüstungsvorbereitung, S. 327.
[287] Ebd., S. 328.
[288] Bericht des Politbüros der SED „Die Entwicklung der Parteiarbeit seit der 2. Parteikonferenz", zitiert nach ebd., S. 331.

Staatsausgaben im Frühjahr nicht gedeckt. Sie sollten nunmehr durch Sparmaßnahmen, Normerhöhungen und zugunsten des Lebensstandards der Bevölkerung aufgebracht werden."[289]

Fakt ist daher, dass die Militarisierung 1952/53 mitentscheidend zu krisenhaften Erscheinungen in der DDR führte[290]. Denn sie trug maßgeblich dazu bei, dass die ohnehin schon nicht ausreichenden Investitionsmittel zu großen Teilen in den unproduktiven militärischen Bereich flossen, die Disproportionen in der Wirtschaft durch den Export hochwertiger Maschinenbaugüter als Bezahlung für die sowjetische Militärtechnik nicht behoben, ja sogar weiter verschärft wurden.

Jedoch können die Ursachen für die Krise, die dann im Aufstand vom 17. Juni gipfelte, nicht allein auf eine fehlerhafte Politik der SED 1952/53 und allein auf den Aufrüstungsprozess zurückgeführt werden. Vielmehr war ein Komplex von Ursachen für frühzeitige Fehlentwicklungen in der SBZ/DDR bis in die Krise 1952/53 hinein verantwortlich.

„Das forcierte Wachstum führte vor allem aber auch zur überintensiven Nutzung von Dienstleistungskapazitäten. So wurde beispielsweise der ‚dynamischste' Teil der DDR-Gesellschaft, der Verkehrssektor, von Anfang an vernachlässigt. Die SED-Führung gab dem Verkehrsbereich sowenig Investitionen wie möglich, d.h. die sowieso schon seit dem Zweiten Weltkrieg praktizierte überintensive Nutzung der Kapazitäten wurde weiter fortgesetzt. Es kam buchstäblich zu einer Überladung des Transportwesens. Dieses Handlungsmuster hatte zur Folge, dass dringend erforderliche Mittel für die Instandhaltung und Rekonstruktion zugunsten von Schwerpunktprojekten der Industrie gestrichen wurden."[291] So Cieslas Beurteilung des Stellenwertes des Verkehrsnetzes in der DDR in den 1950er Jahren. Schließlich höhlte mittel- und langfristig die Vernachlässigung von Ersatzinvestitionen die Leistungsfähigkeit des Verkehrsbereiches aus, was indirekt wiederum das wirtschaftliche Wachstum hemmte. Engpässe im Transportbereich – besonders im Hauptverkehrsträger Eisenbahn – gehörten zum Verkehrsalltag in der DDR. Besonders schwer hatten die gezielten Entnahmen der Sowjetunion beim rollenden Material und die Demontagen von Gleis- und Verkehrsanlagen das Eisenbahnwesen getroffen. Die Vernachlässigung des Transportwesens, verbunden mit einer Erhöhung der Auslastung, erlaubte es der SED-Führung, dem Dienstleistungssektor so spärliche Investitions- und andere Mittel zur Verfügung zu stellen wie möglich und die Investitionen Sektoren mit höherer Priorität zuzuteilen. Doch mit der Flugzeugindustrie könnte die Partei- und Staatsführung auch, wie in Kapitel 3.2 dargestellt, versucht haben, zwei Fliegen mit einer Klappe zu schlagen. Einerseits sind Flugzeuge eine bedeutende Waffe für die Landesverteidigung, und andererseits können sie auch wichtige – militärische und zivile – Transportaufgaben erledigen.

---

[289] Ebd., S. 332.
[290] Ebd., S. 334.
[291] Ebd., S. 160.

Da der Aufstand vom 17. Juni 1953 vorerst alle diese Planungen beendete [292], war es notwendig, im Rahmen dieser Untersuchung auf die Krise der Jahre 1952/53 und besonders den 17. Juni und seine Folgen einzugehen. Endete doch damit auch die erste Phase des Aufbaus der Luftfahrtindustrie und -forschung in der DDR und aller bisherigen Planungen. Und was hatte man schließlich nicht alles geplant und projektiert! Der Plan für die Flugzeugentwicklung sah Sport- und Leichtflugzeuge vor, Kurierflugzeuge, Jäger mit Kolbenmotor und TL-Triebwerk, Transportflugzeuge mit TL-Triebwerk und Bomber. Bis zur Einführung eigener Jäger wollte man die sowjetische MiG 15 bauen[293].

Die Luftfahrtforschung wurde – ganz besonders während der ersten Planungsphase der Luftfahrtindustrie – wesentlich weniger beachtet und geringer finanziert als die eigentliche Flugzeugindustrie. Man muss an dieser Stelle natürlich die Frage nach den Gründen stellen. Möglicherweise spielte die Einschätzung der Wichtigkeit der teilweise noch zurückzukehrenden Spezialisten eine Rolle. Vielleicht plante man, den gesamten Bereich der Luftfahrtforschung sehr langfristig und allmählich zu entwickeln. Wäre dies der Fall gewesen, dann wäre wohl die Luftfahrtforschung gründlicher und vor allem realistischer als die Flugzeugindustrie geplant worden. Andernfalls aber wurde die Forschung vollkommen vernachlässigt und (zunächst) als luxuriös betrachtet. Diese Option scheint allerdings die unwahrscheinlichste zu sein. War doch sicher den Verantwortlichen in Staat und Partei bewusst, dass es zum großen Teil die Spitzenleistungen der Luftfahrtforschung waren, die Deutschlands internationale Führungsposition im Luftfahrtsektor bis 1945 sicherte. Nach dem 17. Juni 1953 sollte es dann für die Luftfahrtindustrie eine zweite Chance geben, und für die Luftfahrtforschung auch.

Hans Eltgen – der 1953 an einer ABF sein Abitur ablegte, um dann an der TH Dresden Maschinenbau und später dort Luftfahrttechnik zu studieren, wurde dort auch als IM des MfS angeworben und arbeitete bis zur politischen Wende in der DDR als Offizier der HVA/Sektor Wissenschaft und Technik – beschreibt diese turbulente Zeit aus der Sicht des Abiturienten bzw. des vom Stress und Prüfungsleid geplagten Studenten. Er erinnert sich, dass die Juni-Proteste kaum Auswirkungen auf den Unterricht an der ABF Freiberg gehabt haben: „Am 1. November 1952 begann unser drittes Studienjahr. Dass es schon am 30. Juli enden sollte, konnte sich keiner vorstellen. Vor allem nicht, wie wir die nötigen Prüfungen für das Reifezeugnis schaffen sollten. Das Jahr 1953 war vom Endspurt um den Studienabschluss gekennzeichnet. Wir waren gestresst und zuversichtlich zugleich, weil wir es bald geschafft haben würden. Seit Anfang Juni war vorlesungsfreie Zeit. Fast alle Studenten bereiteten sich zu Hause auf die Prüfungen vor. Am 17. Juni

[292] Barkleit/Hartlepp: Zur Geschichte, S. 7; Dienel: Wirtschaftswunder, S. 347; Diedrich: Aufrüstungsvorbereitung, S. 319; Werner: Luftfahrtindustrie, S. 76. Jochen Werner behauptet, dass die militärischen Planungen für die Flugzeugindustrie als Folge des Volksaufstandes vom 17. Juni 1953 aufgegeben worden seien. Torsten Diedrich bestätigt diese These, wenn auch relativierend: „Die Arbeitererhebung im Juni 1953 zwang dazu, wesentliche Planbestandteile einzufrieren." (S. 319). Andreas Kieselbach dagegen behauptet (Kieselbach, Andreas: Die Pläne zum Militärflugzeugbau in der DDR 1952/1953, in: Jahrbuch der DGLR 1994/II, S. 1027-1034, hier 1033), dass die Einstellung des Militärflugzeugbaus in der DDR im Juni 1953 auf Drängen der UdSSR erfolgt sei.
[293] Werner: Luftfahrtindustrie, S. 76f.; Baarß: Lehrgang X, S. 145.

wachte ich morgens auf und erfuhr von Mutter von irgendwelchen Kundgebungen gegen Partei und Staat. (...) Um 15 Uhr sollte ich zu einer Prüfung in Freiberg sein, war aber unschlüssig, ob ich in dieser Situation fahren sollte. (...) Bei der Einfahrt nach Freiberg war die Straße durch Polizei gesperrt und eine Umleitung eingerichtet. Wie ich im Internat erfuhr, streikten die Arbeiter der Hochschulbaustelle und forderten die Rücknahme willkürlicher Normerhöhungen. Der Arbeiterprotest in Freiberg war, von kleineren Reibereien abgesehen, friedlich verlaufen. Bereits am 19. Juni lief wieder der Vorlesungsbetrieb, und wir stürzten uns in die Prüfungen. Was wir später aus Presse und Radio über die Ereignisse in Berlin und anderen großen Städten erfuhren, wurde differenziert aufgenommen und diskutiert. Einigkeit herrschte aber in der Feststellung, wenn die Streiks der Arbeiter von Westberlin aus gelenkt worden seien und ausgenützt werden sollten, unsere gesellschaftliche Ordnung anzugreifen, sei das zu verurteilen. Für uns war nicht die Zeit, über den 17. Juni nachzudenken. Uns beschäftigten nur noch die Prüfungen. Mitte Juli war es dann soweit. Zusammen mit dem Abschlusszeugnis, das dem Abiturzeugnis entsprach und zum Hochschulstudium berechtigte, erhielt ich eine Studienzulassung für die Technische Hochschule Dresden, Fakultät Maschinenbau."[294]

Der SED gelang es dann relativ schnell wieder ihre Machtposition nach den Ereignissen vom Juni 1953 zu festigen. Der Ausbau der Institutionenordnung und die Stabilisierungsmaßnahmen des „Neuen Kurses" trugen wesentlich dazu bei, dass die Grundstrukturen des Systems unangetastet blieben. Und so war es dann „gerade die zwischen 1953 und 1956 stattgefundene zeitweilige ‚Ruhe' im Bereich der privaten Eigentumsformen", die dazu beitrug, das System zu stabilisieren. Und „mit der Stärkung des Macht- und Verwaltungsapparates kam es gleichzeitig zu einer Forcierung des Elitenaustausches. Dadurch legte die SED-Führung schon Mitte der fünfziger Jahre den Grundstein für eine ‚sozialistische Intelligenz', die sich politisch loyal verhielt bzw. sich mit dem neuen gesellschaftlichen System identifizierte."[295] Im Bereich der Luftfahrtindustrie und besonders in der akademischen Luftfahrtforschung sollte dies mit der „alten" Intelligenz aber nur sehr unvollkommen gelingen.

4.1 Nach dem 17. Juni 1953 – Eine zweite Chance: Die Entwicklung der Luftfahrtforschung an der Fakultät

Anfang August 1953 wurde seitens des Rektorats der TH Dresden, unter dem Eindruck der Juni-Ereignisse, u. a. folgendes festgestellt: „Die Regierung sei zu dem Entschluss gekommen, dass in der Deutschen Demokratischen Republik kein Luftfahrtwesen und keine Flugzeugindustrie bestehen soll. Im Hinblick auf die internationalen Zusammenhänge

[294] Eltgen, Hans: Ohne Chance. Erinnerungen eines HVA-Offiziers, Berlin 1995, S. 23ff.
[295] Ciesla, Burghard: Zwischen den Krisen. Sozialer Wandel, ökonomische Rahmenbedingungen und Lebenslage in der DDR 1953-1956, in: Foitzik, Jan (Hg.): Entstalinisierungskrise in Ostmitteleuropa 1953-1956, Paderborn/München/Wien/Zürich 2001, S. 271-291, hier 289. Zum 17. Juni 1953 als Forschungsgegenstand vgl. etwa Mählert: Kleine Geschichte, S. 72-77; Steiner: Plan, S. 78-82; Mitter, A./Wolle, S.: Untergang auf Raten. Unbekannte Kapitel der DDR-Geschichte, München 1993; Lemke, Michael: Der 17. Juni in der DDR-Geschichte. Folgen und Spätfolgen, in: Aus Politik und Zeitgeschichte B 23/2003, Bonn 2003, S. 11-18.

sei man zu der Überzeugung gelangt, dass sich eine Flugzeugindustrie in der Deutschen Demokratischen Republik mit 18 Millionen nicht lohne, sondern dass man das ganze Gewicht auf die Entwicklung des Wohlstandes lenken müsse. Alle bisherigen Maßnahmen in dieser Richtung müssten deshalb liquidiert werden. Deshalb sei vorgesehen, dass ein Kern von Spezialisten auf diesem Gebiete arbeite, der sich auf dem Laufenden halte und Forschungsarbeit durchzuführen habe, damit möglichst wenig verloren gehe."[296]

Trotz dieser Vorhaben und der Ereignisse des 17. Juni 1953 erhielt die Gruppe deutscher Ingenieure und Techniker um Brunolf Baade, Günter Bock und Ferdinand Brandner in Sawjelowo (nordöstlich von Moskau) im Dezember 1953 vom Sowjetischen Luftfahrtministerium (MAP) den Auftrag, ein Passagierflugzeug mit TL-Triebwerk für die Produktion in der DDR zu projektieren[297].

Auch wenn der offizielle Beschluss 1954, eine eigene Flugzeugproduktion in der DDR zu etablieren, dann „die Industrie weitgehend unvorbereitet (traf)"[298], gilt dies jedoch nicht für die Forschungslandschaft. Es wurde noch 1953 die Bildung einer neuen Hochschule für Luftfahrtwesen vorbereitet, die dann in die TH Dresden eingegliedert wurde[299]. Dem ging voraus, nachdem Anfang des Jahres 1953 bekannt gegeben wurde, dass die Fakultät für Luftfahrtwesen an der Universität Rostock aufgelöst und nach Dresden verlegt werden soll, sie zu einer selbständigen „Hochschule für Transportmaschinenbau"[300] werden sollte. An diese Hochschule wurden Dr. Ing. W. Richter (Bergakademie Freiberg), Dipl. Ing. Landmann und Dipl. Ing. R. Müller als Professoren mit Lehrstuhl berufen. Noch ehe der Lehrbetrieb organisiert, geschweige denn aufgenommen werden konnte, wurde diese Hochschule wieder aufgelöst und der Fakultät für Maschinenbau der TH Dresden als Fachrichtung Leichtbau angegliedert. Auch wurde das ursprüngliche Vorhaben, eine spezielle Technische Hochschule für Luftfahrtwesen zu verwirklichen, noch in der Aufbauphase kurzfristig abgebrochen[301].

Es gab vielerlei Gründe für eine Verlegung der Fakultät von Rostock nach Dresden. Doch zu behaupten, dass die Staatsführung damit nur versuchte, die Wirtschaft voranzubringen und dies als alleinige Begründung für den Umzug, ja die Neuorganisation der akademischen Luftfahrtforschung zu postulieren[302], ist zu kurz gegriffen und reicht als Begründung für diesen Schritt nicht aus. Unumgängliche Zentralisierungsprozesse – sowohl im Zusammenhang mit dem notwendigen Ausbau des Verkehrsnetzes als auch im Bereich der akademischen Forschung und Lehre – im Raum Dresden waren ebenso ausschlaggebend.

---

[296] Arch TUDD: Bestand Rektorat Nr. 515. Niederschrift vom 8.8.1953 über die von Staatssekretär Goßens geleitete Besprechung vom 5. August 1953 an der TH Dresden über die Eingliederung der geplanten Hochschule für Luftfahrtwesen in die TH Dresden. Die Begriffe „Luftfahrtwesen" und (akademische) „Luftfahrtforschung" scheinen in der DDR manchmal synonym verwandt worden zu sein.
[297] Werner: Luftfahrtindustrie, S. 77f.
[298] Ciesla: „Intellektuelle Reparationen", S. 108.
[299] Barkleit/Hartlepp: Zur Geschichte, S. 34; Arch TUDD: Fakultät für Luftfahrtwesen: Nr. XX/36.
[300] Ebd.
[301] Barkleit/Hartlepp: Zur Geschichte, S. 34.
[302] Ebd.

Bis 1939 erarbeiteten sich einige Hochschulen eine Vorrangstellung für einen bestimmten Aspekt neuer Fachbereiche. So oblag es im Dritten Reich der TH Dresden, sich mit der Erforschung der optimalen Ausschöpfung einheimischer, geringwertiger Rohstoffe sowie Methoden zur synthetischen Rohstoffproduktion für die Textilindustrie zu befassen[303]. Diese Erfahrungen lassen sich in der Luftfahrtindustrie, sowohl für die Werkstoffkunde als für neue und/oder alternative Treibstoffe, gut nutzen. Innovationen im Bereich der Werkstoffe sind im Flugzeugbau international entscheidend. Man denke nur an die innovative Metallklebetechnik im Flugzeugbau, die Baade bei der Fa. Junkers mitentwickelt hatte und in der DDR weiter verfeinern sollte. An der TH Dresden existierte ebenso im Dritten Reich eine Luftfahrttechnische Fakultät.

Ein weiterer, für den Umzug an die TH Dresden nicht ganz unbedeutender, Faktor könnte auch die Person Werner Albring darstellen. Dort kam er nicht mehr um eine direkte Einbindung in die akademische Luftfahrtforschung herum – zumal auch alle militärischen Planungen im Bereich der Luftfahrt aufgegeben worden waren. Sicher war diese Entscheidung auch im Interesse der Sowjetunion. Albring stand mit seiner Meinung, „die Russen hätten es auch alleine gekonnt"[304] nicht allein. So bestand unter den heimgekehrten Spezialisten die Ansicht, dass „die Sowjetunion uns in Forschung und Entwicklung Empfehlungen gaben aber nicht in unserem Interesse, sondern um bei uns zu sehen, wie sich ihre Vorstellungen in der Praxis auswirken."[305] Doch sei es wie es sei: Das Potential der deutschen Luftfahrtelite in der UdSSR wurde von den Sowjets recht schnell abgeschöpft. Oder, wie es Albring ausdrückte, die Sowjetunion hätte diesen Stand in der Luftfahrttechnik auch (irgendwann) allein erreicht. Was für die UdSSR aber sicher auch von Interesse war, war eine funktionierende (akademische) Luftfahrtforschung in Deutschland direkt zu untersuchen – und dieses konnte nur im von den Sowjets kontrollierten Teil Deutschlands, sprich in der DDR, geschehen. Die Bedingungen dafür waren in Dresden wohl am besten.

Die Einordnung der Kapazitäten in die damalige TH Dresden erfolgte unter der vorläufigen Bezeichnung „Fakultät für Maschinenwesen – Leichtbau". Die Bezeichnung „Flugzeugbau" musste verschwinden[306]. Dies war den Bestimmungen des Potsdamer Abkommens geschuldet. Sicher sollte durch die Bezeichnung „Leichtbau" aber auch an deutsche Luftfahrttraditionen und große technische Errungenschaften erinnert und angeknüpft werden. Durch die Arbeiten Ernst Heinkels und Willy Messerschmitts, den internationalen Pionieren des innovativen Leichtbaus, begann der Siegeszug dieser Bauweise in der Industrie.

Vom Staatssekretär für das Hochschulwesen, Prof. Dr. Harig, wurden für die Erstbesetzung mit Wirkung ab dem 1. Januar 1954 auch verschiedene Berufungen ausgespro-

---

[303] Henco, Guido-Gordon: Die phantastischen Erfindungen im Dritten Reich. Zivile und militärische Innovationen, Wölfersheim-Berstadt 2004, S. 7.
[304] Albring bezog sich mit dieser Aussage auf die Erreichung des Standes der deutschen Luftfahrtindustrie am Ende des Zweiten Weltkrieges. Frei zitiert nach: Arch TUDD: Fakultät für Luftfahrtwesen: Nr. XX/9.
[305] BStU, ASt. DD: Objektakte 2087/62, Nr. 5: „Verkehrsflugzeug ,152'" (Bl. 53-61).
[306] Arch TUDD: Fakultät für Luftfahrtwesen: Nr. XX/36.

chen[307]. Offensichtlich wollte sich damit die Partei- und Staatsführung ein „kleines Hintertürchen"[308] offen lassen. Barkleit und Hartlepp stellen die Spontaneität dieser Entscheidung heraus: „Denn wieso hat man kurze Zeit vorher erst die Bildung einer solchen Hochschule ins Auge gefasst? In einem totalitären Staat und seiner Zentralisation konnte das ja nicht allein auf Initiative der Hochschule ohne staatlich Weisung erfolgt sein."[309]

Mit der für 1954 angekündigten Rückkehr der letzten Luftfahrtspezialisten aus der Sowjetunion hatte sich die Partei- und Staatsführung entgegen der 1953 getroffenen Aussage, keine Luftfahrtindustrie aufzubauen, doch für deren Aufbau in der DDR entschieden.

Trotz aller Unsicherheiten und zunächst unklarer Planungen erfolgte der Umzug aller Gerätschaften, Einrichtungen, Messgeräte, Bücher usw. von Rostock an die neue Fakultät der TH Dresden sehr zügig und scheinbar reibungslos. So konnten am 3. November 1953 39 verschiedene Zeitschriften im Wert von 640,70 Mark an die Fakultät für Maschinenwesen – Leichtbau der TH Dresden übergeben werden. Einen Monat später befand sich schon der gesamte Bibliotheksbestand in Dresden[310]. Es wurde nicht das Geringste in Rostock zurückgelassen[311]. Aber natürlich gab es auch kleinere Schwierigkeiten beim Umzug, die wohl aber mehr der Unzuverlässigkeit und Schusseligkeit der Studenten zuzuschreiben waren. Dies zeigt beispielsweise ein Brief der früheren Dekanatssekretärin Frau Tübben an Prof. Müller, nun schon in Dresden: „Man sollte nicht glauben, was unsere ‚Luftfahrtstudenten' manches Mal für ‚Schiet' nachgelassen haben. Einer hat seine GST entliehene Schreibmaschine nicht zurückgebracht, zwei Studenten die geliehenen Bettstellen und Bett-Teile ebenfalls nicht wieder geliefert, Rechnungen der FDJ-Fakultätsgruppe blieben unbezahlt und derlei Scherze mehr. Nun jagt man hinterher. Ich bin so froh, dass ich das, was durch meine Hände ging, immer notierte, ich wüsste manchmal nicht, was ich mir noch alles aus dem Gedächtnis pressen muss."[312]

Insgesamt gingen aber nur 35 Studenten von Rostock nach Dresden (32 aus dem ersten Studienjahr, zwei aus dem zweiten und einer aus dem dritten Studienjahr). Drei Monate später hatte sich diese Zahl auf insgesamt 127 Studenten erhöht[313].

Doch erst am 1. Oktober 1954 wurde die Fakultät für Leichtbau endgültig an der TH Dresden eingerichtet und zählte somit zu den jüngsten damaligen Fakultäten der Hochschule[314].

Der Bau des Hauptgebäudes für die neue Fakultät in der Dürerstraße 26 begann mit der Baustelleneinrichtung Anfang April 1953 und wurde bereits Anfang 1954 soweit abge-

[307] Ebd. Schreiben des Staatssekretärs Harig an den Rektor der TH Dresden vom 4. Februar 1954.
[308] Barkleit/Hartlepp: Zur Geschichte, S. 35.
[309] Ebd.
[310] Arch UR: Technische Fakultät für Luftfahrt 2 „Auflösung der Fakultät (1953)".
[311] Ebd. Auf einer Inventarliste des Umzuges vom 23. Juli 1953 findet sich auch der Posten eines Stalinbildnisses im Anschaffungswert von 10 DM.
[312] Ebd. Der Brief datiert vom 20. Oktober 1953.
[313] Ebd.
[314] Arch TUDD: Fakultät für Luftfahrtwesen: Nr. XX/36.

schlossen, dass das Gebäude im März 1954 bezogen werden konnte[315]. Zur Eingliederung in die Hochschule wurde beschlossen, „(...) die vorhandenen Lehrkräfte in die Fakultät für Maschinenwesen unter Errichtung neuer Lehrstühle und Institute und Erweiterung bestehender Institute und Lehrstühle zu übernehmen."[316] Es bestand Klarheit darüber, dass man, entsprechend den vorgenommenen Berufungen, mit fünf Instituten und Fachrichtungen, und zwar für Aerodynamik, Mechanik des Leichtbaus, Leichtbaukonstruktion, Gerätetechnik und Technologie des Leichtbaus, den praktischen Bedürfnissen am besten entsprechen könne.

Vom Staatssekretär für Hochschulwesen, Prof. Dr. Harig, wurden für die Erstbesetzung mit Wirkung ab dem 1. Januar 1954 verschiedene Berufungen ausgesprochen[317]. Folgende Berufungen wurden ausgesprochen:

- Prof. Dr. Ing. habil. WILLY RICHTER, Professur mit Lehrstuhl für Aerodynamik und Direktor des Instituts für Aerodynamik,
- Prof. Dipl. Ing. RUDOLF MÜLLER, Professur mit Lehrstuhl für Mechanik des Leichtbaus und Direktor des Instituts für Mechanik des Leichtbaus,
- Prof. Dipl. Ing. HERMANN LANDMANN, Professur mit Lehrstuhl für Leichtbaukonstruktion und Direktor des Instituts für Leichtbaukonstruktion,
- Dr. phil. ROBERT IRRGANG, Dozentur für Aerodynamik.

Darüber hinaus wurden folgende Lehraufträge erteilt:

- Dr. Ing. HELLMUT CLAUSSNITZER, Wahrnehmung einer Professur mit Lehrstuhl für Gerätetechnik und kommissarischer Direktor des Instituts für Gerätetechnik,
- Dr. Ing. WALTER VANDERSEE, Wahrnehmung einer Professur mit Lehrstuhl für Technologie des Leichtbaus,
- Dipl. Ing. HERMANN GÖCKE, Wahrnehmung einer Professur mit Lehrauftrag für spezielle Schwingungstechnik[318].

Eine zeitraubende (Neu-)Ausarbeitung der Studien-, Lehr- und Forschungspläne war nicht notwendig. In Rostock war bereits alles bis ins Detail ausgearbeitet und teilweise schon umgesetzt worden. Nun hatten noch entsprechende Modifikationen und Erweiterungen zu erfolgen.

Die Zulassungsbedingungen für ein Luftfahrtstudium entsprachen den damals in der DDR üblichen Voraussetzungen, d. h. Abitur. Studienbewerber mit Verwandtschaft ersten Grades in der BRD, West-Berlin oder im „kapitalistischen Ausland" wurden zum Studium dieser Fachrichtung nicht zugelassen[319].

Vom Staatssekretariat für das Hochschulwesen (Staatssekretär Harig) wurde bestimmt, dass zum 5. November 1955 die „Fakultät für Leichtbau" in „Fakultät für Luftfahrtwesen" umzubenennen war[320]. Am 22. November beschlossen Politbüro und Wirtschaftsrat

[315] Ebd.
[316] Ebd.
[317] Arch TUDD: Bestand Rektorat Nr. 515; Barkleit/Hartlepp: Zur Geschichte, S. 35.
[318] Arch TUDD: Fakultät für Luftfahrtwesen: Nr. XX/13.
[319] Hartlepp: Luftfahrtausbildung, S. 192.
[320] Arch TUDD: Fakultät für Luftfahrtwesen: Nr. XX/44.

offiziell den „Aufbau der Luftfahrtindustrie" mit der Vorgabe, bis Ende 1957 zwei neue Flugzeugtypen und bis Ende 1959 drei neue Triebwerke zu entwickeln[321]. Somit konnte man sich nun wieder offiziell mit Flugzeugindustrie sowie Luftfahrtforschung und -ausbildung in die lange deutsche Luftfahrttradition einreihen.

Um das Studium durch das Gebiet der modernen Flugtriebwerke zu bereichern und im Interesse der Forschung, wurde im Herbst 1954 innerhalb des Instituts für Aerodynamik eine Abteilung Triebwerke gegründet und Dr. phil. Rudolf Schmidt als Professor für „Festigkeit der Strahltriebwerke" berufen. Gleichzeitig erfolgte die Berufung von Dr. Ing. Franz Bredendick als Professor für Fertigung der Triebwerke an das Institut für Technologie des Leichtbaus[322]. Wenn Dr. Bredendick ab 1957 auch zur Fakultät für Technologie gehörte, so blieb seine Bindung an die Fakultät für (dann schon) Luftfahrtwesen bestehen. Für das Gebiet der Thermodynamik der Strahltriebwerke wurde 1955 Dipl. Ing. Alexander Pawlowitsch mit der Wahrnehmung einer Professur beauftragt.

Im Mai 1955 wurde Prof. Gangloff beauftragt, an der Fakultät für Ingenieurökonomie eine Fachrichtung „Ingenieurökonomie des Luftfahrtwesens" einzurichten[323]. Am 15. Juni kam es dann endlich zur Errichtung eines selbständigen Instituts für Luftfahrtwesen[324].

Die Gründung des Instituts für Luftfahrtwesen war mittlerweile dringend notwendig geworden. In einem Bericht an das MfS begründete Prof. Richter eingehend, warum dies so war: „Das Staatssekretariat für Hochschulwesen ist nicht in der Lage, uns die erforderlichen Planstellen für Schlosser, Mechaniker, Schweißer, Pyrotechniker, Tischler, Modellbauer, Zeichner, Rechner und Konstrukteure, d. h. für die erforderlichen Hilfskräfte, zur Verfügung zu stellen. Das hat sich bei uns schon so ausgewirkt, dass in unseren Materialwerkstätten z. Z. Aufträge für mehrere 1000 Arbeitsstunden brachliegen, die nicht erledigt werden können, da es an Personal fehlt. So ist es dazu gekommen, dass unsere Wissenschaftler, um ihre Forschungsarbeiten durchführen zu können, selbst umherlaufen und Materialien einkaufen, selbst zeichnen bzw. die Rechenmaschine bedienen usw. Die Folge davon sind Überarbeitungserscheinungen, Kreislaufstörungen usw., die lediglich aus Mangel an Hilfspersonal entstehen. Solche Arbeitsmethode ist völlig unwirtschaftlich und entspricht nicht der Qualifikation der betreffenden Herren."[325] Vandersee konkretisierte einige Jahre später die Bedeutung und Aufgabe der Fakultät für Luftfahrtwesen. Sie bestanden in der Ausbildung von Diplom-Ingenieuren mit so hohem wissenschaftlich-technischem Niveau, „dass die Gewähr für Konkurrenzfähigkeit unserer Luftfahrtindustrie auf dem Weltmarkt gegeben ist. Mit dieser Wettbewerbsfähigkeit steht und fällt unsere Luftfahrtindustrie."[326]

[321] Barkleit/Hartlepp: Zur Geschichte, S. 51.
[322] Arch TUDD: Fakultät für Luftfahrtwesen: Nr. XX/36.
[323] Ebd.: Nr. XX/8.
[324] Ebd.
[325] BStU, ASt. DD: AIM 1533/63, Nr. II: „Arbeitsvorgang über ‚Schiller' (Richter), 1955-56" (Bl.50-53). Bericht vom 19.9.1955.
[326] SAPMO-BArch IV 2/9.04, Nr. 354 (Bl. 51).: "Besprechung des Herrn Staatssekretärs mit den Professoren der Fakultät für Luftfahrtwesen TH Dresden, und Herrn Prof. Rjabow am 7.12.59".

Am 1. November 1955 erfolgte die Umwandlung der Abteilung Triebwerke zum „Institut für Strahltriebwerke". Prof. Dr. phil. Schmidt wurde die Leitung des Instituts übertragen[327].

Damit bestanden seit dem 1. November 1955 an der Fakultät für Leichtbau sechs Fachrichtungen mit sechs Instituten, die mit Wirkung vom 1. Mai 1956 folgende Bezeichnungen trugen:

- Institut für Angewandte Aerodynamik (zuvor Institut für Aerodynamik)
- Institut für Flugzeugfestigkeit (zuvor Institut für Mechanik des Leichtbaus)
- Institut für Flugzeugkonstruktion (zuvor Institut für Leichtbaukonstruktion)
- Institut für Luftfahrtgeräte (zuvor Institut für Gerätetechnik)
- Institut für Strahltriebwerke
- Institut für Flugzeugfertigung (zuvor Institut für Technologie des Leichtbaus)[328].

Die wohl schwierigste Aufgabe der neuen Fakultät bestand in erster Linie darin, Lehrkräfte und Assistenten in genügender Zahl gewinnen zu können. Prof. Ing. Gerrit Schimkat wurde als Professor für Bauteilprüfung an das Institut für Flugzeugfestigkeit berufen. Das Berufungsverfahren begann noch im Jahre 1953[329].

Da es nicht möglich war, weitere geeignete hauptamtliche Lehrkräfte zu finden, konnte der dringende Bedarf nur durch Berufung dreier nebenamtlicher Professoren und durch Erteilung von 17 Lehraufträgen an namhafte Persönlichkeiten, die größtenteils der jungen Luftfahrtindustrie entstammten, gedeckt werden. Als nebenamtliche Professoren wurden berufen: Dr. Ing. Georg Backhaus für Aerodynamik an das Institut für Angewandte Aerodynamik (1955), Dr. phil. Gerhard Cordes „Verdienter Techniker des Volkes" für Strömungstechnik der Strahltriebwerke an das Institut für Strahltriebwerke (1956) und Dr. Ing. Rudolf Scheinost „Verdienter Techniker des Volkes" für Konstruktion der Strahltriebwerke an das Institut für Strahltriebwerke (1957)[330].

Nach erfolgreich abgeschlossener Habilitation wurde 1958 Dr. Ing. Helmut Claußnitzer zum Professor mit Lehrstuhl berufen und gleichzeitig zum Direktor des Instituts für Luftfahrtgeräte ernannt. Die zur ordnungsgemäßen Durchführung des Lehrbetriebs notwendigen Assistenten wurden fast ausschließlich aus den Reihen der eigenen Absolventen gewonnen.

Seit dem 21. Februar 1957 war die TH Dresden – laut „Beschluss über die Zivile Luftfahrt" – einer der Vertreter im „Ausschuss für Zivile Luftfahrt"[331]. Zwei Jahre später wurde aufgrund dessen, dass „die jetzige Organisation der zivilen Luftfahrt in der DDR (...) nicht mehr den Erfordernissen entspricht", beschlossen, ein „Staatssekretariat für Zivile Luftfahrt" zu bilden. Zu dessen Aufgaben gehörte (unter Punkt f) die „Lenkung und Leitung sowie Organisation der Forschung und Entwicklung auf dem Gebiet der zivilen

[327] Arch TUDD: Fakultät für Luftfahrtwesen: Nr. XX/36.
[328] Ebd.
[329] Ebd.
[330] Ebd.
[331] BArch, Abt. DDR, DE 1/8035 „Reorganisation der zivilen Luftfahrt".

Luftfahrt"[332]. Damit unterstand die Fakultät für Luftfahrtwesen sowohl dem Ministerium für das Hoch- und Fachschulwesen als auch dem Staatssekretariat für Zivile Luftfahrt.

Die nachfolgende Aufstellung vermittelt einen Überblick über die generelle personelle Entwicklung der Fakultät bis zum Jahre 1961:

	1953	1954	1955	1956	1957	1958	1959	1960	1961	inges. bis 1961
Zahl der Institute	5	5	6	6	6	6	6	6	6	6
Zahl der Fachrichtungen	5	5	6	6	6	6	6	6	6	6
Professoren	6	8	10	10	8	8	8	7	7	
Nebenamtliche Professoren	•	•	1	2	3	3	3	3	3	
Dozenten	•	1	1	1	1	1	1	1	•	
Lehrbeauftragte	•	•	5	1	2	2	2	2	2	
Nebenamtliche Lehrbeauftragte	–	7	14	15	17	18	17	22	26	
Assistenten	2	7	9	19	17	25	27	•	•	
Lehrkörper (insgesamt)	8	23	40	48	48	56	57	•	•	
Lehrkörper der Fakultät	8	16	25	31	28	35	37	•	•	
Angestellte (insgesamt)	87	126	144	143	172	185	185	•	•	
Angestellte der Fakultät	95	142	169	174	200	220	222	•	•	
Studenten	32	273	390	474	498	494	447	467	3	
Absolventen	•	•	8	14	23	45	91	97	ca.49	ca. 327
Vorzeitig Exmatrikulierte										ca. 160

• = Werte nicht zu ermitteln   *Quelle: Arch TUDD: Fakultät für Luftfahrtwesen XX/Nr.32, 33, 34 und 36*

TABELLE 3

Da die große Zahl der nebenamtlichen Lehrbeauftragten auf Dauer nicht tragbar war, bemühte sich die Fakultät, durch Förderung des eigenen wissenschaftlichen Nachwuchses hauptamtliche Lehrkräfte heranzubilden. Die Zahl der Fakultätsangehörigen und der Studierenden vervielfachte sich in wenigen Jahren, weshalb sehr bald Schwierigkeiten bei der räumlichen Unterbringung der Institute auftraten. Von den geplanten Erweiterungsbauten konnte nur das Gebäude des Instituts für Strahltriebwerke und die dort einzurichtenden Laboratorien zu einem großen Teil ausgeführt werden[333]. Die übrigen im Rohbau bereits weit fortgeschrittenen Bauten der Fakultät, wie das Gebäude des Windkanals mit den da-

---

[332] Ebd. Grundlage war der Politbürobeschluss vom 19.5.1959.
[333] Arch TUDD: Fakultät für Luftfahrtwesen: Nr. XX/36.

zugehörigen Büroräumen, das Gebäude des Instituts für Angewandte Aerodynamik und die Versuchshalle des Instituts für Flugzeugfestigkeit, wurden Mitte 1957 an das Forschungszentrum der Luftfahrtindustrie abgegeben[334]. Der lange geplante Eckbau Güntzstraße/Holbeinstraße, der einer dringend notwendigen Erweiterung der Institute für Luftfahrtgeräte und für Flugzeugfertigung dienen sollte, musste immer wieder zurückgestellt werden.

Zu Beginn des Jahres 1957 begann die „ökonomische Bremse" an der Fakultät für Luftfahrtwesen zu wirken – wie auch in der gesamten Luftfahrtindustrie. Dem gingen große Einbrüche in der Wachstumsdynamik der Wirtschaft in den Jahren zwischen 1953 und 1956 voraus. Der Wachstumseinbruch von 1956 hatte primär außenwirtschaftliche Ursachen, da wichtige Rohstoff- und Warenlieferungen aus Polen und Ungarn aufgrund der dortigen politischen Ereignisse ausgeblieben waren. In der DDR führte die Einstellung der Lieferungen zu empfindlichen Störungen im Wirtschaftsleben[335].

In einem Schreiben des Dekans der Fakultät vom 2. Januar 1957 an alle Institutsdirektoren sowie an die Fakultätsparteileitung und Gewerkschaftsleitung heißt es: „Aufgrund der Maßnahmen der Staatlichen Plankommission mussten die für 1957 vorgesehenen Investitionsmittel der Technischen Hochschule um 33% gekürzt werden. Einem Vorschlag des Rektors folgend, hat das Staatssekretariat für das Hochschulwesen daraufhin sämtliche Investitionen in Höhe von mehreren Millionen Mark für unsere Fakultät im Rechnungsjahr 1957 gestrichen."[336]

Demzufolge begann die kostenpflichtige Beräumung der Baustellen weisungsgemäß am 7. Januar 1957. Die bis zu dieser Zeit angelaufenen Investitionskosten beliefen sich auf ca. 7 Mio. Mark. Zur Fertigstellung wären noch knapp zwei Mio. Mark notwendig gewesen – die erforderlichen Versuchsstände hätten dann zur Verfügung gestanden[337].

An technischen Einrichtungen verfügte die Fakultät zu diesem Zeitpunkt über:
- einen Niedergeschwindigkeits-Windkanal mit einem Durchmesser von acht Metern, der mit einem Investitionsumfang von 4,5 Mio. Mark ausgewiesen wurde,
- eine Bruchversuchsstrecke,
- einen Brennkammerprüfstand,
- einen Gitterkasten mit Messstrecke für Schaufelprofiluntersuchungen,
- eine umfangreiche Holz- und Metallwerkstatt sowie über die Möglichkeit zur Nutzung aller Laboreinrichtungen der TH Dresden[338].

1958 betrug die Nutzfläche aller Institute insgesamt ca. 3790 m² [339].

[334] Ebd.: Nr. XX/6: „Räume für das Institut für Lehrmittel und Literatur" (27.12.1955 und 23.01.1956).
[335] Ciesla, Burghard: Zwischen den Krisen. Sozialer Wandel, ökonomische Rahmenbedingungen und Lebenslage in der DDR 1953-1956, in: Foitzik, Jan (Hg.): Entstalinisierungskrise in Ostmitteleuropa 1953-1956, Paderborn/München/Wien/Zürich 2001, S. 271-291, hier 278.
[336] Arch TUDD: Fakultät für Luftfahrtwesen: Nr. XX/2. Rundschreiben des Dekans für Luftfahrtwesen Prof. Dr.-Ing. W. Richter vom 2.1.57 über die Streichung sämtlicher Investitionen in Höhe von mehreren Millionen Mark für die Fakultät.
[337] Ebd.; Barkleit/Hartlepp: Zur Geschichte, S. 40f.
[338] Hartlepp: Luftfahrtausbildung, S. 191.

Durch die Beschlüsse des Ministerrats wie den „Maßnahmen zur Förderung des wissenschaftlich-technischen Fortschritts in der DDR" von 1955, den „Maßnahmen zur Verbesserung der Arbeit auf dem Gebiet der naturwissenschaftlich-technischen Forschung und Entwicklung und der Einführung der neuen Technik" aus dem Jahre 1957 oder der 1958 erlassenen „Verordnung über die weitere sozialistische Umgestaltung des Hoch- und Fachschulwesens der DDR" war die Hochschulforschung ebenso wie die Perspektivplanung der gesamten naturwissenschaftlich-technischen Forschung fortan eng mit den Staatsplänen abzustimmen[340]. Im Umkehrschluss bedeutete dies allerdings nicht, dass jede Hochschulfakultät – wie etwa die Fakultät für Luftfahrtwesen – die dafür notwendigen Mittel auch tatsächlich zugewiesen bekam. Da die DDR-Flugzeugindustrie seit 1953 eine rein zivile Ausrichtung hatte, mussten sämtliche Forschungs- und Entwicklungskosten sich in den Gestehungskosten ihrer Produkte niederschlagen und konnten nicht auf militärische Etats abgewälzt werden, weshalb die Ausgaben für die akademische Luftfahrtforschung möglichst niedrig gehalten wurden. Mit derartigen Einschneidungen war Walter Ulbrichts folgender Anspruch wohl kaum im Bereich der Luftfahrtforschung und der zu etablierenden neuen technischen Intelligenz zu erreichen: „Die Initiative der Arbeiter, der Intelligenz, der Genossenschaftsbauern, der Handwerker und der Gewerbetreibenden wird in den nächsten Jahren noch Wunder vollbringen."[341]

Trotz allem versuchte die Bibliothek der Fakultät, Fachliteratur einschließlich der Randgebiete in großem Umfang zu erwerben. Nachstehende Tabelle gibt eine Übersicht über ihre Entwicklung von 1953 bis 1958:

	Jahr	Buchbestände*	Zeitschriftenbestände*
Bestand der Fakultätsbibliothek	1953	300	80
	1954	2000	120
	1955	3300	190
	1956	4800	230
	1957	5700	260
	1958	6500	290
TABELLE 4	Quelle: Arch TUDD: Fakultät für Luftfahrtwesen XX/Nr.36		* angenäherte Zahlen

Mitte des Jahres 1957 wurde aufgrund der Sparmaßnahmen der größte Teil der Mitarbeiter des Instituts für Flugzeugfestigkeit vom Forschungszentrum der Luftfahrtindustrie für das dort neu gebildete Institut für Statik, Festigkeit und Schwingungen übernommen. Prof. Müller übernahm die Direktion dieses Institutes[342]. Von offizieller Seite wurde dies

---

[339] Ebd., S. 192.
[340] Fraunholz, Uwe/Schramm, Manuel: Hochschulen als Innovationsmotoren? Hochschul- und Forschungspolitik der 1960er Jahre im deutsch-deutschen Vergleich, in: Jessen, Ralph/ John, Jürgen (Hg.): Jahrbuch für Universitätsgeschichte Band 8 (2005): Wissenschaft und Universitäten im geteilten Deutschland der 1960er Jahre, Stuttgart 2005, S. 25-44, hier 35.
[341] Ulbricht, Walter: Für die Lösung der Grundaufgaben ist die Entwicklung von Wissenschaft und Technik entscheidend, in: Protokoll der Verhandlungen des V. Parteitages der Sozialistischen Einheitspartei Deutschlands 1958, 6. und 7. Verhandlungstag, Band II, Berlin (Ost) 1958, S. 959-963, hier 962.
[342] Arch TUDD: Fakultät für Luftfahrtwesen: Nr. XX/36.

als „großer Wurf" dargestellt. So erschien zu diesem Thema ein dreiseitiger Artikel in der Zeitung „Die Wirtschaft" vom 15. August 1957 unter der Überschrift „Vereinfachung verbessert die Zusammenarbeit. Luftfahrtindustrie und TH Dresden sparen Staatsmittel"[343]. Andererseits aber wirkte sich auch die daraus entstandene Verbindung zwischen Lehre, Forschung und Praxis günstig auf die Forschungstätigkeit aus. Die vom Hochschulinstitut begonnenen Forschungsaufträge wurden zum größten Teil vom Institut des Forschungszentrums übernommen, dabei wurde der bisherige Forschungsauftrag „Lastannahmen" in die speziellen Themen „Kopplungs- und Rollstoß bei Bugradfahrwerken" und „Böenstatistik" unterteilt[344].

Wenden wir uns an dieser Stelle der Entwicklung der einzelnen Institute der Fakultät zu. Hierbei soll die wissenschaftsgeschichtliche Betrachtung im Vordergrund stehen. Denn leider konnten aufgrund der teilweise schlechten Quellenlage die Akteure und die Dynamik der Entwicklung nicht immer „lebendig" erzählt werden.

Der Aufbau des *Aerodynamischen Instituts / Institut für Angewandte Aerodynamik* begann im Jahre 1953. 1954 dann wurde eine Abteilung für Strahltriebwerke gebildet, aus der 1955 das Institut für Strahltriebwerke hervorging. Die Leitung des Instituts lag seit der Gründung in den Händen von Prof. Dr.-Ing. Wilhelm Richter. Als ehemaliger Junker-Mitarbeiter entwickelte sich Richter während seiner dortigen Tätigkeit zum Spezialisten für Einspritzgeräte und schließlich zum Regel-Spezialisten. Hierin sind wohl auch die Wurzeln des späteren Instituts für Strahltriebwerke (s. u.) zu sehen. Das Institut beschäftigte sich seit 1954/55 insbesondere mit dem Aufbau und der Inbetriebnahme von Wind- und Wasserkanälen für die Forschung[345]. Das Richtfest für den ersten Windkanal fand am 9. November 1956 statt. Mit den ersten Vorversuchen hätte im Herbst 1957 begonnen werden können, doch da zahlreiche Investmittel gestrichen wurden (3,3 Mio. DM), musste der Termin um ein Jahr nach hinten verschoben werden (Bitterkeit von Seiten des Leiters und Erfinders Prof. Richter eingeschlossen). Dieser große Windkanal in einem Kali-Bergwerk bei Merkers (i. d. Rhön) hatte nicht nur Bedeutung für die Lehre und Forschung im Luftfahrtwesen, sondern vielmehr auch um „unserer Automobilindustrie, dem Eisenbahnwesen, Bauwesen, Brücken- und Förderanlagenbau verlässliche Widerstandsbeiwerte zu liefern." Diese Tatsache, so Richter, „wird leider an führenden Regierungsstellen immer noch nicht richtig erkannt. Die Verfügung, die Fertigstellung unseres Windkanals hinauszuschieben, zeugt von einem erschütternden Mangel an Sachkenntnis bei unseren entscheidenden Stelle."[346]

Albring, der auch weiterhin Direktor des Instituts für angewandte Strömungslehre blieb, leitete zumeist die Arbeiten über „Plattengrenzschicht mit Diffusion". Diese Arbeiten, die für die Industrie durchgeführt wurden, sollten Erkenntnisse für die industrielle

---

[343] BStU, ASt. DD: AIM 1533/63, Nr. III: „Arbeitsvorgang über ‚Schiller' (Richter), 1957" (Bl. 170, 178-180).
[344] Ebd., Bl. 179.
[345] BArch, Abt. DDR, DF4/58356 (Jahresbericht des Aerodynamischen Instituts der TH Dresden, 1955). Die Jahresberichte der jeweiligen Institute mussten zum Frühjahr des Folgejahres an das Ministerium für Wissenschaft und Technik (MWT) eingereicht werden.
[346] BArch, Abt. DDR, DF4/59309 (Jahresbericht des Aerodynamischen Instituts der TH Dresden, 1956).

Filmtrocknung, Trocknung von Geweben etc. erbringen. Nicht unerwähnt bleiben soll auch die Teilnahme von Mitarbeitern des Instituts an einem Forschungslager für Leewellen-Segelflug im Thüringer Wald[347]. 1957 erfolgte die Angliederung der Abteilung Flugerprobung. Innerhalb des Instituts wurde eine Reihe größerer Versuchsanlagen projektiert und gebaut, die 1957 zusammen mit den daran beschäftigten Institutsangehörigen das Forschungszentrum der Luftfahrtindustrie übernahm. Von 1953 bis 1958 war Dr. Robert Irrgang Dozent für das Spezialgebiet Luftschrauben. Seit 1955 war Prof. Dr.-Ing. G. Backhaus nebenamtlich am Institut tätig und vertrat die Spezialgebiete Stabilität und Steuerbarkeit sowie Auslegung und aerodynamische Gestaltung von Verkehrsflugzeugen[348]. 1960 erfolgte eine Namensänderung in Institut für Angewandte Aerodynamik. Im selben Jahr übernahm das Institut den fast fertigen kleinen Windkanal der Ingenieurschule für Flugzeugbau in Dresden.

1959 umfasste die Fachrichtung 32 Direktstudenten. Die Absolventen wurden in der Luftfahrtindustrie sowie als Assistenten und Aspiranten im Institut tätig. Es gab eine gute Absolventenbetreuung. In Abstimmung mit den Erfordernissen der Luftfahrtindustrie war die Zahl der jährlich neu aufzunehmenden Studenten auf fünf festgelegt worden[349].

Das *Institut für Flugzeugfestigkeit* bestand seit 1953 und trug bis zum Juni 1956 den Namen Mechanik des Leichtbaus. Der Institutsdirektor, seit 1953 Prof. Rudolf Müller, lehrte die Fachgebiete Flugzeugstatik, Flugzeugfestigkeit und Elastizitätstheorie. Durch den Aufbau der Luftfahrtindustrie in der DDR konnte sich der Inhalt der Vorlesungen immer mehr auf angewandte Fachprobleme spezialisieren. Zu Beginn konnten einige der Forschungsaufträge nicht erfüllt werden, weil „die als Mitarbeiter vorgesehenen Herren von der TH Dresden nicht eingestellt (wurden), da die Höhe ihrer Gehälter die Unzufriedenheit der Assistenten und wissenschaftlichen Mitarbeiter gesteigert hätte.“[350] Die Versuchshalle des Instituts, deren Bau 1956 begonnen wurde, war 1957 unvollendet dem Forschungszentrum der Luftfahrtindustrie übergeben worden. Nach Fertigstellung hätten in der Halle auch Forschungsversuche des Hochschulinstituts durchgeführt werden können.

Besonders prekär war die Beschaffung von Fachliteratur. Die dringend benötigte westliche Fachliteratur, besonders die Technical Notes der NACA waren „praktisch überhaupt nicht zu bekommen“, aber auch die sowjetische war kaum zu beschaffen. Wenn diese doch erhältlich wurde, war sie oft bereits veraltet, weil die Manuskripte zu lange bei den Verlagen herumlagen.

Ab 1959 beschäftigten sich die Assistenten und wissenschaftlichen Mitarbeiter des Instituts mehr mit kleineren Forschungsaufgaben auf den allgemeinen Gebieten der Schei-

[347] Ebd. Derartige Forschungsflüge dienen bereits seit den 1920er Jahren zur Erforschung lokaler Windsysteme (etwa im Riesengebirge) und dem Verständnis der damit verbundenen Wetterbedingungen. Die spektakulärsten Ausprägungen solcher Wissenschaftsflüge finden seit einigen Jahren in den argentinischen Anden statt und haben eine Reihe von Weltrekorden im Segelflug sowie wissenschaftliche Erkenntnisse erbracht.
[348] Arch TUDD: Fakultät für Luftfahrtwesen: Nr. XX/36.
[349] Ebd.
[350] BArch, Abt. DDR, DF4/56259.

ben- und Plattentheorie und des Pfeilflügels, „wodurch wertvolle Vorarbeit für weitere Forschungsarbeiten geleistet wird"[351]. Von den Absolventen waren 15 in der Industrie und fünf im Hochschuldienst tätig[352].

Bei der Gründung des *Institut für Flugzeugkonstruktion* im Herbst 1953, dem außer dem Institutsdirektor Prof. Dipl. Ing. Hermann Landmann zunächst keine weiteren Lehrkräfte und Assistenten angehörten, waren bereits zwei Semester an der Universität Rostock vorausgegangen. Von dort wurden acht Studenten übernommen, von denen wiederum je vier die Fachrichtungen Flugzeugfestigkeit und Flugzeugkonstruktion gewählt hatten. Die ersten Lehrveranstaltungen verteilten sich noch allein auf das Gebiet des Leichtflugzeugbaus. Die Praktika wurden lediglich innerhalb der damals erst bestehenden Segelflugzeugindustrie abgeleistet[353]. Erst im Laufe der Jahre konnten sowohl zusätzliche Lehrkräfte gewonnen als auch den Studenten die Möglichkeit gegeben werden, innerhalb der neuen Metallflugzeugindustrie zu praktizieren. Insgesamt übernahmen drei Ingenieure des Flugzeugwerks Dresden als Lehrbeauftragte nebenamtlich Vorlesungen und Übungen aus ihren Fachgebieten[354]. Prof. Landmann war ab 1954 nicht nur der Leiter der Forschungs- und Entwicklungsstelle, sondern auch Mitarbeiter in verschiedenen Gremien und Arbeitskreisen, wie etwa der AdW, Abteilung Kunststoffe oder dem Zentralinstitut für Schweißtechnik in Halle. Ab 1956 kam dann die Mitarbeit im Zentralvorstand der GST als Leiter des Arbeitsgebietes Technik der Zentralen Segelflugkommission hinzu, außerdem war er Mitglied im Kuratorium der Ingenieurschule für Flugzeugbau in Dresden. Seine Tätigkeit als Lehrbeauftragter umfasste u. a. Vorlesungen und Übungen über „Leichtflugzeugbau" und den „Entwurf von Leichtflugzeugen".

Eines der Hauptforschungsgebiete des Instituts umfasste die Erforschung neuer Werkstoffe für den Flugzeugbau – speziell Kunststoffe. Die Erprobung von Epoxyd- bzw. Polyesterharz und Glasfasern, zunächst als Bindemittel für Leichtmetall (Metallklebetechnik), wurde konsequent vorangetrieben. Um die schnelle Überführung der neuen Werkstoffe in den Produktionsprozess zu erreichen, wurden vielfältige Zusammenarbeiten, etwa mit der Kammer der Technik (KdT) während der „Metallklebetagung", der „Tagung der Landmaschinen-Konstrukteure" und zusammen mit der Flugzeugindustrie die Arbeitsgemeinschaft „Klebe- und Leimtechnik", umgesetzt. Ein Mitarbeiter des Instituts (Ing. Bernert) war Leiter des Fach-Unterausschusses „Klebe- und Leimtechnik", zu dem auch Vertreter des Straßen- und Schienenfahrzeugbaus sowie des Schiffbaus gehörten, der die Entwicklungsarbeiten aller Beteiligten zu koordinieren bemüht war[355].

In den Großen Belegen und Diplom-Arbeiten wurden von den Studenten zum Teil Themen bearbeitet, die von der Flugzeugindustrie gestellt wurden. Die Zahl der Assistenten war in Anbetracht des Institutsaufbaus und der verhältnismäßig großen Zahl von

[351] Ebd., DF 4/62431.
[352] Ebd., DF 4/56259.
[353] Weber, Günter: Arbeitsgemeinschaften bauen Leichtflugzeuge, in: Schmidt, H. A. F. (Hg.): Flieger – Jahrbuch 1961, Berlin (Ost) 1961, S. 91-95, hier 93.
[354] Arch TUDD: Fakultät für Luftfahrtwesen: Nr. XX/36.
[355] BArch, Abt. DDR, DF4/59307.

Lehrveranstaltungen, die durch Lehrbeauftragte ohne eigene Mitarbeiter durchgeführt werden mussten, von Anfang an zu gering. So gab es 1955 nur einen Assistenten und 1959 waren es dann drei[356]. Wichtigste praktische Forschungsthemen waren die beschriebenen neuartigen Konstruktionselemente im Flugzeugbau und die Entwicklung von Leicht- und Segelflugzeugmustern. Zur praktischen Tätigkeit im Institut und zur Entwicklung eigener Luftfahrzeugmuster (Ingenieurmäßiges Fliegen) wird an späterer Stelle berichtet.

Das *Institut für Luftfahrtgeräte* bestand seit Gründung der Fakultät. Es begann in seiner Tätigkeit als Institut für Gerätetechnik im Herbst 1953 und wurde kommissarisch von Dr. Ing. H. Claußnitzer, der mit der Wahrnehmung einer Professur beauftragt war, geleitet[357].

Die wichtigste Aufgabe des Instituts war es, das Ausbildungsziel der Fachrichtung Luftfahrtgeräte den „Erfordernissen der Praxis" anzupassen, wobei auf eine „gediegene Grundausbildung" besonderer Wert gelegt wurde.

Da es Hochschulinstitute dieser Art in Deutschland nicht gab und die neue Luftfahrtindustrie erst im Entstehen war, fehlten „Vergleichsmöglichkeiten und Anregungen"[358] für Aufbau, Umfang und Inhalt der Lehre.

Von den bis 1958 13 Absolventen gingen acht in die Luftfahrtindustrie und standen weiterhin in engster Verbindung mit dem Institut. Die übrigen fünf Absolventen waren als Assistenten am Institut tätig und wurden bei der Durchführung der Lehrveranstaltungen eingesetzt.

Das Institut für Luftfahrtgeräte war eines der am stärksten von den Mittelkürzungen des Jahres 1957 betroffenen Institute. Dadurch entstand für das Jahr 1958 ein erheblicher Mangel an Räumlichkeiten, da Platz für 18 Diplomanden geschaffen werden musste. Eine konsequente quantitative Ausweitung von Forschung und Lehre konnte somit nicht erreicht werden. Umso bedauerlicher war die nicht eng genug gestaltbare Zusammenarbeit mit dem Moskauer Aerodynamischen Institut (MAI) und der Tschechischen Militärakademie in Brno, da nach eigenem Bekunden „die Luftfahrtgeräteindustrie der DDR nur sehr langsame Fortschritte macht"[359].

Die Instituts-Werkstatt bewährte sich durch den Bau von Anschauungsmodellen, Geräten und Messeinrichtungen – insbesondere für die Übungen und Vorlesungen. Eine Dokumentationskartei über das Gebiet der Luftfahrtgeräte wurde erarbeitet und eigene Übersetzungen von Fachliteratur (vorwiegend sowjetischer und britischer Literatur) angefertigt.

Im Herbst 1954 wurde innerhalb des Instituts für Aerodynamik eine Abteilung Triebwerke mit dem Ziel gebildet, Vorlesungen auch auf dem Antriebssektor ins Leben zu rufen. Im November 1955 erfolgte dann die Gründung des *Instituts für Strahltriebwerke*, des-

---

[356] Arch TUDD: Fakultät für Luftfahrtwesen: Nr. XX/36.
[357] Ebd.
[358] Ebd.
[359] BArch, Abt. DDR, DF4/63778 „Jahresbericht des Instituts für Luftfahrtgeräte 1960".

sen Leitung in den Händen von Prof. Dr. phil. Rudolf Schmidt lag[360]. Die Ausbildung der Triebwerksingenieure verzichtete bewusst auf das Gebiet der Kolbentriebwerke. Vielmehr wurde in Anbetracht der modernen Triebwerksentwicklung und dem künftigen Einsatz der Absolventen in der Luftfahrtindustrie das Augenmerk fast ausschließlich auf die Entwicklung von Strahl- und Propeller-Turbinen gelegt. Damit jedoch die Studenten über die wesentlichsten Probleme der Kolbenflugmotoren orientiert waren, hielt ein Lehrbeauftragter des VEB Entwicklungsbau Pirna, dem Entwicklungswerk für Flugzeug-Gasturbinen (Werk 802), eine zweisemestrige Vorlesung zum Thema (Ober-Ing. Gimm, im dortigen Werk verantwortlich für die Prüfstände[361]). Die Durchführung des Lehrbetriebes wurde dadurch ermöglicht, dass nebenamtliche Professoren bzw. Lehrbeauftragte aus der Luftfahrtindustrie gewonnen wurden. Dadurch bestand gleichzeitig eine enge Verbindung zu dieser und anderen FuE-Stellen. Zwei nebenamtliche Professoren waren leitende Angestellte des VEB Entwicklungswerkes Pirna: Dr. Scheinost der Werksdirektor und Chefkonstrukteur sowie der Leiter der Vorentwicklung Dr. Cordes, welcher schon bei Ludwig Prandtl (einem der Begründer der modernen Gasdynamik) an der Universität in Göttingen promoviert hatte und während der Zeit der Arbeit für und in der Sowjetunion Leiter der Turbinenmannschaft in Uprawlentscheski war[362]. Scheinost erhielt eine Assistentenstelle für „Konstruktion" und Cordes eine für „Strömungstechnik". Durch diese Strategie der engen Verflechtung zwischen Hochschule und Industriezweig wurde nicht nur eine hohe Güte von Forschung- und Lehre im Triebwerksbau erreicht, sondern auch das Werk in Pirna „bewies schon in der Aufbauphase eine sehr hohe Einsatzbereitschaft"[363].

1956 wurden in der Werkstatt des Instituts für Lehrzwecke je ein Schnittmodell der Junkers-Strahlturbine „Jumo 109-004" und des Kolbenflugmotors „Jumo 213" in natürlicher Größe angefertigt[364]. Diese beiden Triebwerke stellten technische Spitzenprodukte der Flugzeugmotorenentwicklung des Zweiten Weltkrieges dar. Aus welchem Grund keine sowjetischen Anschauungstriebwerke nachgebaut wurden, ist unbekannt; vermutlich wurden von Seiten der UdSSR keine Zeichnungen und Materialien zur Verfügung gestellt. Weiterhin wurde ein betriebsfähiges Modell eines Pulso-Strahltriebwerkes (Argusrohr) hergestellt und erprobt, an dem das Arbeiten dieses Triebwerks demonstriert und Schub- und Kraftstoffverbrauch gemessen werden konnten.

---

[360] Arch TUDD: Fakultät für Luftfahrtwesen: Nr. XX/36.
[361] Mewes: Pirna 014, S.33.
[362] BArch, Abt. DDR, DF 4/52736; Hartlepp: Erinnerungen, S. 61f. Dass Cordes als Ingenieur ein Doktor phil. war, sorgte wohl bei den Sowjets für einiges Unverständnis.
[363] Mewes: Pirna 014, S. 34.
[364] BArch, Abt. DDR, DF 4/59296; siehe dazu auch den Artikel im ND vom 28./29. Juli 1956 (Nr. 179/180), die Beilage „Aus der Wissenschaft" S. 3. Dieser Artikel im Zentralorgan der SED ist vermutlich der erste, der einer breiten Öffentlichkeit die eigene Luftfahrtindustrie (und in einer Bildunterschrift auch die Luftfahrtforschung) und deren Tätigkeit vorstellte. Interessant auch hier die offen hergestellten Traditionslinien durch den Titel des Artikels „Von der Focke-Wulf 200 zum Düsenverkehrsflugzeug". Auf das konkrete Ziel der Produktion, das Flugzeug 152, wurde nicht Bezug genommen.

Von den Absolventen blieben sechs als Assistenten und einer als wissenschaftlicher Mitarbeiter im Institut. Die anderen arbeiteten in der Luftfahrtindustrie[365]. In Abstimmung mit den Erfordernissen des Industriezweiges sollten jährlich 15 Absolventen ausgebildet werden und zwar ausschließlich im Direktstudium. Den zur Verfügung stehenden Assistenten und wissenschaftlichen Mitarbeitern fiel hauptsächlich die Aufgabe zu, den Lehr- und Übungsbetrieb in allen vom Institut betreuten Fächern des Studienplanes aufzubauen und durchzuführen. „Vorlesungen über Mess- und Versuchstechnik bei hohen Geschwindigkeiten sowie über Grundlagen der Raketenantriebe wurden von Nachwuchskräften übernommen."[366] Dennoch blieb es ein stetes Problem, geeignete wissenschaftliche Mitarbeiter und Assistenten zu gewinnen. Bemühungen um Mitarbeiter anzuwerben oder am Institut zu halten scheiterten größtenteils daran, dass „an der Hochschule Dresden im Vergleich zu unserem Industriezweig Pirna wesentlich geringere Gehälter gezahlt werden"; – der Nervus Rerum. Es blieb nur der Ausweg auf den Nachwuchs der kommenden Jahre auszuweichen, der allerdings keine praktische Berufserfahrung haben würde. Ein großer Teil der Arbeit der Assistenten war außerdem auf den Aufbau und die Inbetriebnahme der Triebwerkslaboratorien gerichtet. Diese wurden jedoch erst, aufgrund der Mittelkürzungen des Jahres 1957, 1958/59 fertiggestellt. Um aus dieser Not eine Tugend zu machen, wurden die Übungen (Ü) des Triebwerkslabor zum größten Teil durch Exkursionen in den VEB Entwicklungsbau Pirna ersetzt. Im VEB Industriewerk Ludwigsfelde wurden Schulungsvorträge von Angehörigen des Instituts vor Meistern, Ingenieuren und Facharbeitern über die Entwicklungen im Strahltriebwerkbau gehalten. Im Rahmen der Tätigkeit der Gesellschaft zur Verbreitung wissenschaftlicher Kenntnisse kamen allgemeine Vorträge zustande, die von Institutsmitarbeitern über Raketenantriebe, im Zusammenhang mit dem Start des ersten Satelliten (Sputnik 1) im Oktober 1957, gehalten wurden.

In diesem Jahr wurde erstmalig der Versuch unternommen, die Bearbeitung von Diplomanden-Themen in größeren Kollektiven durchzuführen. Von sieben Diplomanden bspw. konnten im Verlauf der Bearbeitung des Themas „Entwurf einer Strahlturbine mit einem Startschub von 3500 kp bei Normalbedingungen" alle notwendigen Berechnungen und Planungen erfolgreich durchgeführt und im Anschluss ein Modell der Turbine (Maßstab 1:2,5) erstellt werden[367].

Besondere Aufmerksamkeit innerhalb der Tätigkeit des Instituts für Strahltriebwerke ist auf Prof. Schmidt zu richten. Offenbar verfügte er als Dekan und einige seiner Mitarbeiter über bessere Möglichkeiten ins westliche Ausland, besonders in die Bundesrepublik, zu gelangen und dort Kontakte zu knüpfen. Sein Mitarbeiter und persönlicher Referent Werner Richter berichtete 1958 über seine Arbeiten an der interferenz-optischen Strömungsapparatur nicht nur auf der II. Polytechnischen Tagung der TH Dresden, son-

[365] Arch TUDD, Nr. XX/9.
[366] Ebd., Nr. XX/36.
[367] BArch, Abt. DDR., DF 4/60266.

dern auch auf der Tagung der Wissenschaftlichen Gesellschaft für Luftfahrt (WGL) in Stuttgart. Die WGL wurde 1952 als Lobby für die bundesdeutsche Luftfahrtforschung gegründet. 1960 dann besuchte Schmidt gemeinsam mit Prof. Müller, dem Institutsdirektor Flugzeugfestigkeit, die Luftfahrtausstellung in Hannover. Dort hatte er Gelegenheit, vielerlei Informationen zu sammeln, z. B. über die Ausführung der Leitschaufelfußverbindungen und der Lagerung der Zweiwellen-Triebwerke. Während seines Aufenthalts in der Bundesrepublik besuchte er auch die Fachtagung „Schwingungstechnik" des Vereins Deutscher Ingenieure (VDI) in Essen, die es ihm ermöglichte, sich mit Fachkollegen auszutauschen. Insbesondere der „Erfahrungsaustausch" mit Angehörigen des Lehrstuhls von Prof. Dr. Lürenbaum (TH Aachen[368]) konnte neue Erkenntnisse über Schwingungen der Triebwerksschaufeln erbringen, weshalb „es zu begrüßen (wäre), wenn, wie geplant, im Jahre 1961 Herr Prof. Dr. Schmidt und auch die jüngeren Mitarbeiter des Instituts Gelegenheit bekommen würden, diese Tagung zu besuchen"[369]. Die Tagung des VDI erbrachte tatsächlich mehrere Erkenntnisse für den Triebwerksbau in der DDR: Die beiden wichtigsten waren wohl die Lösung eines Schwingungsproblems an Triebwerksaufhängungen, das von einem Stuttgarter Ingenieur gelöst wurde, und dass dieses Problem nur gelöst werden konnte „unter Einsetzung modernster Rechenhilfsmittel". An eben diesen Hilfsmitteln, sprich EDV, mangelte es. Daher wurde im Institut „geplant, (…) sich mit der Anwendung von Rechenautomaten (…) näher zu beschäftigen"[370]. Aber auch in osteuropäische Staaten hatte Schmidt Kontakte und Verbindungen geknüpft. Er besuchte im Juni 1961 die TH Warschau auf Einladung von Prof. Niemand (am dortigen Institut für Flugtriebwerke), der im Jahr zuvor die TH Dresden besucht hatte. Bedingt durch die in dem Jahr erfolgte Auflösung der Luftfahrtfakultäten an beiden Hochschulen, kam ein angedachter Freundschaftsvertrag nicht zustande. Ein intensiverer Austausch über Problematiken der Luftkraftdämpfung und der Selbsterregung schwingender Schaufeln fand dennoch statt.

Eine wichtige Funktion hatte das Institut gegenüber den anderen durch die Stellung des wissenschaftlichen Beirats der Fakultät für Luftfahrtwesen (Dipl.-Ing. Pawlowitsch) beim Sekretariat für das Hoch- und Fachschulwesen.

Das jüngste Institut der Fakultät, das *Institut für Flugzeugfertigung*, wurde am 1. Juni 1956 gegründet. Es ging aus dem Lehrstuhl für Technologie des Leichtbaus hervor, der bereits seit Juni 1953 existierte und dessen Leitung von Anfang an in den Händen von Dr. Ing. Vandersee lag. Im Rahmen des Instituts leitete von Oktober 1954 bis zum Februar 1957 Prof. Dr. Ing. Bredendick die Gruppe Fertigung der Strahltriebwerke[371]. Er wurde dann

---

[368] Prof. Karl Lürenbaum war der erste Direktor des 1950 neugegründeten Instituts für Maschinengestaltung und Maschinendynamik der TH Aachen. Des weiteren wurde an der gleichen Hochschule seit Beginn der 1950er Jahre dem Erfinder des sog. Schmidt-Rohres bzw. Pulso-Strahltriebwerkes (Argusrohr) – dem Antriebsaggregat der „V1" – die Gelegenheit gegeben, dieses einfache Antriebsmittel als universell einsetzbares Antriebsmittel für Flugzeuge weiter zu entwickeln. Da das Institut für Strahltriebwerke der TH Dresden ebenfalls daran arbeitete (s.o.), ist es möglich, dass ein Austausch auch hierbei erzielt werden sollte.
[369] Ebd.; DF 4/63764.
[370] Ebd.
[371] Arch TUDD: Fakultät für Luftfahrtwesen: Nr. XX/36.

an die Fakultät für Technologie berufen, arbeitete jedoch weiterhin mit der Fakultät für Luftfahrtwesen zusammen.

Die Lehrtätigkeit des Instituts wurde zum Teil durch Fachkräfte der Luftfahrtindustrie ausgeübt. 1959 waren fünf nebenamtliche Lehrkräfte tätig. In den Jahren 1954 bis 1957 wurden zahlreiche Laboratorien, Versuchsstände und sonstige Einrichtungen in Betrieb genommen. Seit 1956 stieg die Zahl der Mitarbeiter von neun auf 18 an, darunter drei wissenschaftliche Assistenten und drei wissenschaftliche Mitarbeiter. Die Zahl der Diplomanden betrug im Jahre 1958 acht und 1959 waren es 18. Sämtliche Absolventen arbeiteten in der Flugzeugindustrie[372].

Es fanden in der Fakultät auch Aussprachen darüber statt, ob es möglich und sinnvoll sei, ein Abend- und Fernstudium einzurichten[373]. Wann genau das Fernstudium an der Fakultät etabliert wurde, lässt sich nicht genau sagen – vermutlich 1955. Ende 1958 wurde dann festgestellt, dass 80 Prozent der Fernstudenten Fachschulingenieure waren. Die Diplomanden des Fernstudiums der Fakultät für Maschinenwesen erzielten im Durchschnitt zwar gute bis befriedigende Leistungen, jedoch hatte man mit der Qualifizierung von Fachschulingenieuren zum Diplomingenieur im Lernstoff nicht den großen Aufwand zu überbrücken, der bei den Anfängern des Direktstudiums vorlag, die von der Oberschule oder einer ABF kamen[374]. Albring fasste diese Situation in offenen Worten zusammen: „Zwar könnte man in den Nachkriegsjahren beim akuten Mangel an Diplomingenieuren in der Qualifizierung von Fachschulingenieuren, die in der Industrie leitende Stellungen innehaben, einen Sinn sehen. Aber es kann auf die Dauer nicht Aufgabe des Hochschulfernstudiums sein, in solchem Ausmaße Fachschulingenieure weiterzubilden. Zumal es sich bei den Fernstudenten in der Mehrzahl nicht um Führungskräfte handelt, sondern um begabte Mitarbeiter, für die ein Hochschulabschluss lediglich deshalb notwendig wird, um eine höhere Gehaltsgruppe erreichen zu können."[375]

Für die Fachrichtung Wärmetechnik wurden 1958 80 Fernstudenten immatrikuliert. Neben einem großen Kompetenzgewinn für die Luftfahrtindustrie bedeutete dies allerdings eine beträchtliche Belastung der Fakultät[376]. Um den Absolventenbedarf im Bereich der VVB Flugzeugbau möglichst genau und effektiv ermitteln zu können, wurde im VEB Flugzeugwerke Dresden ab 1958 eigens eine Kommission, in der auch Vertreter der TH Dresden (Fakultät für Luftfahrtwesen) und der Ingenieurschule für Flugzeugbau mitarbeiteten, eingesetzt. Auch wenn es einige SU-Spezialisten für unnötig erachten mochten (siehe Albring), sollte der Anteil der ausgebildeten Hoch- und Fachschulkader innerhalb der Flugzeugindustrie bis 1965 deutlich gesteigert werden. Geplant war die Steigerung der

[372] Ebd.
[373] Arch TUDD: Fakultät für Luftfahrtwesen: Nr. XX/12. In den 1950er Jahren waren Fern- und Abendstudenten eine generell signifikante Größe an Hochschulen der DDR; Kowalczuk: Geist, S. 288.
[374] Arch TUDD: Fakultät für Luftfahrtwesen: Nr. XX/11.
[375] Ebd.
[376] Erwähnenswert ist, dass die Luftfahrt-Fernstudenten nicht im Statistischen Jahrbuch der DDR angegeben werden. Ebenso stimmen dort mehrere Angaben zur Luftfahrtstudentenpopulation nicht mit den Akten überein. Dies mag der Unterstellung der Fakultät unter zwei Ministerien geschuldet sein oder der temporären Delegierung von Facharbeitern der VVB an die Fakultät bzw. an die Fachschule.

Hoch- und Fachschulkader zu den Gesamtbeschäftigten von 1958 1:10 auf 1:6,5 im Folgejahr. Das Verhältnis der Kader zu den Produktionsarbeitern sollte von 1958 1:4,3 auf 1:3,7 im Jahre 1959 verändert werden[377]. Neben dem Fernstudium von Arbeitern der VVB Flugzeugbau wurden jährlich mehrere Mitarbeiter zum Studium an die Hoch- oder Fachschule delegiert. Im Planjahr 1961 delegierte die VVB Flugzeugbau 13 Mitarbeiter zum Studium an die Fakultät für Luftfahrtwesen, bei einem Hochschulabsolventenbedarf von 57 (Fachschüler 107). Der Bedarf für 1962 wurde mit 79 angegeben[378].

In Auswertungen dieser Schilderungen wird deutlich, wie eng Forschung und Industrie kooperierten und ihre Bedürfnisse aufeinander abstimmten. Es zeigt sich aber auch, dass sich die akademische Luftfahrtforschung gewissermaßen geistig selbst trägt (bzw. künftig tragen würde). Die Absolventen – sprich die neue technische Intelligenz der Luftfahrt – wurden gezielt in der Industrie eingesetzt und unterrichteten in nicht unerheblichen Zahlen (relativ zur Gesamtabsolventenzahl) die nachrückenden Studenten, zusammen mit dem Lehrkörper der Alten Intelligenz und nebenamtlichen (Fach-)Kräften aus der Industrie. Eine Übersicht über den Absolventenausstoß der einzelnen Institute findet sich im Anhang.

4.2 Generationenkonflikte zwischen alter und neuer technischer Intelligenz und die wissenschaftliche Zusammenarbeit der Fakultät mit anderen Institutionen

Der Lehrbetrieb an der Fakultät verlief nicht völlig ohne Reibungen. Vom Beginn der Aufnahme der Lehre und Forschung an der TH Dresden an hatten sehr viele Studenten das Gefühl, nicht genügend praxisorientiert ausgebildet zu werden. Schwerwiegender aber war, dass sie sich nicht ernst genommen fühlten – weder von der Parteileitung noch von der „alten" Intelligenz. 1956 kam es zu deutlichen Auseinandersetzungen zwischen den Studenten und dem Lehrkörper. Aus seinen Erfahrungen in der UdSSR berichtete Dr. Geist – der Hauptdirektor des FZL in Klitzsche – im gleichen Jahr, dass die sowjetischen Ingenieure wesentlich einsatzfähiger in die Betriebe kommen, „weil die Ausbildung mehr als bei uns auf Betriebsbelange zugeschnitten ist"[379]. Im Mai 1957 weigerten sich sechs Studenten der Fachrichtung Aerodynamik die Klausuren im Fach Flugmechanik zu schreiben, unter der Begründung, dass sie zu schwer seien, d. h. sie waren fachlich zu „abgehoben" und hatten mit einem späteren Einsatz in der Industrie nichts zu tun[380] . Ob dies eine Kraftprobe zwischen alter und neuer technischer Intelligenz war bleibt offen; die Studenten jedenfalls erhielten ihr Recht, und der Vorfall wurde nach einigem Hin und Her unter den Tisch gekehrt, und die Klausuren wurden neu geschrieben. Das Dokument enthüllt aber auch, dass die Studenten vielleicht damit drohten, dass sie „sonst nach dem

---

[377] BArch, Abt. DDR, DE 1/14480 „Arbeitskräftesituation: Ausbildung und Einsatz, Bd. 2"(ohne Bl. und Datum, vermutlich 1958).
[378] Ebd., DE 1/8114 „Arbeitskräftesituation: Ausbildung und Einsatz, Bd. 3" (Bl. 43, 46, 53).
[379] BArch, Abt. DDR, DE 1/14454 „Arbeitskräftesituation: Ausbildung und Einsatz, Bd. 1" (Bl. 33).
[380] BStU, ASt. DD: AIM 1533/63, Nr. III: „Arbeitsvorgang über ‚Schiller' (Richter), 1957" (Bl. 170).

Westen abhauen würden"[381] – ein Argument, das (offensichtlich) viel bewirken konnte. Weiter heißt es dort: „Es ist möglich, dass die Studenten eine derartige Andeutung gemacht haben. Soweit ich weiß, ist kein Genosse dabei. Die sechs gehören zum Jahrgang 1953, der nicht besonders gesichtet wurde."

Diese Dissonanzen und eine im Einsatz in der Industrie spürbar mangelhafte Praxisorientierung der Ausbildung veranlassten die verantwortlichen Planer dazu, ab 1956/57 Reformen im Ausbildungsplan der Fakultät vorzunehmen. Über Ausbildung und Einsatz der Absolventen stellte die SPK fest, dass „das theoretische Wissen der jungen Kader gut beurteilt wird, jedoch von fast allen Betrieben auf die fehlende praktische Erfahrung vieler Absolventen der Hoch- und Fachschulen hingewiesen [wird]". Daher ergriff man folgende Maßnahmen zur Verbesserung dieses Zustandes: Vermittlung der Studierenden an die Betriebe bereits nach dem Vordiplom, Betreuung der Studenten während des Studiums durch den Betrieb, eine direkte Anleitung von Forschungsaufträgen (Vertragsforschung) an den Hoch- bzw. Fachschulen durch die VEB und schließlich die quartalweise Durchführung von Erfahrungsaustauschen mit den Absolventen und Jungingenieuren zur Verbesserung ihres Einsatzes. Angeraten wurde ferner, die Absolventen erst eine längere Zeit als Meisterstellvertreter, Meister bzw. Assistenten der Bereichsleiter einzusetzen, um einen stärkeren Einblick in die unmittelbare Durchführung des Produktionsprozesses zu erreichen[382]. Es ist möglich, dass das Praxisdefizit der Studenten oder Absolventen bis 1959 mit dazu beitrug, die Distanz zur alten Intelligenz zu erhalten oder gar zu vertiefen.

Das Problem war, dass das Prestigeprojekt einer jungen Luftfahrtindustrie – Ulbrichts „Lieblingsprojekt"[383] – schnell aufgebaut und entwickelt wurde und auf die dafür auch nötige (akademische) Luftfahrtforschung nur wenig geachtet wurde. Absolventen mussten schnell und in großer Zahl verfügbar sein. Wie dies zu geschehen hatte, war gerade in der Anfangsphase eher nebensächlich. Nach der Rückkehr der Luftfahrtelite aus der Sowjetunion bildete sich kein enges Band zwischen Studenten und Lehrkörper aus. Die Spezialisten waren in erster Linie in der Luftfahrtindustrie und der Entwicklung der 152 eingesetzt und erst dann als Dozenten.

Um aus diesen Gegebenheiten keine Defizite für die Flugzeugindustrie erwachsen zu lassen, unternahm nicht nur die Fakultätsparteileitung einige Anstrengungen. Der SPK war das Problem ebenso bekannt. Für sie bestand kein Zweifel, dass „in Anbetracht der wenigen uns zur Verfügung stehenden Spezialisten, die zum größten Teil über 50 Jahre alt sind, deshalb die Heranbildung junger, fähiger Hoch- und Fachschulkader eine besonders dringliche Aufgabe für die Luftfahrtindustrie [ist]. Die richtige Lösung dieser Aufgabe hängt entscheidend davon ab, wie es gelingt, die Verbindung zwischen den alten und den jungen Kadern herzustellen. Gerade in dieser Hinsicht gibt es aber noch eine ganze Reihe Mängel."[384] Auch Walter Ulbricht muss davon erfahren haben: „In der Diskussion wurde

[381] Ebd.
[382] BArch, Abt. DDR, DE 1/14480.
[383] Lorenz: Passagier-Jet 152, S. 201.
[384] BArch, Abt. DDR, DE 1/14480.

von einigen Genossen darauf hingewiesen, dass den *jungen Ingenieuren und Wissenschaftlern* (Hervorh. im Orig.) in den Betrieben und in manchen Institutionen nicht genügend Aufmerksamkeit gewidmet wird. (...) Wir sollten uns wirklich um die junge Intelligenz sorgen und ihr große Aufgaben geben."[385]

Oftmals hatten die Dozenten keine Zeit für ihre Studenten, manchmal aber auch einfach kein Interesse. Gerade die aus der Sowjetunion kommenden Spezialisten wussten um ihren Wert für die Luftfahrtindustrie und gaben sich dementsprechend. Dieses Verhalten, gepaart mit dem Habitus des Gelehrten nach „Alter Garde", erzeugte bei vielen Studenten ein Gefühl der Abneigung, des Unverstandenseins und manchmal Unmut. Hans Eltgen beschreibt das Verhalten der Luftfahrtelite aus der Sicht des jungen Studenten sehr eindringlich: „Bei den Flugzeugbauern war alles ein wenig anders. Nach und nach bekamen wir mit, dass wir uns anschickten, zur Creme der Ingenieurwissenschaften aufzusteigen. Tatsächlich, die Luftfahrtleute waren schrecklich eingebildet und praktizierten etwas, was nur mit Elitedünkel umschrieben werden kann. Niemanden wollten sie neben sich bestehen lassen. Keinen Maschinenbauer wie mich, und schon gar keinen Landmaschinentechniker. Das waren eben nur gewöhnliche Erdenwürmer. Am schlimmsten waren die mit einer Pilotenlizenz, die wir im Verlauf des Studiums noch kennen lernen sollten. Sie trugen die Nase so hoch, dass es hätte hineinregnen können..."[386] Über den Umgang mit den Professoren schreibt Eltgen: „Der Lehrstuhl Kolbentriebwerke wurde von Prof. B. vertreten, einem älteren Junkers-Mann. Er war mit den Junkers-Experten aus der sowjetischen Gefangenschaft gekommen, sprach darüber so, als hätte er ganz allein den Sowjets das Fliegen beigebracht, und bedauerte immer wieder, er sei zum Stillschweigen vergattert worden, sonst könne er aber etwas erzählen... (...) Und welch ungeheure Ehre, B. lud mich in seine Wohnung ein (...). Er bewohnte die erste Etage einer Villa am Wasaplatz, und in Assistentenkreisen wurde gemunkelt, in der Familie herrsche er genauso absolut wie an der Fakultät. So sei vor seinem Arbeitszimmer in der Wohnung eine Lichtsignalanlage installiert, und seine Frau und die Kinder dürften den Raum nur bei Grün betreten. Ich hielt das für eine Legende und war um so erstaunter, als die Anlage tatsächlich existierte!"[387]

Hinzu kam, dass die Dozenten aus dem unersetzlichen Spezialistenzirkel sehr gut bezahlt wurden und über einen hohen Lebensstandard verfügten und Forderungen stellen konnten, die gerade in den 1950er Jahren als stark überzogen erschienen. So mochte es denn manchem Studenten, der vom „Zirkel der Unersetzlichen" ausgebildet wurde, vorkommen, als würde sich im Zirkel der Unersättlichen bewegen.

An der Fakultät also hatte der Student nur die Wahl, diesem Verhalten nachzueifern und sich vom Elitedenken der alten Intelligenz vereinnahmen zu lassen oder still duldend sein Studium, so gut es ging, zu absolvieren, ohne großen Kontakt zum Lehrkörper zu

[385] Ulbricht: Lösung der Grundaufgaben, S. 960.
[386] Eltgen: Ohne Chance, S. 62.
[387] Ebd., S. 63.

pflegen. Die Situation besserte sich ein wenig, nachdem die ersten eigenen Absolventen Lehrtätigkeiten in den Instituten übernahmen. Für die Fakultätsparteileitung, die sich bis zum Ende der 1950er Jahre recht passiv verhalten hatte, wurde diese Entwicklung aber immer besorgniserregender. In ihr wurden daraufhin etwa Stimmen laut wie diese: „Die bisherige Politik mit der Intelligenz hat zumindest an den Hochschulen dazu geführt, dass dort Kräfte ausgebildet werden, die für die Praxis ungenügend ausgebildet sind. Man sollte lieber ähnliche Maßnahmen wie 1945 mit der technischen Intelligenz ergreifen und die Geschwüre herausschneiden. Das würde zwar am Anfang Schwierigkeiten bringen, würde dann aber schnell zu einer Gesundung führen."[388] Das Argument, dass der Zwangsaufenthalt in der UdSSR als eine Art „Reinigung" oder abgeschwächte Entnazifizierung fungierte, zählte in Anbetracht solcher Entwicklungen nicht mehr.

Holger Lorenz ist der Auffassung, dass es gerade dieses arrogante und überhebliche Verhalten der Luftfahrtelite, allen voran Brunolf Baade, war, das an der vollständigen Liquidierung der Luftfahrtindustrie und Luftfahrtforschung schuld war[389]. In Anbetracht obiger Darlegungen ist diese These nicht ganz von der Hand zu weisen.

Drei Gründe waren dafür ausschlaggebend, dass ab 1959 die Fakultätsparteileitung verstärkt in das Geschehen an der Fakultät für Luftfahrtwesen eindrang, nachdem sie sich bisher eher zurückhaltend verhalten hatte, vermutlich um das wichtige Projekt der eigenen Luftfahrtindustrie nicht durch störende Einmischungen zu behindern oder zu verzögern: 1. Die alte Intelligenz ließ sich nicht vom sozialistischen Denken vereinnahmen und pflegte einen „apolitischen Technizismus", beseelt von der Arbeit an dem großen Projekt der aufzubauenden Flugzeugindustrie und vom unerschütterlichen Glauben in die eigenen Fähigkeiten und der eigenen Wichtigkeit. 2. Große Teile der neuen technischen Intelligenz drohten dadurch in dasselbe Extrem zu verfallen, und 3. erschütterten Terminverzögerungen und Rückschläge im Programm des Flugzeugs 152 den Glauben der Staats- und Parteiführung, dass es notwendig sei, der Luftfahrtelite die Freiräume offen zu halten, die diese dafür haben wollte.

Nachdem also festgestellt wurde, dass sich „an allen obengenannten Instituten kleinbürgerliche Vetternwirtschaft [einnistet]. Die Führung durch die Partei ist nicht gewährleistet"[390], arbeitete man dort einen Plan zur Verbesserung der politischen und fachlichen Erziehungsarbeit unter den Studenten, mit dem Thema: „Wie werden wir sozialistische Fakultäten?"[391], aus. Dafür gab man folgende Losungen aus: a) Offensive politische und fachliche Erziehung der Studenten. b) Die besten Studenten werden Mitglieder der Partei. c) Erziehung zum außergewöhnlichen Fleiß. d) Für besonders gute GST-Arbeit. e) Für besonders gute Verbindung mit der Arbeiterklasse, Kampf gegen jede Form der Überheblichkeit[392].

---

[388] SAPMO – BArch: IV 2/9.04, Nr. 354 (Bl. 74).
[389] Lorenz: Passagier-Jet 152, S. 192.
[390] SAPMO – BArch: IV 2/9.04, Nr. 354.
[391] Ebd. Daran beteiligten sich auch die Parteileitungen der Fakultäten für Kerntechnik und Ingenieur-Ökonomik.
[392] Ebd.

Nun zur wissenschaftlichen Zusammenarbeit der Fakultät mit anderen Institutionen und anderen Ländern. In Verbindung mit dem Entschließungsentwurf „Über Maßnahmen zur Förderung des wissenschaftlich-technischen Fortschritts in der Deutschen Demokratischen Republik" begannen im Juni 1955 an der Fakultät Diskussionen über die Verbesserung, Intensivierung und Erweiterung der wissenschaftlichen Zusammenarbeit[393]. Eine Zusammenarbeit auf technisch-wissenschaftlichem Gebiet gab es zuvor nur seitens der Fakultät für Leichtbau/Luftfahrtwesen mit der Luftfahrtindustrie, anderen Hochschulen, der GST und NVA sowie der Ingenieursschule. Nun sollte die Zusammenarbeit mit weiteren Institutionen in der DDR, den Volksdemokratien – besonders der Sowjetunion – und dem westlichen Ausland aufgenommen werden. Wichtig war dies insbesondere, um Forschung und Lehre zu intensivieren, zu bereichern und auch zu legitimieren.

Im Oktober 1958 wurde, „zur Förderung des fachlichen und theoretischen Wissens, zur Stärkung der Verbindung von Theorie und Praxis auf dem Gebiete des Flugzeugbaus und für gegenseitige Unterstützung"[394], zwischen dem VEB Flugzeugwerke Dresden (FWD) und der Fakultät für Luftfahrtwesen ein Freundschaftsvertrag geschlossen[395]. Die Zusammenarbeit erstreckte sich auf technisch-wissenschaftlichem, kulturellem und sozialem Gebiet.

Für die Umsetzung der technisch-wissenschaftlichen Zusammenarbeit konnte der werkseigene Flugplatz des VEB FWD in Dresden-Klotzsche für das ingenieurmäßige Fliegen genutzt werden. In Fragen der Flugtechnik und Flugerprobung unterstützte man sich gegenseitig; ebenso in der technologischen Entwicklung der Metallverklebung sowie von neuen Bauweisen auf „Plaste-Basis"[396]. Weitere Unterstützung gewährte der VEB FWD in Form von Materialbeschaffung (kleine Mengen für Versuche, insbesondere hochwertiger Stahl, Stahlrohre, Stahl- und Leichtmetallbleche, Festholz usw.), in der Benutzung von Werkstätten und gegenseitigem Gedanken- und Erfahrungsaustausch, Übernahme von Forschungsaufträgen, Bereitstellung von Paten bei der Anfertigung von Diplom-Arbeiten und in der Durchführung von Exkursionen.

Der Freundschaftsvertrag hatte jeweils für ein Jahr Gültigkeit und verlängerte sich um ein weiteres Jahr, sofern keine Einwände geltend gemacht wurden. Dass ein solch wichtiger Vertrag erst 1958 – also vier Jahre nach Eröffnung der Fakultät für Leichtbau an der TH Dresden – zustande kam, spricht eine eindeutige Sprache. Auch bei der Vermittlung von persönlichen Erfahrungen kam es manchmal zu Schwierigkeiten. So weigerte sich Prof. Oehmichen (Institut für Angewandte Aerodynamik) seine Erfahrungen weiter zu geben, die er bei einem Besuch in den USA gesammelt hatte[397]. Später allerdings konnte er umgestimmt werden und baute seine Erfahrungen in seine Vorlesungen mit ein.

---

[393] Arch TUDD: Fakultät für Luftfahrtwesen: Nr. XX/8.
[394] Ebd.: Nr. XX/9b.
[395] Ebd.
[396] Ebd.
[397] SAPMO – BArch: IV 2/9.04, Nr. 354.

Die Fakultät für Luftfahrtwesen schloss im Oktober 1957 einen Freundschaftsvertrag mit der Moskauer Hochschule für Luftfahrtwesen (MAI) ab[398]. Seit dieser Zeit bestand eine technisch-wissenschaftliche Zusammenarbeit mit dieser Hochschule – zumindest auf dem Papier. Die sowjetische Seite schien diesen „Vertrag" allerdings nicht allzu ernst zu nehmen, und so bemühte man sich seitens der Fakultät 1958 erneut um eine „wissenschaftlich-technische Zusammenarbeit mit der UdSSR und den Volksdemokratien"[399]. Prof. Dr. Ing. Claußnitzer betonte in mehreren Stellungnahmen, dass es, wenn diese Zusammenarbeit wirklich zustande käme, ein „großer Schritt zur weiteren Qualifizierung des Lehrkörpers"[400] wäre und sich damit auch Lehrmethodik und der Ausbildungsstand der Studenten verbessern würden. Außer eines Besuches einer deutschen Delegation 1959 in Moskau und einer zusätzlichen Vereinbarung im Vertrag über die wissenschaftlich-technische Zusammenarbeit auf dem Gebiet des Luftfahrtwesens[401] kam nicht viel dabei heraus. Die sowjetische Seite verhielt sich sehr zurückhaltend, obwohl die Fachleute aus der DDR immer wieder betonten, nur an ziviler Luftfahrt interessiert zu sein[402].

Im Institut für Strahltriebwerke unter Prof. Schmidt bemühte man sich rege um „Kontakte mit Forschungs- und Entwicklungsstellen in den sozialistischen Ländern"[403]. Doch auch in Fragen der Zusammenarbeit im Sektor Triebwerksforschung hielt sich die Sowjetunion sehr bedeckt. Beim erwähnten Besuch der Delegation im MAI 1959 (bei Prof. Skubatschewski) war dort vereinbart worden, dass zwei wissenschaftliche Assistenten des Instituts eine zweijährige Auslandsaspirantur in Moskau absolvieren sollten. Diese wurden zwar genehmigt, jedoch kamen die beiden Assistenten nicht an das MAI, sondern an ein anderes Institut in Charkov. Die ihnen dort gestellten Aufgaben entsprachen jedoch nicht den Vorstellungen des Instituts, sodass beide ohne ihre Promotion erreicht zu haben nach Dresden zurückkehren mussten.

Weitere Zusammenarbeit wurde mit der Luftfahrttechnischen Militärakademie in Brünn (ČSR) sowie mit der TH Warschau (Prof. Niemand) angestrebt. Im Studienaustausch mit einem Oberassistenten des Lehrstuhls für Flugzeugbau der TU Budapest war ein Assistent des Instituts für Flugzeugfestigkeit zwei Wochen Gast der TU Budapest[404]. Eine weitere „Vertiefung der Zusammenarbeit" mit ausländischen Wissenschaftlern wurde mit den Polytechnischen Tagungen der TH Dresden erreicht, für die die Fakultät für Luftfahrtwesen eine Reihe von Wissenschaftlern aus den Ostblockstaaten und auch aus der BRD als Gäste und zum Teil als Vortragende zu gewinnen konnte.

---

[398] Arch TUDD: Fakultät für Luftfahrtwesen: Nr. XX/36.
[399] Ebd.: Nr. XX/9b.
[400] Ebd.
[401] SAPMO – BArch: IV 2/9.04, Nr. 354.
[402] Ebd.
[403] BArch, Abt. DDR, DF 4/51051.
[404] BArch, Abt. DDR, DF 4/63781. Ungarn hatte scheinbar ein großes Interesse an der Flugzeugindustrie der DDR. Es bestand Kaufabsicht für das Flugzeugs 152 und auch Druck von ihrer Seite auf die Dresdner Flugzeugindustrie 1961 soll mit ausschlaggebend für die Liquidierung des Industriezweiges gewesen sein (Hinweis von Matthias Judt).

Erwähnt sei an dieser Stelle, dass Prof. Müller (Direktor des Instituts für Flugzeugfestigkeit) in seiner Funktion als Vorsitzender der Ständigen Kommission zur Koordinierung der Bauvorschriften für Luftfahrtgerät der DDR leitend an der Ausarbeitung an den Bauvorschriften für Luftfahrtgeräte beteiligt war, die nicht nur national, sondern auch in der ČSSR, Polen und Ungarn (teilweise) Gesetzeskraft erhielten[405]. Hierzu waren der Austausch und die Zusammenarbeit mit diesen Ländern Vorraussetzung.

Eine Zusammenarbeit mit und der Erwerb von britischer Strahltriebwerkstechnik wurde angestrebt, konnte aus politischen und finanziellen Gründen aber nicht umgesetzt werden[406].

Es fällt auf, dass die Zusammenarbeit und der Austausch der Fakultät mit der Luftfahrtindustrie der DDR sehr gut und produktiv waren. Von der Zusammenarbeit und einem Austausch mit dem Ausland allerdings kann dies in keiner Weise gesagt werden. Bei aller Klasse, die Forschung und Lehre der Fakultät für Leichtbau/Luftfahrtwesen auszeichneten, so ist doch dieses Manko eine nicht zu unterschätzende Lücke in der wissenschaftlichen Arbeit der Fakultät. Doch konnten viele für die DDR in Sachen Luftfahrt und Luftfahrtforschung relevante Ergebnisse und Produkte über das MfS (siehe Kapitel 4.7) erfolgreich aufgeklärt werden. Daher kann auf die obigen Ausführungen und Thesen ein wenig relativierend gesagt werden, dass, in Hinblick auf das westliche Ausland, Kooperationen und Wissenstransfer nur bis zu einem gewissen Grade notwendig waren.

4.3 Die fakultätseigene Entwicklung von Luftfahrzeugen und Erprobungsmustern

Das Institut für Flugzeugkonstruktion, mit Prof. Dr. Dipl.-Ing. Hermann Landmann als Direktor, hatte seit seiner Gründung im Herbst 1953 stets einen großen Anteil praktischer Ausbildung und Aktivitäten ausgeführt. Dies war großenteils dem Bestreben Prof. Landmanns geschuldet, der auf die Ausbildung von praktischen Fertigkeiten seiner Studenten besonders achtete.

Die Forschungs- und Entwicklungsarbeiten des Instituts verfolgten unter anderem die Entwicklung neuer Leichtflugzeugmuster. Durch diese Arbeiten wurden die Studenten, mit Hilfe konstruktiver Übungen, an verantwortliches und vielseitiges Mitarbeiten an eine gemeinsame größere Aufgabe herangeführt. Aus diesem Grund hatte sich das Institut bewusst auf kleinere Einheiten festgelegt, deren konstruktiver und fertigungsmäßiger Umfang nicht größer war, als dass die Beteiligten die Entstehung eines Musters vom Projekt bis zur Flugerprobung miterleben konnten. Dies war nicht nur von praktischer Seite her wichtig, sondern auch psychologisch bedeutend für einen jungen Studenten, der „seine"

---

[405] Ebd. Auf der Prager Bauvorschriftentagung (im Oktober/November 1960) nahm auch Prof. Landmann teil. Des Weiteren hatte Müller die Gelegenheit, den Internationalen Luftfahrtkongress in Zürich und die Technische Messe Hannover 1960 zu besuchen.

[406] BStU, ASt. DD: Objektvorgang 2087/62, Nr. 5: „Beziehungen der Flugzeugindustrie der DDR zu englischen Firmen" (Bl. 74-82).

Konstruktion im Flug erleben konnte. Hierfür erschienen Segelflugzeuge, Motorsegler und Motorgleiter in Holzbauweise als die geeignetsten Objekte[407].

Drei Luftfahrzeugmuster konnten fertiggestellt werden, die die Typenbezeichnung La 16 V1[408] „Lerche", La 16 V2 „Heidelerche" und La 17 erhielten. Die Muster La 18 und La 19, ebenfalls zum großen Teil von Studenten vorbearbeitet, kamen nicht zur Ausführung.

Der Motorsegler La 16 V1 entstand 1956 und ein Jahr später folgte die La 16 V2. Beide entstanden unter Federführung und Anleitung von Prof. Landmann. Der Experimentalmotorsegler La 16 V1 erhielt als Triebwerk einen Kroeber M4 Motor und das Tragflügelprofil Gö 535. Der Erstflug erfolgte im Dezember 1955. Das Flugzeug ging beim Absturz am 26. Juli 1956 verloren, nachdem zuvor der Leitwerksträger gebrochen war. Der Pilot Karl Treuter konnte sich mit dem Fallschirm retten[409]. Die vorhergehenden Flugversuche hatten allerdings auf keinerlei Anomalitäten hingedeutet. Es zeigte sich, dass die La 16 nicht zum Trudeln zu bringen war. Während der Erprobung wurden auch Überschläge nach oben (Loopings) und hochgezogene Kehrtkurven geflogen, wobei dann der Leitwerksträger brach. Mehrere anschließend durchgeführte Bruchversuche an dem wiederhergestellten Rumpfstück zeigten, dass die rechnerischen Bruchlasten getragen wurden, so dass die Bruchursache nicht einwandfrei geklärt werden konnte[410].

Um die immerhin erfolgreich gewesene Konstruktion nicht preisgeben zu müssen, beantragte Landmann den Bau einer zweiten verbesserten Mustermaschine aus den Mitteln des Planjahres 1956. Die La 16 V2 „Heidelerche" wurde daraufhin in konventioneller Bauweise hergestellt, besaß jedoch konstruktiv einige interessante Details. So war das hinter dem Pilotensitz aufgesetzte komplette Triebwerksaggregat mit Druckschraube einschließlich Brennstoffbehälter derartig einfach montierbar, dass eine Umrüstung vom Segler zum Motorsegler bzw. umgekehrt in etwa 20 Minuten möglich war. Das V-Leitwerk war in 3 Stufen um insgesamt 8° in seiner V-Stellung am Boden einstellbar und wurde mit Polysterolschaum als Stützstoff und Glasseidengewebe sowie Epoxydharz als tragende Haut hergestellt. Das teilweise einfahrbare Einradfahrwerk wurde als Metallklebekonstruktion ausgeführt. Die Motorverkleidung und das Haubenendteil des Seglers waren aus Glasfaser-Polyester gefertigt[411]. Der Erstflug mit Motorkraft fand im Oktober 1961 statt.

Während die La 16 V2 als „echter" Motorsegler anzusprechen war, also volle Eigenstartfähigkeit besaß, lag dem zweisitzigen Motorgleiter La 17 eine wesentlich andere Konzeption zugrunde. Die La 17 ist als Versuch zu werten, der Lösung des Problems einer rationellen Anfängerschulung im Segelflug nach der Art der Motorflugschulung näher zu kommen. Prof. Landmann und seine Studenten hatten hiermit eine sehr praktikable, effektive und dabei einfache Art gefunden, um den Studenten die Praxis im Bau von Luft-

[407] Arch TUDD: Fakultät für Luftfahrtwesen: Nr. XX/36; Weber: Arbeitsgemeinschaften, S. 91.
[408] „V" bedeutet Versuchsmuster.
[409] Lemke, Frank: Wo einst die Libellen schlüpften. Aufstieg und Fall des DDR-Flugzeugbaus, Teil 7, in: Fliegerrevue Heft 4/92, S. 14-19, hier 18. Prof. Landmann gibt für das Unfalldatum jedoch den 27.6.1956 an.
[410] BArch, Abt. DDR, DF 4/59307.
[411] Ebd.; Weber: Arbeitsgemeinschaften, S. 91.

fahrzeugen zu vermitteln und diese dann auch gleich in der Führung und Steuerung von (ihren eigenen) Flugzeugen zu schulen. Besondere Bedeutung kommt dieser Tatsache auch im Hinblick auf das ingenieurmäßige Fliegen zu. Da dieser Gleiter nicht eigenstartfähig war, wurde er mittels Winden- oder Flugzeugschlepp bei laufendem Motor gestartet. Nach dem Ausklinken war die Triebwerksleistung des BK 350 Motors (mit 12 kW) ausreichend, um ein beliebig langes Verbleiben in der Ausklinkhöhe ohne zusätzlichen Aufwind zu gewährleisten. Der (Flug-)Lehrer war damit in der Lage, den Schüler über einen seinem Ermessen liegenden Zeitraum zu unterweisen[412]. Mit der Flugerprobung wurde im Herbst 1959 begonnen.

Von den drei beschriebenen Luftfahrzeugen existierte jeweils nur ein Erprobungsmuster. Während über das Projekt der La 18 nichts weiter bekannt geworden ist, sollte es sich bei der La 19 um einen vollkunstflugtauglichen Doppelsitzer handeln. Er wurde für 1960/61 projektiert[413]. Aufgrund der Arbeiten an der La 16 und 17 sowie vielen anderen Belastungen Prof. Landmanns, wie die Leitung der Entwicklungsstelle für Segelflugzeuge in Lommatzsch (ab 1957), kamen die Arbeiten an diesem Flugzeug nur langsam voran und konnten bis 1961 nicht abgeschlossen werden. Mit diesem Projekt wird indes deutlich, dass nicht nur an die Anfängerschulung der Studenten gedacht worden war. Vielmehr sollten sie ihre Fähigkeiten konsequent weiter entwickeln und ausbauen – und das mit völlig selbst konstruierten und selbst gebauten Luftfahrzeugen. Eine Innovation, die ihresgleichen sucht.

1955 schloss die Fakultät einen Patenschaftsvertrag mit dem Klub Junger Techniker an der Gewerblichen Berufsschule I in Plauen (Vogtland), der unter der Leitung von Arno Vogel arbeitete, ab[414]. Der Ingenieur Arno Vogel entwickelte bereits seit 1942 Schwingenflugzeuge, um am Problem schwingender Tragflügel forschen zu können. Im August 1942 baute und erprobte er Arvo 1 (VO 1), ein umgebauter Schulgleiter Grunau 9[415]. Zu Beginn der 1950er Jahre begann er, seine Arbeiten wieder – am oben genannten Ort – aufzunehmen. Der Erstflug des VOX 1 genannten Experimental-Schwingenflugzeuges fand 1952 statt. Der Antrieb der Flügelenden erfolgte durch Anziehen und Ausstrecken der Beine des Piloten. Dieses Flugzeug war im Wesentlichen ein Nachbau des Gerätes von 1942. Daher hielt es die Fakultät für Leichtbau für ihre Pflicht, „den Zirkel ‚Schwingenflug' wissenschaftlich und technisch zu unterstützen"[416]. Aufgrund des Patenschaftsvertrages wurde Vogel und seinem Zirkel unter anderem die Möglichkeit eröffnet, die wissenschaftlichen Einrichtungen der Fakultät zu nutzen – inklusive der Werkstätten – und entsprechende Berechnungen durchführen zu lassen[417]. Die Leistungen, die dieses

[412] Ebd., S. 92; Lemke: Libellen, S. 18.
[413] Ebd.
[414] Arch TUDD: Fakultät für Luftfahrtwesen: Nr. XX/8.
[415] Lemke, Frank-Dieter/Höntsch, Johannes: Entwürfe und Entwicklungen von Segelflugzeugen, in: Michels, Jürgen/Werner, Jochen (Hg.): Luftfahrt Ost 1945-1990, Bonn 1994 (= Die deutsche Luftfahrt Band 22), S. 140-146, hier 140.
[416] Arch TUDD: Fakultät für Luftfahrtwesen: Nr. XX/8.
[417] Ebd.

Flugzeug erbrachte, überraschten alle Beteiligten. Doch der Tod von Ing. Vogel im April 1961 beendete alle derartigen Forschungen am Institut für Flugzeugkonstruktion[418]. Er allein verfügte über die notwendigen Erfahrungen auf diesem Gebiet und so konnte „eine große Menge von Untersuchungsmaterial im Wind- und Wasserkanal an Modellschwingen zur Zeit nicht ausgewertet werden."[419] 1953 war von ihm noch das Projekt eines Schlagflügelmotorseglers erarbeitet worden.

Die exotisch anmutende Erforschung eines auftrieb- und schuberzeugenden Schlagflügels hatte aber auch direkte problem- und praxisorientierte Ansätze. Die Frage war zu klären, ob mit schlagenden Flügeln erstens eine höhere Flugsicherheit und zweitens ein ökonomisch günstiges Fliegen verbunden ist. Es ging dabei unter anderem um das immer heikler werdende Problem des Zubringerdienstes zu Großflughäfen – der in den USA bereits in großem Stile anlief –, da vielleicht mit dem Schlag- und Schwirrflügelflugzeug ein Fluggerät entstehen könnte, welches diese Aufgaben besser als die bisher zu diesem Zweck geplanten unökonomischen Hubschrauber erfüllen könnte. Um Einblicke in die dabei entstehenden Strömungsvorgänge zu erhalten, wurden im Wasserkanal des Instituts für Aerodynamik der TH Dresden fotografische Aufnahmen der Strömung und Messungen an verschieden geformten Flügeln gemacht. Ebenso wurden dort Versuche an 1,1 m-Schwingen im kleinen Windkanal durchgeführt[420]. Im Zusammenhang mit diesen Arbeiten dürfte sicherlich auch die Dissertation des Dipl.-Ing. Karl Freund über „Untersuchungen am schwingenden Bienenflügel"[421] zu sehen sein. Seit der Aufnahme der Forschungen über den Schwirrflug der Bienen, welche 1956 am Aerodynamischen Institut begannen und bis 1961 fortgesetzt wurden, rechnete man damit, dass „die Arbeit nicht nur Ergebnisse liefert, die für unsere Biologen wichtig von Interesse sind. Wir erhoffen vielmehr darüber hinaus noch interessante Aufschlüsse zur Frage der Konstruktion der Drehflügler, die möglicherweise bereits in wenigen Jahren von Nutzen sein können."[422] Die Arbeiten am schwirrenden Insektenflügel waren zu dieser Zeit so aktuell und als zukunftsträchtig angesehen, dass sie als „geheim" eingestuft wurden[423]. Die Komplexität des Insektenfluges wurde aber weit unterschätzt und war mit den damaligen Techniken und Materialien weder vollständig erklärbar, noch praktisch umsetzbar[424]. Möglicherweise je-

---

[418] Lemke: Libellen, S. 18.
[419] BArch, Abt. DDR, DF 4/52749.
[420] Weber: Arbeitsgemeinschaften, S. 94.
[421] Arch TUDD: Fakultät für Luftfahrtwesen: Nr. XX/14.
[422] BArch, Abt. DDR, DF 4/59309.
[423] BStU, ASt. DD: AIM 1533/63, Nr. II: „Arbeitsvorgang über ‚Schiller' (Richter), 1955-56" (Bl. 29-30): Prof. Richter über „Wissenschaftliche Forschungsarbeiten und Entwicklungsarbeiten im Aerodynamischen Institut der Fakultät für Leichtbau". Richter bezeichnete diese Forschungen als „lächerlicherweise ‚geheim'", das MfS sah das anders.
[424] Wie komplex und vielschichtig derartige Forschungsarbeiten und Techniken sind, belegt unter anderem, dass man sich erst seit den letzten zehn Jahren, auf internationaler Ebene, verstärkt dem Problem des Insektenfluges widmet, um in der modernen Luftfahrt und Mikrorobotik Erfolge zu erzielen, die mit starren Flügeln unmöglich sind. Das im Jahr 1934 für „aerodynamisch unmöglich" erklärte Funktionieren des Hummelfluges konnte beispielsweise erst 2001 endgültig geklärt werden. Vgl. dazu Dickinson, Michael: Die Kunst des Insektenflugs. Nur durch eine Kombination bisher unerforschter strömungsdynamischer Effekte gelingt es Fliegen, in der Luft zu schweben, in: Spektrum der Wissenschaft 9/2001, S. 58-65; Send, Wolfgang: Physik des Fliegens, in: Physikalische Blätter, Heft 6, 2001, S. 51-58.

doch war mit dem Gedanken gespielt worden, sich auf lange Sicht in diesem Feld der Forschung eine international führende Position zu verschaffen.

Im Jahre 1959 kam es an der Fakultät für Luftfahrtwesen zur Bildung einer weiteren studentischen Arbeitsgemeinschaft. In dieser wurden die Vorstudien zu einem einsitzigen Hochleistungssegelflugzeug begonnen und bis zur Ausarbeitung des Projektes durchgeführt[425]. Mit dem Ende von Luftfahrtindustrie und Luftfahrtforschung endeten alle diese Initiativen.

4.4 Forschen und Fliegen: Die Ingenieurflieger-Ausbildung

Bei der Ingenieurflieger-Ausbildung handelte es sich um eine technisch fliegerische Ausbildung, d. h. um eine Ausbildung zum selbstfliegenden Ingenieur[426]. Die Ingenieurflieger-Ausbildung gab es in Deutschland bereits seit den 1930er Jahren. Sie war damals eine zusätzliche Ausbildung nach dem Diplom-Hauptexamen und lag in den Händen der DVL in Berlin-Adlershof. Die Ausbildung schloss mit dem Staatsexamen zum „Flugbaumeister" ab. Der Nachwuchs kam fast ausschließlich aus den akademischen Fliegergruppen an den Technischen Hochschulen, die später unter dem Namen Flugtechnische Fachgruppen in enger fachlicher Verbindung mit der DVL als Vorstufe für obige Ausbildung vorausgesetzt wurde. In diesen Fachgruppen lernten die Studenten in eigener Verantwortlichkeit ihre Segelflugzeuge zu berechnen, zu konstruieren, selbst zu bauen und zu fliegen. Mit Abschluss des Studiums war meistens auch die Segelfliegerausbildung sowie die für kleinere Motorflugzeuge (A 2) abgeschlossen. Eine Auslese wurde bereits hier durch die Forderung eines erheblichen persönlichen Einsatzes erzielt[427].

Die hauptverantwortlichen Planer der Forschung und Lehre innerhalb der Luftfahrtforschung der DDR beschlossen von Anfang an, diese erfolgreiche und innovative Ausbildungsmethode ins Studium zu integrieren. An der Fakultät für Luftfahrtwesen der TH Dresden war hierfür der sowohl geeignetste als auch einzig mögliche Ort. Bei der Übernahme der Ausbildungsmethodik in den Lehrplan musste jedoch die oben beschriebene Ausbildung verändert und angepasst werden. Es wäre in den 1930er Jahren erforderlich gewesen, die ganze Ausbildung, insbesondere die Verbindung zwischen Theorie und praktischem Fliegen, straffer zu steuern. Es blieb zu viel der Initiative des Schülers überlassen. Des Weiteren litt die Geschlossenheit der damaligen Ausbildung unter der Trennung in zwei Teile, von denen der erste Teil im Sinne der gesamten Berufsausbildung fast gar nicht gesteuert war. Auch traten Schwierigkeiten dadurch auf, dass die Schüler von verschiedenen Hochschulen mit gänzlich verschiedenen Lehrplänen kamen, wodurch auch die naheliegende Weiterbildung an einer TH nicht möglich gewesen wäre.

---

[425] Weber: Arbeitsgemeinschaften, S. 95.

[426] Arch TUDD: Fakultät für Luftfahrtwesen: Nr. XX/10; „Die Ingenieurflieger-Ausbildung als Ausbildungsrichtung der Fakultät Luftfahrtwesen der Technischen Hochschule Dresden." (Verfasser nicht vermerkt)

[427] Ebd. Für eine exemplarische Laufbahn hin zum „Flugbauführer" und Ingenieurpiloten-Ausbildung im Deutschland der 1930er Jahre vgl. Ciesla, Burghard: „Tassos Rundbriefe" aus dem „Land dem Autos": Automobile Kulturerfahrungen einer deutschen Ingenieurfamilie in der Neuen und Alten Welt, in: Technologie und Kultur. Europas Blick auf Amerika vom 18. bis zum 20. Jahrhundert, Köln/Weimar/Wien 2000, S. 173-201, hier 186f.

Allerdings war es unter diesen Umständen eine bemerkenswerte Leistung, neben der theoretischen Fortbildung eine ingenieurfliegerische Ausbildung dieses Umfangs in drei Jahren durchzuführen. Dies wurde jedoch nur durch eine von allen anderen zivilen und militärischen Flugschulen völlig losgelöste zivile Schulung, die einmal aufgrund ihrer besonderen vorgebildeten Menschen auch besonders schnell vorgehen konnte, und die zum anderen nur infolge ihrer Unabhängigkeit die fliegerische Schulung besonders stark auf wissenschaftliche Belange ausrichten konnte, erreicht[428].

Da es sich beim ingenieurmäßigen Fliegen um eine Ausbildung zum selbstfliegenden Ingenieur handelte, war davon auszugehen, dass es bei einer derart umfangreichen Ausbildung automatisch eine starke Auslese unter den Studenten geben würde. Wenn der Fall eintrat, dass bei einigen Studenten die Ausbildung abgebrochen werden musste, so war die Ausbildung bis zu diesem Stadium dennoch nicht umsonst gewesen. Unter der Voraussetzung, dass der normale Studienabschluss als Diplom-Ingenieur sowieso erreicht wurde, so ergaben sich damit in der Reihenfolge der Höhe der fliegerischen Ausbildung folgende Berufsaussichten:

1. LUFTFAHRT-INGENIEUR, der zusätzlich zu seinen normalen Berufskenntnissen Einblick in die praktische Flugzeugführung hat. „Wie wertvoll für den Flugzeugbauer der Kontakt mit der Praxis ist, zeigt allein schon das Beispiel der SU, in der alle Flugzeugkonstrukteure etwa 3 Stunden mitgeflogen sein müssen."[429]
2. FLUGMESSINGENIEUR, der als Begleiter Flugmessungen und Beobachtungen ausführte. Beide Berufstätigkeiten kamen für die Segelfliegerausbildung bis einschließlich der Erlaubnis für kleine Motorflugzeuge in Frage.
3. VERSUCHSFLIEGER, die Flugmessungen auf Versuchsträgern selbständig durchführten. Die fliegerische Ausbildung umfasste dafür die Erlaubnis für bis zu mittleren oder eventuell großen Flugzeugen. Nur geringe Typenerfahrung war notwendig.
4. ENTWICKLUNGSEINFLIEGER, die die Flugentwicklung neuer Flugzeugmuster bis zur Serienreife durchführten. Fliegerische Ausbildung für die „größten und schnellsten Flugzeuge sowie sehr große Typenerfahrung"[430] waren notwendig.

Nun lag die günstige Situation vor, dass die TH Dresden alle Luftfahrtstudenten in der DDR erfasste. Somit bestand gegenüber den früheren Gegebenheiten in Deutschland vor 1945 der große Vorteil, dass die gesamte Berufsausbildung des Ingenieurfliegers von einer einzigen Stelle aus gesteuert wurde, derselben Stelle, die auch das theoretische Wissen vermittelte, und die nun auch die praktische Ausbildung in einer Synthese zwischen beiden organisch in den Lehrplan integrieren konnte: „Die Forderung, dass die Fakultät Luftfahrtwesen nicht nur die Fachrichtungen Aerodynamik, Konstrukteur, Triebwerke und Luftfahrtgeräte ausbildet, sondern auch deren Abzweigung zum Ingenieurflieger,

---

[428] BArch, Abt. DDR, DE 1/14454 (17.09.1956, Bl. 4ff.); Arch TUDD: Fakultät für Luftfahrtwesen: Nr. XX/10.
[429] Ebd.
[430] Ebd. „Typenerfahrung" bedeutet große fliegerische Erfahrung auf sehr vielen, wenn möglich sehr unterschiedlichen, Flugzeugmustern.

wird damit logisch und selbstverständlich."[431] Jegliche Doppelgleisigkeit im theoretischen Unterricht an der Fakultät und während des praktischen Flugunterrichts wie auch während des Studiums und der Ingenieurflieger-Ausbildung konnte somit unterbunden werden.

Die Flugausbildung machte an Mitteln unbedingt erforderlich: a) Einen Flugplatz, mit besonderer Nähe zur TH. b) Eigenes Personal für Ausbildung, Flugzeugwartung und -Reparatur, Messgräte-Werkstatt, Bodengeräte und Flugsicherung. c) Eigenes Fluggerät. d) Eigene Messgeräte und e) eigenes Bodengerät. Da die Einweisung in die Tätigkeit des Versuchsfliegers (Messflüge) bereits einen gewissen Stand der fliegerischen Ausbildung voraussetzte, war zu trennen in: a) Fliegerische Schulung auf Schulflugzeugen und b) Messflüge auf Versuchsträgern.

Erhebliche Investitionsmittel waren also auch hierin zu tätigen[432]. Diese konnten nur nach und nach gewährt werden.

1954 war die GST im Wesentlichen der alleinige Träger des Segelflugsportes. Nur die KVP Luft führte im Rahmen ihrer Sportvereinigung „Vorwärts" noch den Segelflugsport durch. „Die GST führt den Segelflug nur als Sportart durch. Für wissenschaftliche Untersuchungen ist dort wenig Verständnis vorhanden. Allen Studenten ist immerhin die Möglichkeit gegeben, in der GST Segelflugsport zu betreiben"[433], so die Einschätzung von Prof. Richter.

Erst Ende des Jahres 1955 bestand an der Hochschule darüber Einigkeit, dass die Ausbildung im Rahmen ingenieurmäßiges Fliegen wissenschaftlich von der TH betreut, in technischer Hinsicht jedoch bei der KVP Luft so schnell wie möglich aufgenommen werden musste. Prof. Richter, Dekan der Fakultät, sah es als notwendig an, dass die erste Gruppe der Studierenden in der Zeit vom 1. Januar bis 31. Dezember 1956 ihre Ausbildung bei der KVP Luft erfahren sollte[434]. Dies hatte vor allem finanzielle Gründe, aber auch, dass die neuen Streitkräfte schnell ausgebildeten Nachwuchs brauchten und dieser am schnellsten in Zusammenarbeit mit der TH zu bekommen war. Die GST führte dann diese Bestrebungen zusammen. Private Luftfahrt gab es in der DDR nicht mehr – Luftsport diente der Vorbereitung auf den Wehrdienst und/oder zur Ausbildung neuer Kader[435].

Zur Methodik der Ausbildung: Die Ausbildung zum Ingenieurflieger (Oberstufe) wurde in die Lehrpläne der Fakultät Luftfahrtwesen ab dem 6. Semester fest eingebaut in Form von Vorlesungen, Übungen und Flugpraktika. Die notwendigen Personal- und Lehrmittel waren also hochschuleigen. Des Weiteren ergab diese Ausbildung keine neue Fachrichtung, sondern innerhalb jeder vorhandenen Fachrichtung eine „wahlweise Aus-

---

[431] Ebd.
[432] Ebd.
[433] Ebd.
[434] SAPMO – BArch: IV 2/9.04, Nr. 354.
[435] Köllner, Eberhard: Hohe Disziplin in Ausbildung und Sport. Fliegen und Fallschirmspringen in der GST, in: Berger, Ulrich (Hg.): Frust und Freude. Die zwei Gesichter der Gesellschaft für Sport und Technik, Schkeuditz 2002, S. 77-82.

bildungsrichtung"[436]. Diese konnte sowohl vom Konstrukteur, wie vom Aerodynamiker, wie vom Triebwerks- oder Luftfahrtgeräte-Fachmann gewählt werden. Bei den Fachrichtungen Aerodynamik, Triebwerke und Luftfahrtgeräte handelte es sich darum, das Berufsbild „Versuchsflieger" (s. o.) zu schaffen. Die theoretische Ausbildung für die jeweilige Fachmesstechnik wurde mit den Vorlesungen vermittelt. An zusätzlichen Vorlesungen waren nur solche erforderlich, die für den theoretischen Unterbau der Flugzeugführung selbst wichtig sind, d. h. beispielsweise Luftrecht und Flugwetterkunde. Die Dipl.-Ing. Kurt Zindel (Assistent am Institut für Flugzeugkonstruktion), Fritz Seidler (Assistent am Institut für Aerodynamik) und Walter Kröger (Oberassistent) hielten Vorlesungen über „Flugerprobung", „Flugzeugführung für Flugversuchsingenieure" und über „Grundlagen der Flugerprobung". Die Honorare lagen zwischen 10 bis 20 DM pro Unterrichtsstunde (Vorlesungen und Übungen). Diese Dozenten waren auch allesamt erfahrene Motorfluglehrer. Meist kurzfristig berufene Lehrkräfte hielten Vorlesungen über Meteorologie[437].

Für die Fachrichtung „Konstrukteur" sollte die Ausbildung bei vorhandener Eignung bis zum Berufsbild des Ingenieur-Einfliegers fortgesetzt werden. Hierfür erschien jedoch von vornherein eine weitere fliegerische Schulung nach der Diplom-Hauptprüfung unumgänglich. Eine Assistententätigkeit kam dafür in Betracht.

Der Aufbau des Lehrplans an Vorlesungen und Übungen war schnell erstellt und abgeschlossen, doch steckte der flugpraktische Teil längere Zeit in den Anfängen fest, was einmal in der noch sehr jungen Luftfahrttechnik der DDR und den damit verbundenen Beschaffungsschwierigkeiten von Material und Kräften begründet lag und ebenso am beträchtlichen finanziellen Bedarf. „Doch dürfte kein Zweifel darin bestehen, dass die Entwicklung dieser Ausbildungsrichtung notwendig ist, um einen besonders hochwertigen Teil des Nachwuchses an Luftfahrt-Ingenieuren zu schaffen und damit einen wesentlichen Beitrag zu einem hohen, leistungsfähigen Stand unserer Luftfahrt zu leisten."[438]

Mitte 1956 fanden Beratungen über die Zusammenarbeit zwischen der TH und den Luftstreitkräften der NVA statt. Aus den sich daraus ergebenden Vereinbarungen geht hervor, dass das „wissenschaftliche Fliegen" künftig im Rahmen der NVA erfolgte, ebenso wie die Ausbildung der Ingenieurflieger, die ihr jährliches Berufspraktikum bei den Luftstreitkräften ableisten sollten[439]. Der Flugplatz Riesa-Canitz wurde den Studenten für sportliches Fliegen zur Verfügung gestellt. „Betont wird jedoch, dass jeder Student zumindest die Segelflugscheine erwirbt."[440] Durch diese Maßnahmen und die Gründung von Sport- und Studentenvereinigungen zum Motorfliegen an der TH im Jahre 1957, ge-

---

[436] Arch TUDD: Fakultät für Luftfahrtwesen: Nr. XX/10. Aus diesem Grunde entstand dann auch nicht das verschiedentlich, aber immer wieder von einigen Dozenten geforderte Institut „Flugmechanik". Die Ingenieurflieger-Ausbildung verblieb am Institut für „Flugzeugkonstruktion" (Prof. Landmann). Vgl. dazu auch: SAPMO – BArch: IV 2/9.04, Nr. 354. Dort heißt es in einem Schreiben vom 2. Juni 1956 an den Gen. Döring vom Sektor „Forschung und Technik": „Dieses wichtige Institut [Flugmechanik; d. Verf.] müsste von einem politisch guten Wissenschaftler geleitet werden. Kandidat noch unbekannt."
[437] Arch TUDD: Fakultät für Luftfahrtwesen: Nr. XX/13.
[438] Ebd.
[439] Arch TUDD: Fakultät für Luftfahrtwesen: Nr. XX/10.
[440] Ebd.

wann die Ausbildung zum ingenieurmäßigen Fliegen an Form und Profil und konnte ab 1958 ernsthaft durchgeführt werden.

Die Mittelzuteilungen von 1958 bis 1961 für Lehrgänge, Versorgung, Benzin- und Treibstoffkontingente usw. im Zusammenhang mit der flugpraktischen Ausbildung waren in jedem Jahr gewährleistet und stiegen im genannten Zeitraum sogar an[441].

4.5 Das Beispiel Brunolf Baade

Prof. Dr. Ing. Brunolf Baade soll an dieser Stelle exemplarisch als hervorragender Luftfahrttechniker und -ingenieur und gleichzeitig als Dozent an der Fakultät für Luftfahrtwesen vorgestellt werden. Seine Karriere als Flugzeugbauer, Ingenieur und Luftfahrtforscher bis hin zur Nr. 1 der Luftfahrtindustrie der DDR wird kurz im Folgenden nachvollzogen.

Carl Wilhelm Brunolf Baade wurde am 15. März 1904 als Sohn des technischen Angestellten Wilhelm Baade in Berlin geboren. Er besuchte das Kaiser-Friedrich-Realgymnasium in Berlin-Neukölln und machte 1922 dort das Abitur. Aufgrund seiner früh entdeckten naturwissenschaftlichen Interessen beschloss er Ingenieur zu werden und schrieb sich daher an der TH Berlin als Student ein. Im Jahre 1926 bestand er dort das Examen mit „Gut"[442]. Nach dem Vorexamen arbeitete er neben dem Studium als Assistent bei der DVL, anfänglich in der Motoren-, später in der statischen Abteilung. In Vorbereitung auf das Diplom siedelte er nach München über, um anschließend bei Prof. Foeppl zu promovieren. Drei Jahre später legte er dann sein Diplom ab[443].

Aus der Promotion jedoch wurde nichts, da er von Prof. Willy Messerschmitt, dem damaligen Chefkonstrukteur der Bayrischen Flugzeugwerke (BF), der ihn gut kannte, aufgefordert wurde, eine Stelle als Konstrukteur für Sonderfragen mit dem für Anfänger hohen Gehalt von 450 RM anzutreten, und weil zu diesem Zeitpunkt an der TH in München keine Plan-Assistentenstelle frei war[444].

Da Ende der 1920er Jahre in den USA besondere Anstrengungen gemacht wurden, durch Übernahme geeigneter Lizenzen den Flugzeugbau zu fördern, traten auch die BF mit der Eastern Aircraft Corp. in Beziehungen und Baade ging in die USA. Infolge der Wirtschaftskrise von 1929 schlugen diese Pläne aber fehl, und er musste dort in verschiedenen Flugzeugwerken arbeiten, anfänglich als Konstrukteur und Statiker, um sich allmählich vom Versuchs- und Projekt-Ingenieur herauf zu arbeiten, ohne je dabei arbeitslos geworden zu sein[445].

Er war hier hauptsächlich bei der Fokker Aircraft Corp. (später North American Aviation Corp.) und bei der Goodyear Aircraft Corp., wo er bei der Entwicklung von Jagdflugzeugen, Bombern und Verkehrsflugzeugen mithalf, tätig, um dann später hauptsäch-

[441] Ebd.
[442] Arch TUDD: Fakultät für Luftfahrtwesen: Nr. XX/13.
[443] Kahlow, Andreas/Müller-Enbergs, Helmut: Brunolf Baade, in: Müller-Enbergs,H./Wiehlgohs, J./Hoffmann, D. (Hg.): Wer war wer in der DDR? Ein biografisches Lexikon, Berlin 2000, S. 34f.
[444] Arch TUDD: Fakultät für Luftfahrtwesen: Nr. XX/13.
[445] Ebd.

lich auf dem Gebiete der Forschung (Windkanal und statische Versuche) tätig zu sein. Der USA-Aufenthalt währte von 1930 bis 1936. Im Winter jenes Jahres kehrte er nach Deutschland zurück[446] und übernahm bei den Junkers-Flugzeug- und Motorenwerken das Neukonstruktionsbüro, in dem unter seiner Leitung zunächst die Ju 88 entwickelt wurde, an die sich dann die Ju 88B, die Ju 188, der Höhenbomber Ju 388, der Fernbomber Ju 288 und der erste TL-Bomber Ju 287 anschlossen[447].

Natürlich musste ein so kriegswichtiger Ingenieur und Konstrukteur wie Baade keinen Militärdienst leisten. Aufgrund seiner Verdienste im Flugzeugbau erhielt er 1941 das Kriegsverdienstkreuz Zweiter Klasse[448].

Im Jahre 1945 wurde Baade zum Leiter der Entwicklung und Chefkonstrukteur ernannt und in den Vorstand der Junkers-Flugzeugwerke gewählt. Im April 1945 wurde er durch die US-Armee in Raguhn interniert und war in den Lagern Helfta, Eisenach und Schwarzenborn untergebracht. Dort betätigte er sich als Dolmetscher. Am 7. Juni erfolgte seine Entlassung[449]. Seit Juli des Jahres war Baade Mitarbeiter, dann Leiter der Rekonstruktion des Flugzeug- und Motorenwerks.

Im Zuge der Zwangsverschickung kam er 1946 in die Sowjetunion und leitete dort (in Sawjolowo bei Moskau) „ein großes Entwicklungs- und Konstruktionsbüro als Chefkonstrukteur (...). In dieser Zeit beschäftigte ich mich hauptsächlich mit Forschungs- und Entwicklungsfragen und es entstand eine Reihe von erfolgreichen Neukonstruktionen."[450] Von Bedeutung war dabei der, schon angeführte, TL-Bomber 150. Er ist als Vorstufe für das spätere TL-Passagierflugzeug 152 anzusehen.

Im Jahre 1954 kehrte Brunolf Baade dann nach Deutschland, genauer in die DDR, zurück und wurde verantwortlicher Technischer Leiter der Verwaltung der Luftfahrtindustrie, einer Hauptverwaltung des Ministeriums für Maschinenbau[451]. Aufgrund seiner großen Erfahrung und bisheriger Tätigkeit wurde er dann kurz darauf in der neu zu schaffenden Luftfahrtindustrie eingesetzt. Damit war er auch für die (akademische) Luftfahrtforschung an Technischer sowie Ingenieur-Hochschule eine ideale Besetzung – so jedenfalls dachte man in den Ministerien und der Parteiführung.

Noch im selben Jahr unternahm das Rektorat der THD große Anstrengungen für ein Berufungsverfahren. Wie bei solchen Verfahren üblich, wurden dazu von der Hochschule Einschätzungen und Stellungnahmen über die Persönlichkeit des zu Berufenden von Personen, die ihn kannten und (beruflich) mit ihm zu tun hatten, eingeholt um ein umfassendes Gutachten erstellen zu können. Im Fall Baades wurden sowohl Stellungnahmen von Leuten aus der DDR als auch von in der UdSSR[452] und BRD[453] lebenden Personen eingeholt. Diese Aufgabe kam dem Dekan Prof. Dr. Ing. Wilhelm Richter zu.

---

[446] Kahlow/Müller-Enbergs: Baade, S. 34.
[447] Arch TUDD: Fakultät für Luftfahrtwesen: Nr. XX/11.
[448] Ebd.
[449] Ebd.
[450] Arch TUDD: Fakultät für Luftfahrtwesen: Nr. XX/13.
[451] Ebd.
[452] So vom stellvertretenden Minister Lukin im Kreml.

Die Gutachten und Stellungnahmen zur Person und beruflicher Qualifikation Baades, die von Kollegen in der DDR verfasst wurden, ähneln sich einander sehr. Stellvertretend hierfür sei die „Stellungnahme zur Persönlichkeit des Herrn Prof. Dipl.-Ing. Baade" von Prof. Dr. Ing. W. Richter angeführt: „Herr Prof. Baade zeichnet sich durch besondere Kameradschaftlichkeit und einen hervorragenden Charakter aus. Es gelingt ihm stets, seine Ingenieure und Konstrukteure für die vorliegenden Aufgaben zu begeistern. Er besitzt einen ausgezeichneten Überblick über alle Zweige des Luftfahrtwesens und versteht, seine vielseitigen theoretischen Kenntnisse mit klarem, praktischem Sinn richtig anzuwenden. Allgemein wird Herr Kollege Baade als eine starke Persönlichkeit anerkannt. Er bringt seine Ideen klar zum Ausdruck und entwickelt technische Probleme folgerichtig. Bei unseren Studierenden ist seine Vorlesung außerordentlich beliebt. Hinsichtlich der wissenschaftlichen Veröffentlichungen gilt das Gleiche wie bei fast allen übrigen Herren des Industriezweiges. Es liegen zwar zahlreiche industrielle Arbeiten vor, z. B. über hydraulische Richtantriebe, die durchaus von hohem Niveau sind, alle diese Arbeiten wurden jedoch in keiner Zeitschrift veröffentlicht."[454]

Sicher war es so, dass Baade Kenntnisse besaß, „die man nicht allein aus Lehrbüchern schöpfen kann, und die auch im übrigen Schrifttum nur teilweise und verstreut zu finden sind."[455] Die Zahl und Qualität wissenschaftlicher Veröffentlichungen war und wird jedoch als Gradmesser für fachliche und wissenschaftliche Kompetenz angesehen. Baade muss dies als Manko empfunden haben und stellte immer wieder diesen Fakt erklärend dar: „Infolge meiner vertraulichen Tätigkeit habe ich außer einigen gelegentlichen Artikeln in Fachzeitschriften, die sich nicht vermeiden ließen, nur interne Forschungsarbeiten (DVL- oder Firmen-Berichte) herausgegeben, die sich hauptsächlich mit dem Flugzeugbau (Lastannahmen, Statik, Windkanal-Versuche), aber auch mit dem Fahrzeugbau und Sondergebieten dieser beiden Fragen (Hydraulik, Triebwerksfragen, Fahreigenschaften) beschäftigen. Ich besitze eine größere Anzahl von Patenten, die sich auf den Flugzeug- und Fahrzeugbau und deren Randgebiete beziehen."[456]

Baade war niemals zuvor als Dozent tätig gewesen – wie auch die meisten der anderen Lehrkräfte der Fakultät –, sondern immer nur als praktisch denkender und arbeitender Ingenieur. Alle Gutachten bestätigen ihm hervorragende Fertigkeiten und große fachliche Kompetenz, aber ebenso eine sehr starke Persönlichkeit.

Der seit 1932 verheiratete Baade – der ebenfalls Vater von fünf Kindern war – wurde daraufhin zum Professor auf Lebenszeit ernannt. Dies verwundert wenig, da er doch für das der Staatsführung so wichtigem Projekt einer eigenen Luftfahrtindustrie eigentlich unersetzbar war. Es gibt aber keinen einzigen Hinweis darauf, dass die Studenten tatsächlich seine Vorlesungen wegen seiner gewinnenden Art besuchten, sondern vielmehr weil er das Zentralgestirn der Fakultät bildete und man nur schwer um ihn herum kam. Seine

[453] Schreiben gingen an die TH Aachen (Prof. Dr. Ing. Quick) und die TU Berlin-Charlottenburg (Dr. Hertel).
[454] Ebd. Die Stellungnahme datiert vom 22. Juni 1954.
[455] Ebd. Gutachten zum Berufungsverfahren von Dr. Ing. G. Backhaus, vom 24. Oktober 1954.
[456] Ebd. Lebenslauf, datiert vom 18. Juni 1956.

„starke Persönlichkeit" – was auch immer dies bedeuten mochte – dürfte einer engen Beziehung zu den lästigen Fragen stellenden Studenten eher im Wege gestanden haben. Es war seinem Wesen als Ingenieur inhärent, dass er der praktischen Arbeit im Flugzeugbau näher stand als der Lehrtätigkeit (siehe auch Kap. 4.2).

Im Herbst-Semester 1954 nahm Baade seine Lehrtätigkeit an der Fakultät auf und hielt u. a. Vorlesungen über „Metallflugzeugkonstruktion", in denen er den Studenten auch die modernsten Methoden der Metallklebetechnik vermitteln konnte. Als Honorarprofessor erhielt er pro Stunde 20 M zusätzlich zum Gehalt[457]. Seine Tätigkeit bis zum Jahre 1954 ist in Tabelle 5 dargestellt:

Baades berufliche Tätigkeit bis 1954

Jahr	Arbeitsstelle	Tätig als	Einkommen
1926-1927	DVL	Assistent	200 RM
1929-1930	BF	Konstrukteur	450 RM
1930-1932	Fokker Aircraft Corp.	Konstrukteur, Statiker, Versuchsingenieur	300 $
1932	North American Aviation	Leiter der Versuchsabteilung	350 $
1932-1936	Goodyear Aeronautical Corp.	Leiter der Projekt- und Forschungsabteilung	500 $
1936-1946	Junkers Flugzeug- und Motorenwerke in Dessau	Leiter der Neukonstruktion, Chefkonstrukteur, Vorstandsmitglied	2 750 RM + 5 000 RM (jährl. Prämie)
1946-1954	UdSSR	Chefkonstrukteur	7 000 Rubel
1954	Ministerium für Maschinenbau	Technischer Leiter der Hauptverwaltung	

TABELLE 5

1956 wurde angestrebt ihn auch noch zum nebenamtlichen Professor für Verkehrsflugzeugbau zu ernennen. Das Staatssekretariat für Hochschulwesen lehnte dieses Ansinnen mit der Begründung ab, dass Baade bereits Professor auf Lebenszeit sei[458].

1957 wurde er Mitglied des Forschungsrates und 1958 Leiter des Forschungszentrums und Generalkonstrukteur der Luftfahrtindustrie. Von 1958 bis 1963 war Baade Kandidat des ZK der SED und erhielt 1959 den Vaterländischen Verdienstorden[459]. Des Weiteren war er Mitglied der „Nationalen Front des Demokratischen Deutschlands" sowie verschiedener anderer Ausschüsse.

Der erste Stellvertretende des Vorsitzenden der SPK der UdSSR Chrunitschew beurteilte 1960 Baade wie folgt: „Dass man Baade in der UdSSR und auch in der DDR erst zu spät richtig eingeschätzt habe, liegt zu einem großen Teil an den sowjetischen Genossen, die während seines Aufenthaltes in der UdSSR für ihn verantwortlich waren. Sie hätten B. Fähigkeiten überbetont und zu wenig auf die Beseitigung seiner Schwächen eingewirkt. (...) Gen. Chrunitschew legte mir nochmals seine persönliche Meinung über die Fähigkei-

[457] Ebd. Zur Technik des Metallklebens vgl. Freytag, Fritz: Entwicklungstendenzen in der Flugzeugfertigung, (Forschungszentrum der Luftfahrtindustrie, Vorträge und Abhandlungen Nr. 5; Vortragsreihe der KdT „Einführung in Probleme des Flugzeug- und Triebwerkbaus"), Dresden 1961, S. 32-36.
[458] Arch TUDD: Fakultät für Luftfahrtwesen: Nr. XX/13.
[459] Kahlow/Müller-Enbergs: Baade, S. 35.

ten und Eigenschaften von Prof. Baade dar, der ein sehr temperament- und energievoller Mensch sei und große Erfahrungen auf dem Gebiet des Flugzeugbaus besitze... Er besitze jedoch auch sehr große Schwächen, die die Entwicklung unseres Flugzeugbaues zweifellos gehindert hätten."[460]

Diese Schwächen waren sicherlich auch auf charakterliche Fehler zurückzuführen, die dafür sorgten, dass in der Partei- und Staatsführung lange kein klares Bild über den wahren Stand in der Flugzeugindustrie vorhanden war. Er war autoritär und seine überschwängliche Art, wenn es darum ging, den wahren Stand und die Möglichkeiten der Luftfahrtindustrie zu beurteilen und darzustellen, täuschte die Partei- und Staatsführung über die wirkliche und schwierige Lage des Flugzeugbaus. Baades charakterliche Schwächen sorgten sicher auch für Reibungen und Schwierigkeiten in der Luftfahrtforschung an der Hochschule – und brachten damit letztlich wieder auch Verzögerungen und Schwierigkeiten für die Industrie mit sich. Denn Industrie und Hochschule/Forschung mussten bei einem derartigen Projekt wie einer eigenen Luftfahrtindustrie, gar mit einem eigenen TL-Passagierflugzeug (der 152), sehr eng und effektiv zusammenarbeiten. Man hatte nicht ohne Grund Brunolf Baade gleichzeitig zum Lehrbeauftragten und Mitbegründer der Fakultät für Luftfahrtwesen sowie zum Generalkonstrukteur der Luftfahrtindustrie ernannt.

Am Ende stand Enttäuschung darüber, dass das Projekt einer eigenen Luftfahrt und Luftfahrtforschung gescheitert war, und gegenüber der Person Baades. Bezeichnend ist jedoch, dass man Baades „große Schwächen" erst erkannte bzw. erkennen wollte, als sich ein Misserfolg des Projektes abzuzeichnen begann, was aber sicher nicht allein sein Verschulden war. Versuchte er doch bis zuletzt Luftfahrtindustrie und Luftfahrtforschung in der DDR zu retten.

Nach der Einstellung von Entwicklung und Produktion von Flugzeugen ab März 1961 wurde er zum Direktor des neugegründeten Instituts für Leichtbau und ökonomischer Verwendung der Werkstoffe in Dresden[461].

Brunolf Baade hatte außer seinem Beruf nur wenige Hobbys. Bis zu seinem Tod 1969 (in Dresden) verbrachte er seine wenige Freizeit mit Malerei und dem Hören klassischer Musik[462].

Wie bekannt Baade außerhalb der DDR war und auch als Konstrukteur in der Bundesrepublik geschätzt wurde, belegt folgender Artikel aus der westdeutschen Zeitschrift „Flugwelt" (vom November 1956): „Welche Aufgaben werden nun dem jetzt in Pirna tätigen Ingenieur-Kollektiv von Prof. Baade gestellt? Diese Entwicklungsgemeinschaft gehört ohne Zweifel zu den besten der Welt, da sie durch Baade selbst die Erfahrungen des amerikanischen und des deutschen Flugzeugbau besitzt. Außerdem gehören die in diesem Kollektiv arbeitenden Junkers-Ingenieure zu den besten deutschen Fachleuten."[463]

[460] Zitiert nach Barkleit/Hartlepp: Zur Geschichte, S. 18.
[461] Kahlow/Müller-Enbergs: Baade, S. 35.
[462] Arch TUDD: Fakultät für Luftfahrtwesen: Nr. XX/13.
[463] Zitiert nach ebd.: Nr. XX/11.

4.6 Das MfS und die akademische Luftfahrtforschung

Es gibt bisher einige wenige Untersuchungen, die die Rolle des MfS beim Aufbau der Luftfahrtindustrie der DDR untersuchten[464]; jedoch gibt es keine Forschungen, die den Einfluss des MfS auf die Luftfahrtforschung, speziell auf die Fakultät für Luftfahrtwesen der THD, hin untersucht haben. Dieser muss jedoch vorhanden gewesen sein. Die Untersuchung der Arbeit des MfS in und an der Fakultät für Leichtbau/Luftfahrtwesen der THD würde allerdings Stoff für eine eigene Untersuchung bilden. Hier sollen anhand bisher durchgeführter Untersuchungen und vom Verfasser in den Akten der Bundesbeauftragten für die Unterlagen des Staatssicherheitsdienstes der ehemaligen Deutschen Demokratischen Republik (Außenstelle Dresden) gesichteten Akten erste Einblicke in diese Problematik gegeben werden. Da diese Erscheinung zum Alltagsbild der Luftfahrtforschung in der DDR gehörte – auch wenn sie von den meisten Beteiligten kaum wahrgenommen wurde – muss sie Eingang in die Darstellungen dieser Arbeit finden.

Es ist bekannt, dass die Sicherheitsorgane der DDR die deutsche Luftfahrtelite noch während ihres Aufenthaltes in der UdSSR „zu Objekten der Beobachtung"[465] erklärt hatten. Natürlich waren die Sicherheitsorgane in die Vorbereitungen der SED auf die Rückkehr der Spezialisten einbezogen worden. Trotz der Schwierigkeit der Aufgabe wies die SED-Führung dem MfS die Aufgabe zu, den Aufbau des Industriezweiges abzusichern[466]. Dies erstreckte sich denn auch auf die Luftfahrtforschung. „Das MfS hatte alle aus der Sowjetunion in die DDR heimkehrenden Spezialisten, die eine Tätigkeit in den Betrieben der Flugzeugindustrie aufgenommen hatten, zum Zweck der Kontrolle und Überwachung registriert"[467]. Unter den „SU-Spezialisten" befanden sich seit 1956 neun GI[468].

Das Selbstverständnis des MfS bei der Erfüllung seines Auftrages kam in der Begründung der besonderen Schutzwürdigkeit der Objekte der Luftfahrtindustrie zum Ausdruck[469].

Ein für diese Untersuchung interessantes Selbstzeugnis gibt Hans Eltgen als ehemaliger Student des Luftfahrtwesen. In seinen 1995 erschienen Erinnerungen gewährt er Einblick in Selbstverständnis und Motivation bei der Mitarbeit im MfS. Im Herbst 1954 studierte er an der TH Dresden Maschinenbau und Luftfahrtwesen. Dort wurde er unter Vorwand auf ein Volkspolizei-Kreisamt vorgeladen, wo ein Mitarbeiter des MfS („Rudi") von ihm seine Mitarbeit wollte. „Es galt für die weitere Entwicklung der jungen DDR sichere Bedingungen zu schaffen, und zwar auf dem Gebiet der Luftfahrt – meiner Studienrichtung. Mit knapp 24 Jahren war ich, aus der Nachkriegsgeneration kommend, vol-

[464] Barkleit, Gerhard: Die Rolle des MfS beim Aufbau der Luftfahrtindustrie der DDR, Dresden 1996 (Hannah-Arendt-Institut für Totalitarismusforschung, Berichte und Studien Nr. 5); weitergehend: Barkleit, Gerhard/Dunsch, Anette: Anfällige Aufsteiger. Inoffizielle Mitarbeiter des MfS in Betrieben der Hochtechnologie, Dresden 1998 (Hannah-Arendt-Institut für Totalitarismusforschung, Berichte und Studien Nr. 15).
[465] Ebd., S. 11.
[466] Ebd., S. 11f.
[467] Ebd., S. 57.
[468] Zitiert nach ebd.
[469] Ebd., S. 12.

ler Ideale und überzeugt, die DDR sei unabdingbar das historisch notwendige Gegenstück zur alten kapitalistischen Ordnung im Westen Deutschlands."[470] Und weiter: „(...) Über das, was ich zu tun und zu lassen hatte, ließ mich Rudi im Unklaren. Meine Aufgabe liege in der Perspektive und sei davon abhängig, wie sich die Dinge entwickeln. (...) Wir diskutierten nicht viel über Tagesereignisse und vor allem über die Entwicklung der DDR-Luftfahrtindustrie (die Lizenzproduktion der Iljuschin 14 wurde gerade vorbereitet), sondern er gab mir auch Aufträge zur schriftlichen Berichterstattung. So war es an der Tagesordnung, besonders umstrittene Maßnahmen oder Ereignisse einschätzen zu lassen, und zwar zunächst aus eigener Sicht, später aus der Sicht von Einzelpersonen oder bestimmten Personengruppen. Im Mittelpunkt standen dabei Fragen der politischen Entwicklung in der DDR, nach dem 17. Juni 1953 noch immer ein heikles Thema, die fachspezifischen Probleme an der Fakultät und der recht widersprüchlich verlaufende Prozess des Aufbaus der Luftfahrtindustrie. (...) In unserer Tätigkeit ging es eindeutig darum, Stör-, Sabotage- und Spionageversuche von außen rechtzeitig aufzuklären. Selbstverständlich bemühten wir uns auch, offensiv volkswirtschaftlich verwertbare Informationen zu gewinnen. Über die Tragweite meiner Informationen mit ihrem oft kritischen Inhalt oder die Personeneinschätzungen machte ich mir keine zweiflerischen Gedanken. Was ich berichtete, entsprach schließlich den Tatsachen, und diese nicht zu verheimlichen, diente dem elementaren Sicherheitsinteresse meines Landes."[471]

Die Erlebnisse des damals jungen Hans Eltgen können hier exemplarisch für andere Studenten des Leichtbau/Luftfahrtwesens dienen, von denen zweifelsohne mehrere eine Tätigkeit für das MfS eingingen, zumindest aber diesbezüglich angesprochen wurden. Die meisten Werbungen erfolgten auf der Basis der Überzeugung. Der Aufklärung des westdeutschen Gebietes kam, besonders unter der Ägide Wollwebers, hohe Priorität zu. Möglicherweise war dies gar im Bereich der Luftfahrtindustrie-Spionage das hauptsächliche Interesse des MfS. Hans Eltgen gibt mehre Beispiele in seinen Erinnerungen, in denen die Luftfahrtforschung – zumeist an den Hochschulen – in der BRD Ziel der Aufklärung war[472]. Professoren mit entsprechenden Westkontakten – wie eben Richter – waren besonders bevorzugt; ja scheint es gar ein Kriterium der Anwerbung gewesen zu sein, oder wenn diese „Drähte" fehlten, eine Beendigung der Zusammenarbeit anstand, wie es bei Prof. Claußnitzer (s. u.) der Fall war. Eine genauere Untersuchung speziell der Tätigkeit der jungen technischen Intelligenz für das MfS liegt bis jetzt nicht vor.

Auch Prof. Wilhelm Richter, der Dekan der Fakultät, wurde auf Basis der Überzeugung gewonnen. Er konnte bereits 1951, als er noch an der Bergakademie Freiberg tätig war, als GI geworben werden[473]. Aufgrund der Möglichkeit, eine Oberassistentenstelle in Freiberg anzunehmen, siedelte er in die DDR über. Als GI hatte er insbesondere an der Absicherung und zur Aufklärung von leitenden Personen der Luftfahrtindustrie gearbei-

[470] Eltgen: Ohne Chance, S. 11f.
[471] Ebd., S. 25ff.
[472] Eltgen: Ohne Chance, S. 30ff. Hier war das Institut für Flugzeugbau der TU München das Ziel.
[473] BStU, ASt. DD: AIM 933/54, Nr. I: „Personalakte eines Informators (Richter), 1963" (Bl. 185-186).

tet[474]. Da sehr viele Mitarbeiter der Flugzeugindustrie ebenso dem Lehrkörper der Fakultät angehörten – Prof. Richter alias „Schiller" gehörte ja auch dazu – hatte er über diese Personenberichte angefertigt. Neben der „Absicherungsarbeit" hatte er „besondere Aufträge zur Aufklärung in Westdeutschland sowie zur Delegationsabsicherung der Flugzeugindustrie in Westdeutschland und dem kapitalistischen Ausland durchgeführt."[475] So verfasste er Berichte über die Stimmung der Kollegen und der Studenten der Fakultät für Leichtbau als es im Jahre 1954[476] darum ging, eine Flugzeugindustrie – entgegen dem Potsdamer Abkommen – zu errichten. Wie am Beispiel Brunolf Baade beschrieben, holte der Senat Beurteilungen über Wissenschaftler, die aus der UdSSR zurückgekehrt und Spezialisten für Fachrichtungen der Luftfahrt waren, auch in der BRD, ein, und damit war Richter überhaupt nicht einverstanden[477]. Er bestätigte dem MfS, dass die Arbeit der Partei an der Fakultät sehr schlecht war, was besonders darin seinen Ausdruck fand, dass „kein richtiges Vertrauensverhältnis schon in der Leitung besteht"[478].

Zur Einschätzung seiner Person durch das MfS heißt es: „In seiner politischen Einschätzung behauptet er zwar immer ein alter Kommunist zu sein, was nicht völlig klar ist, wenn es um die restlose Durchsetzung der Linie der Partei geht. (...) In der Zusammenarbeit ist der GI als ehrlich und zuverlässig einzuschätzen."[479] Werner Richter, der Referent des Dekans, war ebenfalls für das Ministerium als IM (seit 1955, Deckname „Stamm") tätig. In Anbetracht der Reisetätigkeit, auch ins westliche Ausland, beider Personen, ist die Tätigkeit als IM weniger überraschend als wohl eher die Bedingung dafür gewesen.

Der von Barkleit zusammengestellten Liste der wichtigsten IM in der Luftfahrtindustrie[480] möchte ich noch Prof. Helmut Claußnitzer (Deckname „Kluge") hinzufügen. Er war zwar nur von kurzer Dauer für das MfS tätig und dabei nicht besonders für dieses gewinnbringend, so gehörte er aber zum wichtigsten Teil des Lehrkörpers der Fakultät für Luftfahrtwesen. Die Zusammenarbeit mit ihm wurde schon am 22. November 1954 beendet und zwar mit folgender lakonisch kurzer, aber doch zwingend logischer Begründung: „Der GI ist mit der Wahrnehmung einer Professur mit Lehrstuhl an der TH Dresden beauftragt, ist in seinen wissenschaftlichen Arbeiten sehr abgeschlossen und hat keinerlei Verbindungen."[481]

Zu einem der bedeutsamsten Operativen Vorgänge (OV) in der Geschichte der DDR-Luftfahrtindustrie und Luftfahrtforschung gehörte der OV „Ikarus"[482]. In diesem Vorgang, angelegt am 25. September 1959, wurde Material über Brunolf Baade, Fritz Freytag (Chefkonstrukteur und Technischer Direktor der FWD, Dozent an der Fakultät für Luft-

---

[474] Ebd.
[475] Ebd.
[476] Zwischen 1952 und 1954 verdoppelte sich, unter dem Eindruck des 17. Juni 1953, allein die Anzahl der IM des MfS auf über 300 000. Vgl. Mählert: Kleine Geschichte, S. 79.
[477] BStU, ASt. DD: AIM 1533/63, Nr. I (Bl. 108, 110). Aktenvermerk vom 9. Dezember 1954.
[478] Ebd.
[479] Ebd. AIM 933/54, Nr. I (Bl. 185-186). Die Akte datiert vom 27. Juni 1961.
[480] Barkleit: MfS, S. 66.
[481] BStU, ASt. DD: AIM 1533/63, Nr. I (Bl. 26).
[482] Barkleit: MfS, S. 23.

fahrtwesen) und Hannes Motsch (persönlicher Referent von Baade) gesammelt. Wichtig ist auch der 1954 angelegte OV „Projekt", der zur Überwachung von Georg Backhaus (Chefaerodynamiker der FWD, Prof. an der Fakultät für Luftfahrtwesen) bestimmt war[483].

Der Vorgang „Ikarus" war mit der Begründung des Verdachts der „Verbindung zu feindlichen Organisationen, der Sabotage und Schädlingstätigkeit"[484] angelegt worden. Es wurde besonders darauf geachtet, dass Baade nichts davon mitbekommen konnte. Es ist zu beachten, dass dies zu einer Zeit geschah (1959), als große Probleme mit dem Flugzeug 152 auftraten und der erste Prototyp gar bei einem Absturz verloren ging, bei dem die gesamte Besatzung ums Leben kam. Den wirklichen Grund dieser Ermittlungen kennt man nicht. Vielleicht war dies aber bei Kandidaten des ZK der SED, wie Baade einer war, nicht unbedingt ungewöhnlich[485].

Weitergehende Forschungen zu diesem Thema werden künftig mehr Klarheit in der Frage schaffen, wie das MfS die Hochschulfakultäten, die mit Hochtechnologie zu tun hatten, überwachte und in diese eindrang. Im Luftfahrtwesen kommt dabei der Frage der Aufklärung der Luftfahrtforschung in der BRD durch das MfS große Bedeutung zu; oder mit Ulbrichts Worten: „Mit Abwarten erreichen wir technische Spitzenleistungen höchstens im Traum."[486]

4.7 Schließung der Fakultät für Luftfahrtwesen und die Zeit danach

Mit Einstellung der Luftfahrtindustrie der DDR im Jahre 1961 kam zwangsläufig auch das Ende der akademischen Luftfahrtforschung. Auf die Gründe und Hintergründe, die zur Einstellung der Luftfahrtindustrie führten, wird im Schlusskapitel eingegangen.

Erste Gedanken, die Entwicklung und Serienproduktion von Flugzeugen einzustellen, datierten erstmals vom Juni 1960[487]. Anfänglich war auch nicht an eine vollständige Liquidierung der Luftfahrt gedacht. Eine Reduzierung des gesamten Programms wurde ebenfalls in Betracht gezogen[488]. Dieses „Stückweise-Sterben-Lassen"[489] der eigenen Luftfahrt sollte wohl auch den Zweck der Beruhigung der beteiligten Konstrukteure, Mechaniker, Techniker, Angestellten, Dozenten und Studenten erfüllen. Auch war nicht von Anfang an klar, dass es eine akademische Luftfahrtforschung überhaupt nicht mehr geben sollte. Die Fakultätsparteileitung beurteilte die Lage im März 1961 wie folgt: „Die vorliegende Grobperspektive ist nicht schlecht. Sie wird jetzt präzisiert werden. Das Einzige,

[483] Ebd.
[484] Ebd.
[485] Ebd.
[486] Ulbricht, Walter: Für die Entwicklung der Wissenschaft und Technik, in: Protokoll der Verhandlungen des V. Parteitages der Sozialistischen Einheitspartei Deutschlands, 10. Bis 16. Juli 1958 in der Werner-Seelenbinder-Halle zu Berlin, 1. Bis 5. Verhandlungstag, Band I, Berlin (Ost) 1959, S. 86-95, hier 91.
[487] Barkleit/Hartlepp: Zur Geschichte, S. 16.
[488] Ebd., S. 17.
[489] Diese Formulierung soll nicht darüber hinwegtäuschen, dass das Ende der Luftfahrtindustrie schnell beschlossen und schnell und entschieden durchgesetzt wurde.

was jetzt Not tut, ist etwas Zeit, Geduld und Studiendisziplin. Darum bitten wir. Wir warnen überhaupt vor übereilten Kurzschlussreaktionen."[490] Mit derartigen Aussagen sollten die Studenten und Dozenten der Fakultät beruhigt und von Republikfluchten abgehalten werden.

Der Politbürobeschluss zur Einstellung des Flugzeugbaus vom 28. Februar 1961 wurde erstmals am 19. März im „Neuen Deutschland" erwähnt[491]. Auf der 12. Tagung des ZK der SED stellte Walter Ulbricht fest, dass „(...) die Aufgabe, die die Partei vor Jahren gestellt hatte, eine neue Intelligenz heranzubilden, erfolgreich gelöst worden [ist]. Die Intelligenz hat ein echtes Vertrauensverhältnis zur Partei und Arbeiterklasse."[492] Dies war, in Bezug auf die Luftfahrtelite, mehr als nur Wunschdenken! Dass die Partei- und Staatsführung aber wohl weniger Vertrauen in ihre (Luftfahrt-)Elite besaß, zeigt der Fakt, dass erst am 17. Mai 1961 – also fast drei Monate nach Beschlussfassung – die Abbruchentscheidung in den Betrieben der Luftfahrtindustrie offiziell bekannt gegeben wurde[493]. Man war sich wohl darüber im Klaren, welchen Schock diese Entscheidung allen Beteiligten bereiten würde.

Wahrscheinlich war eine Entscheidung mit derartiger Tragweite schon zuvor (inoffiziell) bekannt geworden. Denn schon im März 1961 fanden Beratungen über die weitere Zukunft der Fakultät statt. Viele Dozenten der Fakultät waren ebenso überrascht wie die Mitarbeiter in der Luftfahrtindustrie und wurden mit der Schließung der Fakultät kurze Zeit später um all ihre bisherigen Erfolge und Leistungen gebracht – ja es wurde ihnen ein Stück ihres Lebenswerkes genommen.

Dennoch heißt es in einem zeitgenössischen Werk über die Wissenschafts- und Hochschulpolitik der SED für den Zeitraum von 1956 bis 1961: „Die Aufgabe, eine neue Intelligenz heranzubilden und sie mit der alten Intelligenz zu verschmelzen, wird in dieser Periode im Wesentlichen vollendet. Die Leistungen der Intelligenz der DDR tragen im hohen Maße zur Hebung des Ansehens und der Autorität der Hochschulen und der Wissenschaft im In- und Ausland bei und werden zum Vorbild für Westdeutschland."[494] Welch ein Euphemismus in Bezug auf die Luftfahrtelite; die Kluft zwischen alter und neuer (technischer) Intelligenz hätte kaum tiefer sein können! Die anderen Aussagen treffen für die Fakultät auf jeden Fall zu. Aber in dem Jahr, in dem die Ausbildung an der Hochschule die größten Erfolge verzeichnete und Forschung und Lehre sich konsolidiert haben, endete sogleich wieder alles.

Bestürzung und Kopflosigkeit über den Abbruchentscheid setzten in der Fakultät in dem Maße ein, wie der Umfang und die Reichweite dieses Entscheides immer deutlicher

---

[490] SAPMO – BArch: IV 2/9.04, Nr. 354: "Lagebeurteilung der Fakultätsparteileitung."
[491] Barkleit/Hartlepp: Zur Geschichte, S. 54; ND vom 19. März 1961, S. 3A. Bruno Leuschner sprach in seiner Funktion als Vorsitzender der SPK auf der 12. Tagung des ZK über „Aufgaben des Volkswirtschaftsplans 1961". In wenigen Zeilen des langen Artikels wird das Ende der Flugzeugproduktion verkündet: „(...) Neue Kapazitäten aber würden gewaltige Investitionsmittel erfordern, vor allem auch hochmoderne Maschinen und Ausrüstungen. Deshalb hat das Politbüro beschlossen, dafür die Kapazitäten unserer Flugzeugindustrie einzusetzen."
[492] Schwertner/Kempke: Wissenschafts- und Hochschulpolitik, S. 38.
[493] Barkleit/Hartlepp: Zur Geschichte, S. 54.
[494] Schwertner/Kempke: Wissenschafts- und Hochschulpolitik, S. 39.

wurden. Zunächst war, wie gesagt, nicht bekannt, dass die gesamte akademische Luftfahrtforschung beendet werden sollte. Selbst Prof. Baade, der Mitglied der Plankommission war, konnte sich eine derartige Entwicklung nicht vorstellen und protestierte sogar dagegen, dass für das Herbstsemester 1961 nur noch 60 Studenten an der Fakultät
aufgenommen werden sollten[495]. In den ersten derartigen Aussprachen und Beratungen
über die veränderte Situation der Fakultät machte Baade noch Überlegungen über die zu-
künftige Ausbildung und die neu zu immatrikulierenden Studenten[496]. Bis Anfang April
wurde allgemein noch angenommen, dass zumindest eine abgespeckte oder wie auch immer geartete Form der akademischen Luftfahrtforschung erhalten bleiben würde. Besonders der Flugzeugbau sollte weiter unterrichtet werden, da nach Baades Meinung „es darauf ankommt, die Erkenntnisse des Flugzeugbaus auf alle anderen Industriezweige zu
übertragen. Im gegenwärtigen Zustand ist es so, dass die Erkenntnisse des Flugzeugbaus
ungenügend oder gar nicht in den anderen Industriezweigen angewandt werden."[497] Seiner Meinung nach sollte die Fakultät weiterhin Ingenieure ausbilden, die in der Lage sind,
die Erkenntnisse des Flugzeugbaus umfassend in allen Industriezweigen anzuwenden. Eine Aufteilung der Fakultät kam für ihn nicht in Frage. Daher wurde ein „Zentralinstitut
für Leichtbau" vorgeschlagen. Über die weitere Verwendung der Windkanäle wurde in-
tensiv debattiert.

Zu diesem Zeitpunkt verlor auch die NVA jegliches Interesse an einer Zusammenarbeit mit der Hochschule: „An Hochschulkadern ist das Ministerium für Nationale Verteidigung auf dem Gebiet des Luftfahrtwesens nicht interessiert, da derartige Kader eine
Spezialausbildung in der Sowjetunion erhalten. Es besteht lediglich ein Interesse an jährlich 2 Absolventen. Diese Absolventen könnten, falls eine Ausbildung noch gerechtfertigt
wäre, (wenn also andere Bedarfsträger reales Interesse haben) mit aufgenommen werden.
Ansonsten könnten diese beiden Kader ebenfalls in der Sowjetunion ausgebildet werden."[498]

Besonders die Fakultätsparteileitung wurde nicht müde, gekünstelten Zweckoptimis-
mus zu verbreiten. Auch sie ging natürlich davon aus, dass „unsere Fakultät erhalten
bleibt."[499] Sie ging sogar noch von einem Weiterbestehen der Flugzeugwerke aus und
machte folgende Aussage: „Die Profiländerung der Fakultät wird in Richtung auf den allgemeinen Leichtbau gehen und wird den *Bedarf des Werkes* (Hervorh. durch d. Verf.) in
seiner jetzigen Perspektive zu befriedigen versuchen. Welche Umstellungen dazu im Einzelnen erforderlich sind, kann begreiflicherweise jetzt noch nicht endgültig gesagt werden.
War bisher die Flugzeugindustrie *der Stachel für die Qualität* (Hervorh. durch d. Verf.) vieler
Erzeugnisse unserer Industrie, so soll in Zukunft diese Rolle der Automatisierungsbetrieb

[495] Arch TUDD: Fakultät für Luftfahrtwesen: Nr. XX/9a.
[496] SAPMO – BArch: IV 2/9.04, Nr. 354.
[497] Ebd.
[498] Ebd.
[499] Ebd.

übernehmen."[500] Diesem etwas kryptischen Schlusssatz schickte man den gut gemeinten Rat, nicht in Panik zu verfallen, hinterher.

Die Ereignisse überschlugen sich geradezu in den Monaten März und April 1961. Am 15. März wurde die Bildung des Zentralinstituts für Leichtbau (ZIL) beschlossen[501]. Anfang April herrschte unter den Mitarbeitern der Fakultät große Bestürzung und Ratlosigkeit. Der einzige Punkt der Tagesordnung der außerordentlichen Fakultätsratssitzung vom 7. und 11. April bestand in der „Neuorganisation der Fakultät für Luftfahrtwesen"[502]. Darin heißt es beispielsweise: „Zu Beginn der Diskussion über die Möglichkeiten einer Neuorganisation der Fakultät wurde von Herrn Prof. Dr. Claußnitzer zum Ausdruck gebracht und eingehend begründet, dass nach Einstellung des Flugzeugbaus seine bisher vertretene Fachrichtung Luftfahrtgeräte kaum noch eine Existenzberechtigung hat und dass andererseits die fachliche Verwandtschaft zur Fakultät für E-Technik dadurch wesentlich stärker als bisher geworden ist. (...) Demgemäß ist der Fakultätsrat damit einverstanden, wenn Herr Prof. Dr. Claußnitzer und seine Institutsmitarbeiter aus der Fakultät ausscheiden und gegebenenfalls der Fakultät E-Technik angegliedert werden. (...) Durch diese ernste Entscheidung ist es nun aber überhaupt erst möglich geworden, einen Vorschlag für die Neuorganisation der Fakultät auszuarbeiten, der die verbleibenden Institute und Fachrichtungen unter einen gemeinsamen Gesichtspunkt stellt, wodurch das weitere Bestehen der Fakultät entsprechend begründet werden kann. Der Fakultätsrat ist diesbezüglich zu folgendem Ergebnis gekommen: In der Besprechung am 30. 3. 1961 mit dem stellvertretenden Staatssekretär Tschersich (im Beisein von Herrn Dipl. Ing. Günther) und dem Rektor wurde diesbezüglich der Perspektive unserer Fakultät zum Ausdruck gebracht, dass die allgemein bekannte günstige Einflussnahme der Luftfahrttechnik auf die verschiedensten Industriezweige bei den neuen Überlegungen für den Neuaufbau unserer Fakultät Berücksichtigung finden sollte. Die Fakultät muss es als ihre künftige Lehr- und Forschungsaufgabe betrachten, die Erkenntnisse, Methoden und das Wissen, das in den einzelnen Fachrichtungen des Flugzeugbaus von den Professoren und ihren Mitarbeitern in jahre- und jahrzehntelanger Arbeit als Erfahrungswissenschaft erarbeitet wurde, in Zukunft theoretisch vertieft an die Studenten weiterzugeben[503]. (...) Wir sollen also unsere bisher nur dem Luftfahrtwesen dienende wissenschaftliche Arbeit in Zukunft auf die Erziehung und Ausbildung speziell ausgerichteter Diplomingenieure der ‚angewandten Mechanik' konzentrieren."[504] In der neuorganisierten Fakultät sollte künftig die Möglichkeit

---

[500] Ebd.
[501] BArch, Abt. DDR, DE 1/14442 (Bl. 457). Die konkreten Aufgaben für das ZIL waren wohl erst Anfang April genauer definiert worden.
[502] Arch TUDD: Fakultät für Luftfahrtwesen: Nr. XX/10.
[503] Der genannten Aufgabe Rechnung tragend, hätte diese Fakultät die Bezeichnung „Fakultät für angewandte Mechanik und Flugwissenschaft" erhalten sollen, um im Namen wie bisher sich klar von anderen Fakultäten zu unterscheiden und zum Ausdruck zu bringen, dass die bisher nur der Luftfahrt dienende Ausbildung zukünftig auf eine allgemeine Ausbildung der Absolventen ihre Anwendung finden soll. Die Räumlichkeiten in der Hochschule wären zum Teil dieselben geblieben, ebenso wie Teile des Personals. Arch TUDD: Fakultät für Luftfahrtwesen: Nr. XX/9a.
[504] Ebd.

bestehen, „sich mit wissenschaftlichen Problemen der Luftfahrt und in späterer Zukunft der Raketentechnik zu befassen". Die Fakultät war nach wie vor der Ansicht, dass nach Einstellung des Flugzeugbaus in der DDR eine künftige „Fakultät für angewandte Mechanik und Flugwissenschaften" die berufene Stelle sei, die für die Behandlung flugwissenschaftlicher Probleme und die Abhaltung entsprechender Lehrveranstaltungen zuständig wäre und ohne die ein wesentlicher Zweig der modernen Ingenieur-Wissenschaften fehlen würde.

Das Protokoll datierte bezeichnenderweise vom 12. April 1961. An jenem denkwürdigen Tag startete Juri Gagarin als erster Mensch in den Weltraum; und zwar mit der damals weltweit modernsten sowjetischen Rakete (R 7 „Wostok")[505], die mit dafür sorgte, dass dann die UdSSR aufgrund der neuesten Raketentechnik keine Bombenflugzeuge mehr benötigte und freie Kapazitäten im Zivilflugzeugbau hatte. Nicht ohne Grund also wird hier auf etwaige Forschungen auf dem Gebiet der Raketentechnik hingewiesen. Man hatte die Zeichen der Zeit erkannt.

Bald wurde klar, dass es diesmal – im Gegensatz zu 1953 – keine Möglichkeit für eine Erneuerung oder Weiterführung einer akademischen Luftfahrtforschung gab. Dies betraf wohl am härtesten die Studenten direkt, die jung und idealistisch an die Zukunft ihrer Ausbildung und einer DDR-eigenen Luftfahrt glaubten und ihre gesamten Energien darauf verwendet hatten. Auch das MfS war über diese Entwicklungen besorgt und beauftragte den GI „Schiller" – also den Dekan Wilhelm Richter – eine Einschätzung der Stimmungslage der Studenten und deren Situation zu erstellen. Er stellte fest, dass manche seiner Studenten nicht mehr im Kollegium erschienen, was nie zuvor der Fall gewesen war. In der Diskussion, die er schließlich mit ihnen führen musste, kristallisierten sich v. a. zwei Dinge heraus: Erstens wollten einige Studenten noch unbedingt schnell die Fakultät wechseln. Er empfahl ihnen, das nicht zu tun. „Weiteren Studenten konnte ich leicht ausreden, in Panik zu verfallen und die Fakultät zu wechseln."[506] Zweitens beklagten sich einige Studenten über „überspezialisierte" Vorlesungen und Seminare einiger Professoren, die ihnen den Eindruck vermittelten, nicht genügend auf die Praxis oder verwandte Aufgabenfelder vorbereitet zu werden.

Auch mit den höheren Semestern musste sich Prof. Richter in Diskussionen auseinandersetzen. Ihre Sorgen waren vornehmlich diese: „Welche Arbeit wird uns demnächst vermittelt werden?" und „Ist es möglich, in einer befreundeten Volksrepublik Arbeit zu bekommen?" Bezüglich der künftigen Tätigkeiten konnte er die Studenten überzeugen, dass sie die Dinge beruhigt abwarten könnten. Zum zweiten Punkt vertrat er die Meinung, „dass dies wohl schwer sein werde, da die Staaten fast alle selbst Studierende ausbilden. Es meldeten sich fünf Studenten, die bereit waren ins sozialistische Ausland zu gehen."[507]

[505] Hall, Rex/Shayler, David J.: The Rocket Men. Vostok & Voskhod, the first Soviet manned Spaceflights, Berlin/London 2001, S. 29ff., 78ff.
[506] BStU, Ast. DD: AIM 1533/63, Nr. IV: „Arbeitsvorgang über ‚Schiller' (Richter)" (Bl. 177f.).
[507] Ebd. Der Bericht datiert vom 21. März 1961.

In der Politbürositzung vom 8. August 1961 wurde der Bericht der „Partei- und Regierungskommission zur Umstellung der Betriebe und Einrichtungen der Luftfahrtindustrie" vorgetragen. Darin wurde festgestellt, „dass bisher, wie die Analyse der Republikfluchten zeigt, acht Kader (davon fünf von der TH) aufgrund der Umstellung republikflüchtig wurden. Eine Republikflucht von leitenden Kadern trat nicht ein. Viel mehr Kopflosigkeit gab es bei einem Teil der jungen Intelligenz, insbesondere bei den Studenten der Fachschule und Fakultät für Luftfahrtwesen an der TH Dresden."[508] Nach anderen Angaben wurden innerhalb von drei Wochen sechs Studenten republikflüchtig. Zwei von diesen hatten dann aus West-Berlin geschrieben, dass „sie die DDR deshalb verlassen haben, weil sie keine Perspektive im weiteren Studium an der TH sahen"[509].

Um der Verwirrung und einer möglichen Abwanderung der Studenten und Mitarbeiter in die Bundesrepublik entgegenzutreten und „um das dringende Problem der Absolventen 1961 nicht länger aufzuschieben", organisierten am 7. April die TH und die Ingenieurschule für Flugzeugbau Dresden eine Dienstreise der Abteilung Planung der VVB zur SPK, Abteilung Kultur, Volksbildung, Gesundheits- und Sozialwesen: Doch „die Vertreter der SPK waren auf diese Problemkreise nicht vorbereitet."[510] Aus dem akuten Handlungsbedarf heraus wurden dennoch vor Ort folgende Festlegungen getroffen: 1. In den VEB Flugzeugwerke Dresden und in das Forschungszentrum der Luftfahrtindustrie sollten nach Möglichkeit keine Absolventen des Jahrgang 1961 vermittelt werden. 2. Überließ man es der TH und der Ingenieurschule in welche Schwerpunktindustriezweige sie ihre Absolventen vermittelten. Diese Schwerpunkt-VVBen waren durch den Vertreter der SPK der VVB Flugzeugbau benannt worden. Daraufhin ließ 3. die SPK diesen VVBen schriftlich Bescheid über die zusätzlichen Einstellungsmöglichkeiten dieser Hoch- und Fachschulabsolventen zukommen und „diese Angelegenheit als sehr dringend bekannt geben."[511] Offenbar waren alle 42 Absolventen des Jahres 1961 mit ihren erfolgten Vermittlungen zufrieden. Von den 111 Absolventen für 1962 stimmte dann ebenso alle (mit einer Ausnahme, die „weniger zufrieden" war) ihrer Arbeitsplatzvermittlung zu.

In der Anweisung Nr. 7/1961 des Staatssekretariats für das Hoch- und Fachschulwesen über die Bildung einer Abteilung „Angewandte Mechanik" und die Überführung der Institute der ehemaligen Fakultät für Luftfahrtwesen an die fachlich zuständigen Fakultäten der TH Dresden vom 15. Mai 1961, unterzeichnet von Staatssekretär Dr. Girnus, wurde ausgeführt, dass „die rasche Überführung der neuesten Ergebnisse der mathematischen und naturwissenschaftlichen Forschung in die Produktion die Ausbildung von Hochschulingenieuren mit verstärkten Kenntnissen auf den Gebieten der angewandten Mathematik und Physik [erfordert]. Zahlreiche europäische Länder führen bereits eine

[508] Barkleit/Hartlepp: Zur Geschichte, S. 28. Nach Barch, Abt. DDR, DE 1/8122 (Bl. 84-130) waren es neun Angehörige und Studenten der Fakultät, die bedingt durch Auflösung des Industriezweiges die DDR verließen.
[509] SAPMO – BArch: IV 2/9.04, Nr. 354 (Bl. 193). Brief an die ZK für Staatliche Kontrolle über „Republikflucht an der TH Dresden. 12. Plenum – Umstellung der Luftfahrtindustrie der DDR und Auswirkungen an der Fakultät für Luftfahrtwesen der TH Dresden", vom 21. April 1961.
[510] BArch, Abt. DDR, DE 1/8114 (Bl. 86-93).
[511] Ebd.

solche Ausbildung durch, und auch in der Deutschen Demokratischen Republik ist die Ausbildung von Diplom-Ingenieuren mit vertiefter theoretischer Ausbildung an der Technischen Hochschule Otto von Guericke, Magdeburg, und an der Universität Rostock bereits aufgenommen worden."[512] Um die maximale Nutzung der Lehr- und Forschungseinrichtungen der Technischen Hochschule zu gewährleisten, wies das Staatssekretariat für das Hoch- und Fachschulwesen „im Zusammenhang mit den Veränderungen in der Produktion des Flugzeugbaus" Folgendes an:

„§ 1: Mit Wirkung vom 1. September 1961 ist an der Fakultät für Maschinenwesen der Technischen Hochschule Dresden eine Fachrichtung ‚Angewandte Mechanik' zu schaffen und mit der Ausbildung zu beginnen. Um den Belangen dieser Ausbildung Rechnung zu tragen, ist aus den dafür in Frage kommenden Instituten der Fakultät für Maschinenwesen und der ehemaligen Fakultät für Luftfahrtwesen eine Abteilung ‚Angewandte Mechanik' zu bilden.

§ 2: Mit Wirkung vom 31. August 1961 wird die Fakultät für Luftfahrtwesen an der Technischen Hochschule Dresden aufgelöst. Die an der Fakultät für Luftfahrtwesen vorhandenen Institute und deren wissenschaftlichen Einrichtungen werden wie folgt an die fachlich zuständigen Fakultäten der Technischen Hochschule Dresden angegliedert:

- Institut für angewandte Aerodynamik an die Fakultät für Maschinenwesen,
- Institut für Flugzeugfestigkeit an die Fakultät für Maschinenwesen,
- Institut für Flugzeugkonstruktion an die Fakultät für Maschinenwesen,
- Institut für Luftfahrtgeräte an die Fakultät für Elektrotechnik,
- Institut für Strahltriebwerke an die Fakultät für Maschinenwesen,
- Institut für Flugzeugfertigung an die Fakultät für Technologie."[513]

In weiteren Paragraphen wurde festgelegt, dass die Ausbildung der Studenten des fünften und sechsten Studienjahres noch nach den bisher an der Fakultät für Luftfahrtwesen gültigen Studienplänen ausgebildet werden und für die Studierenden des vierten Studienjahres nach Sonderstudienplänen, die den späteren Berufseinsatz berücksichtigten, ausgebildet werden würden. Weiterhin wurde für Studenten des vierten bis sechsten Studienjahres die Möglichkeit eines ein- bis zweisemestrigen Zusatzstudiums an den Technischen Fakultäten der TH Dresden eingeräumt[514].

Das ehemalige Institut für Angewandte Aerodynamik wandte sich nun vor allem zwei neuen Forschungsrichtungen zu. Zum einen der Lehre und Forschung auf dem Gebiet des Wärme- und Stoffübergangs in Strömungen und zum anderen der Forschung auf dem Gebiet der Wind- und Wasserkanaltechnik, „da eine Stilllegung der vorhandenen Anlagen nicht in Frage kam." Die Vertragsforschung mit der Industrie wurde nahtlos fortgesetzt und ausgebaut (etwa mit AGFA Wolfen). Prof. Richter betonte, dass „die neuen Aufgaben des Instituts von größter Bedeutung einerseits für eine moderne energiesparende Wärme-

[512] Arch TUDD: Fakultät für Luftfahrtwesen: Nr. XX/10; Hartlepp: Luftfahrtausbildung, S. 194.
[513] Ebd.
[514] Ebd. S. 194f.

technik, andererseits für materialsparende Bauweisen bzw. für Sicherheit gegen Winddruck sind." Im Jahresbericht 1962 konnte festgestellt werden, dass „die Umstellung des Instituts von den Aufgaben des Luftfahrtwesens auf solche der angewandten Hydro- und Aerodynamik unter ausschließlicher Berücksichtigung von technischen Belangen, die nichts mehr mit dem Luftfahrtwesen zu tun haben (...) in großen Zügen als abgeschlossen gelten."[515] Die beiden seit 1957 vom Forschungszentrum der Luftfahrtindustrie übernommenen Windkanäle wurden wieder an das Institut zurückgegeben und bis 1962 fertiggestellt. Stellvertretend für die Sorgen der einzelnen Institute und ihrer Direktoren der ehemaligen Fakultät für Luftfahrtwesen kann folgender Wunsch Prof. Richters stehen: „Wir hoffen, dass das Institut auch nach dem Wegfall der Luftfahrtindustrie eine nicht wegzudenkende Einrichtung an unserer Universität bleiben wird, zumal die vorhandenen großen Strömungsanlagen auch zur Lösung zahlreicher Aufgaben unserer Industrie benötigt werden, die mit Luftfahrtwesen nichts zu tun haben."[516] Ganz so einfach gestaltete es sich jedoch nicht, für die Wind- und Strömungskanäle sinnvolle Anwendungen in der Vertrags- und Industrieforschung zu finden. Für den Hochgeschwindigkeitskanal wurden in der ersten Zeit nach der Umstellung nur wenige Wünsche seitens der Industriezweige geäußert. Diese stammten meist aus der Pyrotechnischen Industrie, die sich u. a. mit Zündzeitpunktproblemen beschäftigten[517].

Im Zuge der Überführung des Industriezweiges wurden im Institut für Flugzeugkonstruktion Vorschläge zur Bildung einer Fachrichtung und eines Instituts „Flugtechnik". Der dafür mit dem Ministerium und Prof. Landmann zwischen Mai und Juli 1961 geführte Schriftverkehr führte jedoch zu keinem Ergebnis[518].

Das Institut für Flugzeugkonstruktion beschäftigte sich nach der Umstellung der Fakultät mit Teilaufgaben für Bauteile aus glasfaserverstärkten Kunststoffen (GfK) für den Maschinenbau. In einigen Fällen wurde für den Sonderschiffbau der DDR sowie den Fahrzeugbau gutachterliche Tätigkeit über Einsatzfragen von GfK ausgeübt. Intensivere Zusammenarbeit entstand mit dem VEB Waggonbau Görlitz, wo sich Achslenkfedern aus dem Institut in Erprobung befanden. Nach den dabei erwarteten günstigen Ergebnissen, würde durch den Serienbau ein Engpaß beseitigt werden, der „sich auf bessere Exportmöglichkeiten der in Frage kommenden Wagen auswirkt"[519].

Im August 1961 wurde das Institut für Strahltriebwerke der Fakultät für Maschinenwesen angegliedert und in das Ausbildungsprogramm der Fachrichtung „Kraft- und Arbeitsmaschinen" einbezogen. Dies brachte es mit sich, dass die bisher am Institut gehaltenen Vorlesungen, die sich im allgemeinen nur auf Strahltriebwerke bezogen, in kürzester Zeit zum Teil völlig neu überarbeitet werden mussten, um sie dem Rahmen des Turbomaschinenbaus einzupassen. Zu Beginn des Herbstsemesters wurden diese Arbeiten in

[515] BArch, Abt. DDR, DF 4/52751.
[516] Ebd.
[517] BArch, Abt. DDR, DE 1/14442 (Bl. 474f.).
[518] SAPMO-BArch: IV 2/9.04, Nr. 354 (Bl. 188-190).
[519] Ebd. DF 4/52749.

Angriff genommen und waren bis Mitte 1962 abgeschlossen. Die Studenten der Immatrikulationsjahrgänge 1958 bis 1961 der ehemaligen Fachrichtung Strahltriebwerke wurden der Fachrichtung „Kraft- und Arbeitsmaschinen" angeschlossen und setzten ihr Studium nach dem neuen Studienplan dieser Fachrichtung fort. Die Studenten der Immatrikulationsjahrgänge 1956 und 1957 beendeten das Studium nach dem Arbeitsplan der Fachrichtung Strahltriebwerke. Die Umstellung auf den Turbomaschinenbau hatte eine wesentliche Erweiterung des Aufgabengebietes des Instituts zur Folge. Bei der Auswahl der neuen Forschungsthemen konzentrierte sich das Institut auf dem Gebiet „Festigkeit und Schwingungen" hauptsächlich auf Fragen der Frequenz- und Sicherheitsberechnung schwingender Schaufeln und auf dem Gebiet der „Strömungstechnik" auf Auslegungsfragen für Verdichterbeschaufelungen. So wurden 1962 von der Abteilung „Festigkeit und Schwingungen" des Instituts im Rahmen des „Maßnahmeplanes zur Beseitigung der Mängel und Schwächen der 50- bzw. 100-MW-Kondensatorturbine Lübbenau" Forschungsaufträge bearbeitet[520].

Besonders Prof. Richter und Prof. Baade hatten immer wieder darauf gehofft, dass es einer „kleinen Rumpfmannschaft" möglich sein sollte, weiterhin wenigstens gezielt an aerodynamischen und luftfahrttechnischen Belangen zu forschen, um die ebenso wertvollen wie mühsam erworbenen Fähigkeiten und Kenntnisse nicht versacken und versanden zu lassen. Eine – wenngleich wohl für viele Wissenschaftler nicht adäquate – Möglichkeit hierfür bot der „Vorschlag zur Bildung des Zentralinstituts für Leichtbau" (ZIL). Dieser basierte auf den Ausführungen Leuschners vom 15. März – vier Tage nach Schluss der Leipziger Messe, auf der man schon auf die Ausstellung der eigenen Luftfahrterzeugnisse verzichtet hatte – und wurde folgendermaßen begründet: „Bei der Gründung der Luftfahrtindustrie der DDR hatte diese neben dem Bau und der Entwicklung von Flugzeugen, Triebwerken und Geräten die Aufgabe, den Leichtbau zur Durchsetzung der Forderungen auf Einsparung von Material, Konstruktionsgewichten und Antriebsleistung in den übrigen Industriezweigen zu fördern. Bei der Umstellung der Luftfahrtindustrie auf andere volkswirtschaftlich wichtige Aufgaben wurde deshalb durch Beschluss der SPK vom 15. 3. 1961 festgelegt, dass diese Aufgaben durch ein noch zu bildendes ZIL in Zukunft verstärkt fortgeführt werden."[521] Neben Baade als Leiter und Generalkonstrukteur gehörten weitere 20 Personen aus der ehemaligen Luftfahrtindustrie und anderer Industriezweige der Kommission zum Aufbau des ZIL an. Das künftige Aufgabenspektrum sollte sich auf Untersuchungen aus dem Schwingungs-, Schall- und Wärmegebiet, „deren Erkenntnisse besonders wichtig sind im Hinblick auf Ermüdungsfragen von metallischen Werkstoffen, ihre Auswahl und Dimensionierung und zur Erreichung leichter Baugewichte für Gesamtkonstruktionen", erstrecken. Darunter fielen drei größere Schwerpunktforschungsbereiche: 1. Forschungs- und Berechnungsaufgaben auf dem Gebiet der theoreti-

---

[520] Ebd., DF 4/51051.
[521] Ebd., DE 1/14442 (Bl. 457). Baade betonte in einem Schreiben vom 8.4.1961, dass nur „ein Teil" der in der Luftfahrtindustrie vorhanden gewesenen Kapazitäten ins ZIL überführt werden sollten (Bl. 175). Offenbar zählte er hierzu auch Teile der Hoch- und Fachschulkapazitäten im Bereich Luftfahrtwesen.

schen und angewandten Strömungslehre, 2. die Untersuchung komplexer Schwingungs- und dynamischer Vorgänge, z. B. Untersuchungen von Schwingungsvorgängen vom Motor bis zur Schiene bzw. des ruhigen Laufes von Fahrzeugen und 3. allgemeine Aufgaben der Physik, insbesondere auf dem Gebiet der Kühl- und Wärmetechnik.

Der Knackpunkt allerdings blieb auch trotz der Gründung des ZIL, das Ende April 1961 in Wissenschaftlich-Technische Versuchsanstalt der Industrie (WTV) umbenannt wurde[522], bestehen und lässt sich mit den Worten Baades wiedergeben: „Infolge der hohen Qualifikation der Mitarbeiter und ihrer internationalen Bedeutung ist es aber nicht möglich, allein mit diesen Aufgaben die vorhandenen Fachkader restlos auszulasten. Es ist deshalb mit der AdW zu klären, ob die bisher betriebene Grundlagenforschung auf dem Gebiet der Strömungstechnik, z. B. zu Problemen der Grenzschichttheorie, der Zirkulationsbeeinflussung usw., auch nach dem Aufhören des Bestehens einer Luftfahrtindustrie als Grundlagenforschung durch diese Abteilung weitergeführt werden muss, um auf diesem wichtigen Zweig der Naturwissenschaften zumindest eine kleine Gruppe in der DDR, die in Zusammenarbeit mit der Akademie ihre Aufgaben durchführen könnte, beizubehalten.“[523] Die daraufhin in der „Windkanalkommission" betriebenen intensiven Kontroversen um die weitere Nutzung der Wind- und Strömungskanäle konnten nicht verhindern, dass letztendlich derartige Forschungen in Zukunft nur noch im Bereich des Fahrzeugbaus und zusammen mit der AdW in Berlin geschahen[524]. Auch die Luftfahrtforschung hatte nun, neben dem Industriezweig, ihre Existenz in der DDR beendet[525].

---

[522] Ebd. Die Namensänderung wurde deshalb vorgenommen, weil der Begriff „Leichtbau" tautologisch erschien, da die Industrie insgesamt ohnehin angehalten war, Leichtbau zu betreiben.

[523] BArch, Abt. DDR, DE 1/14442 (Bl. 457).

[524] Lorenz: Passagier-Jet 152, S. 202; Arch TUDD: Bestand Rektorat Nr. 515, I/517.

[525] An der Universität Halle beschäftigte sich der Mathematiker Hans Schubert (1908-1987) auch weiterhin mit Problemen aus der Luftfahrtforschung (wie etwa Strömungsberechnungen). Seit 1954 war er Mitglied der Wissenschaftlichen Gesellschaft für Luftfahrt e.V. und gab bis an sein Lebensende die Zeitschrift für angewandte Mathematik und Mechanik (ZAMM) heraus. 1966 betreute er eine Dissertation mit dem Thema „Untersuchungen einer linearen singulären Integrodifferentialgleichung der Tragflügeltheorie"; siehe www.mathematik.uni-halle.de/history/schubert/index.html. Auch der kleine in den 1920er Jahren von Hermann Schrenk erbaute Windkanal war bis in die 1970er Jahre beim meteorologischen Observatorium in Lindenberg (südlich von Berlin) in Betrieb. Mit einer erzeugbaren Strömungsgeschwindigkeit von max. 200 km/h war er wohl nur noch für meteorologische Belange zu verwenden. Heute kann man ihn im Deutschen Technikmuseum in Berlin sehen.

5. Schlusskapitel

„Die Hallen waren weit und hoch, die Straßen dazwischen breit, und überall blühten Rosen. Denn dieser Betrieb war errichtet worden, als der Ehrgeiz der DDR-Führung dahin ging, eine eigene Flugzeugindustrie aufbauen zu wollen. Rümpfe und Tragflächen hatten hier montiert, Flugzeuge mit Spannweiten bis fünfzig Meter über die Werkstraßen gezogen werden sollen, aber dann war alles anders gekommen: Der Prototyp war an einem Schornstein zerschellt, bald darauf hatte man gefunden, dass es doch nicht rentabel sei, im kleinen Land einen Alleingang zu wagen, und dass man die benötigten Flugzeuge besser in der Sowjetunion kaufte. Milliarden waren verpulvert. – L. entsann sich, dass er auf dem Zuchthaushof von Bautzen mit einem der geschassten Lenker dieses hochfliegenden Unternehmens Volleyball gespielt hatte; der Mann war, wenn L. sich recht erinnerte, wegen Sabotage, Spionage und einigen minderen Delikten zu zweimal lebenslänglich plus zehn Jahren Zuchthaus verurteilt worden. Also halt und kehr – nun wurden hier Kühlaggregate gebaut, man wäre auch mit halb so großen Hallen ausgekommen, aber natürlich arbeitete es sich gut in Licht und Luft."[526] So die Schilderung von Erich Loest („L."), der mit kurzen, aber viel sagenden Worten, die nur der talentierte Schriftsteller intuitiv so zu setzen versteht, dass eine äußerst vielschichtige Problemstellung schon *fast* vollständig umrissen ist, die Situation in der DDR nach dem Ende der Luftfahrtindustrie beschreibt. Millionen Mark waren in ein Prestigevorhaben investiert worden. Nicht genug damit, dass hunderte mehr oder weniger frustrierte Arbeiter, Techniker und Ingenieure eine neue Tätigkeit annehmen mussten und der anvisierte ökonomische Gewinn und das erhoffte internationale Prestige dahin waren, sondern das noch vor der endgültigen Einstellung der Flugzeugproduktion dort Gebrauchsgüter, wie Kühlaggregate, landwirtschaftliche Geräte oder einfach Gartenmöbel[527], zur Auslastung des Werkes hergestellt werden mussten. Vermutlich kamen dabei einigen älteren Angestellten der Flugzeugwerke Erinnerungen an den November 1945 in den Sinn, als bei Junkers in Dessau Milchkannen, Schubkarren oder Kochtöpfe produziert wurden[528].

Wie ist das Ende der DDR-Luftfahrtindustrie zu erklären und musste die akademische Luftfahrtforschung einen ähnlichen Weg gehen wie die Flugzeugwerke – quasi „Gartenmöbelforschung" betreiben?

Es wurde bereits darauf hingewiesen, dass mindestens seit 1959 seitens der SPK Überlegungen bestanden, den Flugzeugbau als Industriezweig umzustrukturieren oder ihn gar gänzlich aufzulösen[529]. Zunächst einmal, nach anfänglicher Sonderstellung der Luftfahrtindustrie, wurde der Industriezweig wieder in einen „normalen" Status der Volkswirt-

---

[526] Loest, Erich: Der vierte Zensor. Vom Entstehen und Sterben eines Romans in der DDR, Köln 1984, (Edition Deutschlandarchiv), S. 7.
[527] Das Magazin „Der Spiegel" informierte damals seine Leser über das Ende der Luftfahrtindustrie in der DDR mit der Mitteilung: „DDR-Flugzeugbau: Typ Gartenmöbel" (Nr. 14/1961, S. 94-96).
[528] Prott/Budraß: Demontage und Konversion, S. 312.
[529] Barkleit/Hartlepp: Zur Geschichte, S. 16ff; Ciesla: Transferfalle, S. 206.

schaft zurückgestuft[530]. Als sich die DDR zu Beginn der 1950er Jahre dazu entschlossen hatte, eigene Flugzeuge konstruieren und bauen zu wollen, entschloss man sich damit zu einem gewaltigen Neuanfang. Einen Wiederanfang konnte man dies eigentlich nicht nennen, denn was war auf dem Gebiet DDR schon (noch) an materiellen Erfordernissen vorhanden, die ein solches Projekt rechtfertigen würden? Fast alles war entweder Reparationen, Restriktionen, Demontagen oder Kriegszerstörungen zum Opfer gefallen. Das einzige Kapital, auf das man wirklich zurückgreifen konnte, waren die Spezialisten der Luftfahrtelite des Dritten Reiches und die teilweise noch vor Ort verbliebenen Facharbeiter, mit deren Können, Wissen und Willen zur Arbeit am Projekt alles stand oder in sich zusammenfallen musste. Trotz all der Zerstörungen, die der Krieg und die Demontagen mit sich brachten, ergaben sich doch daraus auch Chancen für die Luftfahrtforschung vieles im Detail zu verbessern, was wieder neu errichtet und rekonstruiert werden musste. Was vielleicht einerseits die Innovationsfähigkeit des Forschungszweiges erhöhte, andererseits aber auch die Pfadabhängigkeit innerhalb der Luftfahrtforschung verstärkte.

Nach dem 17. Juni 1953 wollte die Partei- und Staatsführung nur noch Zivilflugzeuge bauen lassen und ging damit ein hohes wirtschaftliches Risiko ein. Als dem Industriezweig 1960 die Sonderstellung entzogen wurde, war es dafür noch zu früh, und die enorm hohen Kosten konnte man „nicht durch ein Militärbudget verschleiern"[531]. Zu diesem Zeitpunkt war die Luftfahrtindustrie finanziell zu einem Fass ohne Boden geworden, was die akademische Luftfahrtforschung und -ausbildung immer direkt durch entsprechende Mittelkürzungen zu spüren bekam.

Nach immer mehr Schwierigkeiten im Programm und bei der Flugerprobung der 152 wurden die Stimmen gegen eine Luftfahrtindustrie, besonders seitens der SPK, immer lauter. Hinzu kam, dass, nach Ciesla, „der Siebenjahrplan (1959-1965) mit seinen hochgeschraubten Zielsetzungen die vorhandenen Kapazitäten weit überforderte"[532]. Schon aus diesem Grund erschien beispielsweise die geforderte luxuriöse Ausstattung der 152, die für den Verkauf des Flugzeuges unerlässlich war, illusorisch. Und in der Tat kam es dann 1960/61 zu einer neuerlichen wirtschaftlichen Krise in deren Folge, der Siebenjahrplan abgebrochen wurde – mit ihm endete auch die Luftfahrtindustrie[533].

Ein weiteres Problem war, dass Walter Ulbricht ein besonders starkes Interesse an dem Projekt hegte[534]. Dadurch war zeitweise eine realistische Lageeinschätzung erschwert gewesen.

Ein Brief von Heinrich Rau, dem Vorsitzenden der SPK, an Bruno Leuschner vom 7. Juli 1960 zeigt, dass die Spitze der Luftfahrtindustrie um Schwächen des Programms wusste und auch Eigeninitiative entwickelte, als sie von sich aus auf den Minister zugingen, um das Luftfahrtwesen in der DDR am Leben zu halten: „Heute war ich bei den

---

[530] Ebd.
[531] Ebd.
[532] Ebd., S. 207.
[533] Ebd.
[534] Ebd.; Lorenz: Passagier-Jet 152, S. 201.

Flugzeugbauern in Dresden. Ohne, dass ich auf unsere Unterhaltung von vorgestern Bezug nahm, kamen wir auf die Frage der weiteren Entwicklung der Arbeit im Flugzeugbau zu sprechen. Dabei entwickelten die Genossen (Baade und der techn. Leiter) folgende Gedanken: Die Arbeit muss verändert werden. Bei der jetzigen Orientierung auf rasche Entwicklung produktionsreifer Flugzeuge bleibt es nicht aus, dass wir immer hinter den fortgeschrittensten Entwicklungen herhinken. Man muss bei der Aufgabenstellung für unsere Spezialisten von dem gegenwärtigen Höchststand der Technik ausgehen und dann Entwicklungsziele stellen, die wesentlich über diesen jetzt in den führenden Ländern erreichten Stand liegen. Bei Vergabe dieser Daten muss man mit längeren Entwicklungs- und Konstruktionszeiten rechnen, aber nur so kann unser Flugzeugbau fruchtbar werden."[535]

Als die DDR ihre Planungen für den Absatzmarkt der eigenen Flugzeuge zu bestimmen begann, ging man davon aus, bis zu 60 Prozent des sowjetischen Bedarfs an zivilen Flugzeugen zu decken. Doch 1959 erklärte der potentielle Hauptabnehmer UdSSR, dass man selbst in der Lage sei, den Eigenbedarf an Kurz- und Mittelstreckenverkehrflugzeugen abzudecken[536]. Die DDR war nicht in der Lage, in dieses Entscheidungsgefüge einzugreifen, denn Ende April 1959 wurden auf Beschluss der sowjetischen Staatsführung die Raketentruppen auf Kosten der Luftstreitkräfte mit neuen Waffensystemen, sprich Raketen, ausgerüstet[537]. Den sowjetischen Flugzeug-Konstruktionsbüros wurden die lukrativen Aufträge für Bombenflugzeuge entzogen, da N. S. Chruschtschows Begeisterung für die Raketentechnologie und deren große Erfolge diese Technologie derart förderte und seit 1957 weltführend machte, dass entsprechende Bombenflugzeuge beinahe obsolet wurden. Somit geriet die UdSSR unter den Druck, ihre Flugzeugindustrie auch weiterhin auszulasten, und erklärte dann ihr Desinteresse am Kauf von Flugzeugen aus der DDR[538]. Ohnehin waren alle Zusagen nur mündlicher Natur – sozusagen im Handschlagverfahren – geregelt worden.

Nachdem im Februar/März 1961 die Auflösung der Luftfahrtindustrie beschlossen und später bekannt gegeben worden war, wurde diese als Umprofilierung bezeichnete Aktion von einer „Zentralen Kommission" der SPK koordiniert, die sich mit der Arbeitskräftevermittlung, der industriellen und universitären Umstrukturierung, der Neuausrichtung der Forschung sowie der Neugründung von Forschungsinstituten befasste. Dies war eine weitgehend in der DDR gereifte Entscheidung, die von Moskau quasi abgesegnet wurde[539].

Besonders für die SU-Spezialisten bedeutete das Ende der Luftfahrtindustrie eine herbe Enttäuschung. Zumal sie nach der von Seiten der SED-Führung geweckten Erwartungshaltung nun bereits zum dritten Mal enttäuscht wurden: Denn ihre Bemühungen,

[535] BArch, Abt. DDR, DE 1/14473 (Bl. 44).
[536] Lorenz: Passagier-Jet 152, S. 208; Barkleit/Hartlepp: Zur Geschichte, S. 15.
[537] Ebd.
[538] Ciesla: Transferfalle, S. 208.
[539] Ebd.

Wünsche und Hoffnungen als Flugzeugbauer und -ingenieure nach dem Ende des Dritten Reiches und der als wenig erfolgreich anzusehenden Tätigkeit in der UdSSR hatten sich jetzt also zum dritten Mal als nicht erfolgreich erwiesen[540].

Doch wurde in der DDR schnell und umfassend für ihre weitere berufliche Sicherheit gesorgt. Ein Teil der Spezialisten kam im neu gegründeten Institut für Leichtbau (IfL) in Dresden, das von Baade bis zu seinem Tod geleitet wurde, oder im ZIL/WTV unter. „Andere fanden an Fach- und Hochschulen, in dem von Jena nach Dresden verlagerten Zentralinstitut für Automatisierung (ZIA) oder in den FuE-Abteilungen der Industrie (z. B. Carl-Zeiss Jena) ein neues Tätigkeitsfeld."[541] Ein Teil des Flugzeugwerkes in Dresden-Klotzsche blieb als Flugzeugwerft für die Flugzeuge der NVA und als Reparaturbasis für Zivilflugzeuge erhalten[542].

Die Luftfahrtindustrie der DDR war von Anfang an mit einem hohen Risiko belastet; fast alles musste neu entwickelt und erstellt werden, zumal noch im zivilen Sektor, in dem deutsche Flugzeugbauer in puncto TL-Passagierflugzeuge keinerlei Erfahrung besaßen. Doch die früheren Erfahrungen der alten technischen Intelligenz senkten wohl das Risikopotential insgesamt etwas ab. Denn sie sorgten dafür, dass der Wiederaufbau der Luftfahrt nicht vorraussetzungslos erfolgen musste. Durch die Erreichung der technischen Primärziele – nämlich dem Bau des Flugzeugs 152, Aufbau einer eigenen Luftfahrtindustrie und Luftfahrtforschung – war das Projekt der ostdeutschen Luftfahrtindustrie von der technischen Seite aus gesehen von Erfolg gekrönt. Doch die eigentliche, ursprüngliche Absicht, „einen intelligenzintensiven und zukunftsträchtigen Industriezweig Luftfahrtindustrie aufzubauen, schlug fehl. Die Strategie, zunächst ein Flugzeug (die 152) für einen potentiellen Abnehmer (die Sowjetunion) zu projektieren, ging nicht auf. Die Marktorientierung erfolgte zu spät"[543].

Bereits Ciesla wies daraufhin, dass die späteren Probleme des Flugzeugbaus in der DDR sich schon in den konzeptuellen Überlegungen zum Aufbau des Industriezweiges abzeichneten: „Besonders nachteilig wirkte sich die mangelnde Förderung der Luftfahrtforschung aus. Sie hatte zur Folge, dass der in einem solchen Industriezweig notwendige Forschungsvorlauf von Anfang an fehlte."[544] In den 1950er konnte man immerhin noch etwas von den im Dritten Reich erzielten, wissenschaftlichen und technischen „Vorschub-Potenzial" zehren, aber allerspätestens am Ende des Jahrzehnts dürfte dieses wohl, leidend unter der wissenschaftlichen Abschottung der Luftfahrtelite in der DDR sowohl nach West als auch nach Osten hin, verbraucht gewesen sein. Bei aller Kritik an der Unterfinanzierung und mangelnder Unterstützung der akademischen Luftfahrtforschung und -ausbildung in der DDR muss aber beachtet werden, dass im Gegensatz zum Aufbau einer eigenen Flugzeugindustrie und einer nationalen Fluggesellschaft, der Wiederaufbau

---

[540] Ebd., S. 209.
[541] Ebd.
[542] Ebd.; Kieselbach, Andreas: Wirtschaftliche Betrachtungen zum Flugzeugbau der DDR, in: Michels/Werner (Hg.): Luftfahrt Ost, S. 157-165, hier 164f.
[543] Hartlepp: DDR-Luftfahrtindustrie, S. 47.
[544] Ciesla: Transferfalle, S. 210.

der Luftfahrtforschung diesen zeitlich voraus ging. Die Luftfahrtforschung war die zweite Seite – neben der eigentlichen Flugzeugindustrie – der „Transferfalle" (Ciesla). Dies wird auch durch die große Anzahl von SU-Spezialisten und leitenden Kadern der Luftfahrtindustrie und -forschung deutlich, die nach dem Ende der Flugzeugindustrie im Land verblieben und in anderen Instituten oder Industriebetrieben weiter arbeiteten und forschten.

Erinnert sei daran, dass die gleichen Personen, die verantwortlich den Zweig der Luftfahrtindustrie aufbauten und entwickelten, auch die Luftfahrtforschung und -ausbildung aufbauten und z. T. lenkten und leiteten; weiterhin auch daran, dass die Spezialisten vor ihrer Rückkehr aus der Sowjetunion dort ihr Versprechen abgaben, Stillschweigen über ihre dortige Arbeit zu bewahren und Rüstungsgeheimnisse der Sowjets auf keinen Fall preiszugeben. Daraus erklärt sich teilweise die restriktive Informationspolitik gegenüber den Luftfahrtwissenschaftlern aus der DDR. Eine wissenschaftlich-technische Zusammenarbeit konnte unter diesen Vorzeichen nicht entstehen – weder mit dem kapitalistischen Ausland jenseits des „Eisernen Vorhangs" noch mit dem großen Bruder Sowjetunion. Dieses Manko versuchte die DDR durch Wirtschaftsspionage durch das MfS zu kompensieren, was auch ausdrücklich von der UdSSR gewünscht wurde[545].

Der durch den fehlenden Austausch mit anderen Ländern und Institutionen eingetretene Legitimationsverlust, in Bezug auf akademische Ausbildung und Forschung in der Luftfahrt, bedeutete auch ein Innovationsdefizit. Innovationsprojekte – zumal die großen unter ihnen – können zur Legitimität des sozialistischen Staates beitragen[546].

Das System der Planwirtschaft in der DDR war in vielfacher Hinsicht ein Hemmschuh für Aufkommen und Umsetzen von Innovationen. Über die Innovationsschwäche der DDR ist bereits viel geschrieben worden[547]; Holger Lorenz schreibt in seinem Werk über das Flugzeug 152 dazu Folgendes: „‚Vorsprung durch Innovation‘ bedeutet deshalb zugleich auch ‚Vorsprung in der Gewinnrate‘. Wer also bei der Entwicklung eines Erzeugnisses der Erste ist, darf dessen Preis bestimmen. Besonders deutlich wird dies bei Hochtechnologie-Erzeugnissen, zu denen Flugzeuge bekanntlich zählen."[548]

An dieser Stelle sollen ein paar generelle Worte über Innovationen gemacht werden. Das Wort „Innovation" kam zwar im damaligen offiziellen Sprachgebrauch noch nicht vor – in DDR-Lexika, beispielsweise dem weit verbreiteten „Meyers Großem Taschenlexikon" von 1965, ist es nicht vermerkt –, doch in diesem historischen Kontext ist besonders die Betrachtung der Hochschule als „Innovationsmotor" von Interesse. Als Innovationssystem wird hier „ein charakteristisches, institutionelles Gefüge, das geeignet ist,

[545] Ebd.; Ders.: Spezialistentransfer, S. 29; Eltgen: Ohne Chance, S. 30.
[546] Dienel: Wirtschaftswunder, S. 349.
[547] Vgl. etwa Steiner: Anschluss; Wagener, Hans-Jürgen: Zur Innovationsschwäche der DDR-Wirtschaft, in: Bähr, Johannes/Petzina, Dietmar (Hg.): Innovationsverhalten und Entscheidungsstrukturen. Vergleichende Studien zur wirtschaftlichen Entwicklung im geteilten Deutschland 1945-1990, (Schriften zur Wirtschafts- und Sozialgeschichte Band 48), Berlin 2001, S. 21-48; Krause, Günter: Wirtschaftstheorie in der DDR, Marburg 1998.
[548] Lorenz: Passagier-Jet 152, S. 218.

Innovationen zu generieren"[549] verstanden. Die Innovation (lat. novare „erneuern",
„verbessern") bezeichnet die planvolle, zielgerichtete Erneuerung und auch Neugestal-
tung von Teilbereichen, Funktionselementen oder Verhaltensweisen im Rahmen eines bereits bestehenden Funktionszusammenhanges mit dem Ziel, entweder bereits bestehende
Verfahrensweisen zu optimieren oder neu auftretenden und veränderten Funktionsanfor-
derungen besser zu entsprechen[550].

Eine der Aussagen dieser Untersuchung ist, dass die Fakultät für Leichtbau/Luft-
fahrtwesen der THD eine besondere Fakultät war. Nicht nur dass die akademische Luftfahrtforschung noch vor dem Wiederaufbau der Flugzeugindustrie etabliert wurde und im
Gegensatz zur Industrie (bis 1953) keine militärische Ausrichtung hatte, sondern dass sie
trotz aller Widrigkeiten und Schwierigkeiten einige Innovationen hervorzubringen vermochte. Die wichtigsten und hervorstechendsten Innovationen waren sicher das hohe
Maß an praktischer Unterweisung, die im Ausbildungsplan der Studierenden verankert
war. Dies sowohl im Hinblick auf die Forschungs- und Werkstattpraktika im Flugzeugbau
als auch von der fliegerischen Ausbildung her. Besonders beachtenswert ist die Innovation des – auf die Verhältnisse und Erfordernisse in der DDR abgestimmten – Ingenieurmäßigen Fliegens. Diese Erfindung stammte zwar schon aus der Luftfahrtforschung und
-ausbildung des Dritten Reiches, doch wurde sie in der DDR wesentlich weiter entwickelt
und effizienter in die Studien-Praktika eingebaut. So entstand eine praxisorientierte Ausbildung, die ihresgleichen in Westdeutschland zu dieser Zeit suchte. Auch die schon oft
angesprochene Metallklebetechnik, deren Anfänge ebenfalls in der NS-Zeit lagen, kann
als Innovation betrachtet werden. Denn ihre Einsatzmöglichkeit im Flugzeugbau wurde
ständig erforscht und ebenso konsequent im experimentellen Leichtbau am Institut für
Flugzeugkonstruktion (Prof. Landmann) an der Fakultät, beispielsweise bei der Fahr-
werkskonstruktion von Motorseglern, eingesetzt. Man hatte den Einsatz neuer Werkstoffe wohl verstanden, gut erforscht und begann konsequent mit ihnen zu arbeiten[551].

Im Allgemeinen jedoch fehlte der Innovationsdruck innerhalb der Planwirtschaft.
Dennoch wurden im Luftfahrtwesen ein paar Innovationen erreicht. Wer allerdings waren
die Innovatoren? Die alten Spezialisten, die neue technische Intelligenz? Vermutlich war
es die Kombination im täglichen Arbeitsaustausch zwischen alter und neuer Intelligenz,

---

[549] Fraunholz/Schramm: Hochschulen, S. 25. Die Autoren weisen daraufhin, dass als ein spezifisches Kennzeichen
der „traditionellen deutschen Innovationskultur" in der Literatur „eine mangelnde Konsumentenorientierung"
genannt wird (S. 26), was mit Blick auf die mangelnde Marktorientierung der DDR-Flugzeugindustrie interessant
erscheint.

[550] Brockhaus Enzyklopädie, Neunzehnte Auflage, Band 10, Mannheim 1989, S. 522-524, 594. Daher gilt – die Unter-
scheidung zwischen Invention (Erfindung) und Innovation veranschaulichend – auch vielfach fälschlich Edison als
Erfinder der Glühlampe, obwohl er aber nur der Innovator, sprich Verbesserer, Verbreiter und Vermarkter, war.
Der eigentliche Inventor war der in den USA lebende Deutsche H. Goebel, der aber seine Erfindung nur dazu
nutzte, um das Schaufenster seines Ladens zu beleuchten.

[551] Prof. em. Knauer, seinerzeit am Institut für Leichtbau, sieht teilweise noch heute Ignoranz bei der Bewertung der
wissenschaftlich-technischen Anwendung der Polymertechnik und des Leichtbaus in der DDR vorherrschen. Im
Schlusskapitel des von ihm mitherausgegebenen Buches heißt es: „Die Idee zum Buch entstand (...), als Arroganz
und Ignoranz wesentliche Züge des öffentlich geäußerten Denkens über die Intelligenz der DDR ausmachten."
Vgl. Knauer, Berthold/Salier, Hans-Jürgen (Hg.): Polymertechnik und Leichtbau. Konstruktionsprinzipien ohne
Zeitgrenzen, Hildburghausen 2006.

die sich dabei gegenseitig befruchteten. Nicht zuletzt dürften manchmal auch Improvisationen zu späteren innovativen Methoden weiterentwickelt worden sein, wie beispielsweise der notgedrungen hohe Grad an praktischer Ausbildung der Studenten in der Industrie während des Studiums, da längere Zeit Laboratorien und andere Einrichtungen nicht schnell genug fertig wurden. Es ist jedoch fraglich, welchen wirtschaftlichen Wert diese Innovationen nach dem Ende des Luftfahrtwesen für die DDR-Volkswirtschaft spielen konnten; auf längere Sicht vermutlich nur eine geringe.

Nachdem sich die SED seit den frühen 1950er Jahren um Eingriffe in das Hochschulwesen bemühte, schien dann später insbesondere die Fakultät für Luftfahrtwesen der TH Dresden auch ein Experimetierfeld für das Staatssekretariat für das Hoch- und Fachschulwesen im Vorfeld der III. Hochschulreform gewesen zu sein. Dies lässt sich v. a. ab 1959 in der für die DDR zukunftsweisenden praxisorientierten, gestrafften Ausbildung der Studenten sowie den Ingenieurs- und Betriebspraktika nachvollziehen. Seit diesem Zeitpunkt mutet die Forschung und Lehre an der Fakultät recht innovativ an. Ebenfalls die Schaffung des WTV nach Ende der Flugzeugindustrie nahm die späteren Großforschungszentren[552] vorweg.

Als ein „zweischneidiges Schwert", sowohl im Hinblick auf die Ziele der Parteiführung bei der Heranbildung einer neuen technischen Intelligenz als auch für die luftfahrtwissenschaftliche Ausbildung, ist der Einsatz der ehemaligen SU-Spezialisten als Dozenten an der Fakultät für Leichtbau/Luftfahrtwesen zu betrachten. Diese Personen waren ein großer Gewinn für Industrie, Forschung und Lehre. Ihre fachliche Qualifikation war von höchstem Niveau. Doch waren sie zum größten Teil zuvor niemals Dozenten einer luftfahrtwissenschaftlichen Fakultät gewesen und verfügten daher zunächst nicht über die dafür notwendigen didaktischen Kenntnisse. Ihre Reputation schöpfte sich zum größten Teil aus ihrem praktischen fachlichen Können und ihren Erfahrungen. Erschwerend kam eine jahrelange Abschottung in der UdSSR von den fortschreitenden internationalen Entwicklungen im Flugzeugbau und der Luftfahrtforschung hinzu, und so mancher hatte sich daher mit der Frage auseinandersetzen, ob er für eine lehrende Tätigkeit überhaupt geeignet sei[553]. Vorteilhaft indes war, dass das Projekt einer Luftfahrtindustrie ein zentral gelenktes, einheitliches Großforschungsprojekt war, in dem die führenden fachlichen Köpfe sowohl in der Forschung und Ausbildung als auch in der Industrie und Fertigung arbeiteten. Die lückenhaft pädagogisch-didaktischen Fähigkeiten eines Großteil der Luftfahrtelite und ihr menschlich teils unnahbar erscheinendes Wesen sollten den Studenten große Schwierigkeiten bereiten.

Die enge Verbindung von Hochschule und Industrie brachte es gleichzeitig mit sich, dass ein großer Teil der Forschungskapazität der Fakultät nicht der Grundlagenforschung

---

[552] Fraunholz/Schramm: Hochschulen, S. 30. Die Großforschungszentren in der DDR entstanden im Gefolge der III. Hochschulreform.
[553] Arch TUDD: Fakultät für Luftfahrtwesen: Nr. XX/36.

zur Verfügung stand, sondern überwiegend für Vertragsforschung verwendet wurde. Ein Effekt, der sich seit Ende der 1950er Jahre immer mehr verstärkte[554].

All dies verführt zum kurzen, über die Grenze hinwegschielenden Vergleich mit Westdeutschland in jener Zeit. In der Geschichte der Luftfahrtforschung der BRD gibt es einige Parallelen zu der in der DDR. Auch im Westen Deutschlands wurde Luftfahrt als „Schrittmacher der Technik"[555] angesehen – und damit letztlich für die Wirtschaft. Ludwig Erhard definierte die angewandte Forschung und Entwicklung als Wirtschaftspolitik[556]. In den 1950er Jahren war in der BRD die Ansicht weit verbreitet gewesen, „dass es gerade im Hinblick auf die ‚Steuerung von Großprojekten' notwendig sei, sich mit den Methoden der Planungs- und Entscheidungstechnik auseinanderzusetzen"[557]. Die hohen materiellen Ansprüche moderner Forschung, das Missverhältnis zwischen den Ansprüchen der Gesellschaft an die Forschung und die begrenzten personellen Kapazitäten der wissenschaftlichen Einrichtungen gaben der Planung ein neues und größeres Gewicht. Helmuth Trischler führt aus, dass sich in den ausgehenden 1960er und 70er Jahren ein breiter Konsens darin herausbildete, dass Forschung planbar sei und es Aufgabe des Staates wäre, die Ziele der Forschung an den gesellschaftlichen Bedürfnissen auszurichten[558]. Zu dieser Zeit überrollte die „Planungswelle" auch die Wissenschaftlerkreise, die unter Berufung auf die Erfahrungen der NS-Zeit und auf Art. 5 des GG die Freiheit von Forschung und Wissenschaft gegen jede staatlich Intervention verteidigen wollten[559]. Dann im Verlauf der 1970er Jahre ebbte die Planungswelle allmählich ab. In den 1950er Jahren war dies, im Gegensatz zur DDR noch ganz anders gewesen. Damals beschränkte man sich in der BRD noch darauf, die Nuklei von Luftfahrtforschung zu erfassen: „Ein bestimmter Plan lag diesen Bemühungen jedoch nicht zugrunde."[560]

Abgesehen von der reinen Grundlagenforschung, stand auch in der Bundesrepublik die staatliche Förderung unter dem Primat der Verteidigungs- und Wirtschaftspolitik. Die Hochschulforschung war weitgehend frei. Neben ihr und der staatlich gelenkten Ressortforschung stand die Großforschung im Brennpunkt der Planungs- und Steuerungsdiskussion[561]. Durch die überwiegende Förderung durch Bundesmittel war die Großforschung einem starken Legitimierungsdruck ausgesetzt. Ein Problem, das den beteiligten Akteuren aus Staat, Wissenschaft und Wirtschaft besonderes Kopfzerbrechen bereitete, war die mangelnde Zusammenarbeit zwischen Forschung und Industrie. August-Wilhelm Quick, Präsident der Deutschen Gesellschaft für Flugwissenschaften (DGF), bewertete die bundesdeutsche Forschung im Vergleich zu den USA, Großbritannien und der UdSSR als

---

[554] 1960 waren ca. 65 Prozent der Forschungskapazitäten der TH Dresden in Form von 180 Aufträgen an die Vertragsforschung gebunden und nur 10 Prozent standen der Grundlagenforschung zur Verfügung; vgl. Fraunholz/Schramm: Hochschulen, S. 36.
[555] Trischler: Planungseuphorie, S. 120; Budraß/Krienen/Prott: Nicht nur Spezialisten, S. 490.
[556] Trischler: Planungseuphorie, S. 125.
[557] Ebd., S. 118.
[558] Ebd., S. 119.
[559] Ebd., S. 118.
[560] Ebd., S. 121f.
[561] Ebd., S. 118f.

„zu konventionell", und es fehle an der langfristigen Perspektive[562]. Diese Ende des Jahres 1959 gemachte Äußerung gibt aber nur im Zusammenhang mit den Entwicklungen in der DDR ihren vollen Sinn wieder. Denn dort hatte man mit dem Großforschungsprojekt, zivilen Luftverkehr mit TL-Passagierflugzeugen auf Weltniveau betreiben zu wollen, den Weg vorgezeichnet. Es gab in der BRD sicherlich einige Leute, die – wie von Ulbricht immer wieder angeführt – mehr oder weniger neidvoll in die DDR, auf das große Projekt eines deutschen TL-Passagierflugzeuges, hinüberschauten. Selbstverständlich nicht etwa, weil man es in der BRD nicht selbst auch gekonnt hätte, sondern weil der politische Wille und damit die entsprechenden Mittel und Möglichkeiten nicht gegeben waren.

Laut Trischler verliefen auch die Bemühungen einen doppelgleisigen Aufbau von FuE-Einrichtungen bei Forschung und Industrie im Sande. „Die zuständigen Ministerialbeamten hatten nicht den nötigen Sachverstand, um ihre politischen Zielsetzungen in klare Programme umsetzen zu können."[563] Daher „(...) knisterte es somit recht heftig im Gebälk der Luftfahrtforschung."[564] Während in der BRD jedoch Reformen einsetzten, um die festgestellten Missstände zu beheben, wurde in der DDR das gesamte Programm ersatzlos aufgelöst. Es darf nicht vergessen werden, dass die hier skizzierten Entwicklungen im Bezugsrahmen des Kalten Krieges beurteilt werden. Somit ist Ciesla im Folgenden zuzustimmen: „Der auf diesem Hintergrund ausgetragene Systemwettstreit hat für den Westen zu einer positiven Rückkopplung im Wirtschaftsgeschehen geführt, da sich dort auch in den ‚kältesten' Phasen des Kalten Krieges das technologische Wettrüsten in einem vergleichsweise offenen Gesellschaftssystem vollzog."[565] Das Beispiel Flugzeugindustrie eignet sich gut für eine vergleichende Betrachtung hinsichtlich der Bildungsinitiativen und Vorstellungen über die Moderne in den 1950er Jahren in Ost und West.

Nach diesem Überblick über die Luftfahrtforschung in der BRD zeigen sich noch weitere Besonderheiten in der akademischen Luftfahrtforschung und -ausbildung in der DDR. Hier zählten oftmals Können und praktische Fähigkeiten mehr als eine akademische Ausbildung. Dies resultierte aus der Tatsache, dass das staatliche Planungsregime die industrielle Produktion und weniger den Bereich Forschung und Entwicklung betonte[566]. Die Großforschung auf dem Gebiet der Luftfahrt war zentral organisiert und geleitet. Förderale Rivalitäten, wie in der Bundesrepublik, gab es in der DDR nicht. Die Luftfahrtindustrie war im Allgemeinen einem stärkeren Legitimationsdruck gegenüber der Staats- und Parteiführung ausgesetzt als die (akademische) Luftfahrtforschung. Es gelang der Luftfahrtforschung und -ausbildung der DDR sogar das aus der NS-Zeit altbekannte Problem der mangelnden Zusammenarbeit zwischen Forschung und Industrie großenteils zu beheben. Die technische und akademische Luftfahrtausbildung in der DDR waren –

[562] Zitiert nach ebd. S. 122.
[563] Ebd., S. 123.
[564] Ebd.
[565] Ciesla: Transferfalle, S. 211.
[566] Augustine: Technocrats, S. 176f.

zumindest einige Zeit vor der Umstellung des Industriezweiges – in der Form maßgeschneidert und auf die Bedürfnisse der Industrie abgestimmt, dass die Absolventen sofort in die Industrie übernommen werden konnten (oder eine entsprechende Lehrtätigkeit anstreben konnten), und trotzdem war die Ausbildung weit genug ausgelegt, um nach der Auflösung der Luftfahrtindustrie eine reibungslose Übernahme der ehemaligen Mitarbeiter in andere Industriezweige zu ermöglichen. Ebenfalls arbeiteten FuE und Industrie gut miteinander und Doppelgleisigkeiten konnten oft verhindert werden. Doch auch die in der DDR zuständigen Verwaltungsbeamten der SPK und anderer staatlicher Stellen hatten selten den nötigen technischen Verstand, um das Projekt der Luftfahrtindustrie richtig einzuschätzen oder entsprechend zu beurteilen und zu fördern. Wohl deshalb, und weniger aus politischen Gründen, war es Brunolf Baade wichtig, Mitglied der SPK zu sein und sich ins ZK der SED aufnehmen zu lassen, um an der richtigen Stelle Einfluss nehmen zu können. Vermutlich war es nur so möglich, im System der Planwirtschaft und der SED-Diktatur die eigenen Vorstellungen und Gedanken der involvierten Techniker, Ingenieure und Forscher einigermaßen wirksam zu vermitteln.

Die vorliegende Untersuchung weist auch auf Kontinuitäten und Ähnlichkeiten zwischen dem Dritten Reich und der DDR hin. Dienel stellt fest, dass beide deutsche Staaten sich zwanglos und ungebrochen in die Tradition der deutschen NS-Luftffahrttechnik stellten[567]. Anleihen aus der NS-Zeit nahm man in der DDR besonders bei der Mobilisierung des Nachwuchses und Verbreitung des Fluggedankens, bei der Begünstigung der Luftfahrtelite sowie in Übernahme und Weiterentwicklung von Wissen, Technik und Strukturen in der Luftfahrtforschung und -ausbildung. Die SED verfolgte eine Politik, die die alte Intelligenz begünstigte und daher die personelle Kontinuität und somit die Stabilität des Berufsethos des Ingenieurs zwischen den Perioden vor und nach 1945 verstärkte[568]. Erst durch die Einführung der Planwirtschaft und der Herausbildung der neuen technischen Intelligenz kam es zu „gravierenden Diskontinuitäten"[569].

Die Herausbildung einer neuen technischen Intelligenz in der Luftfahrtforschung der DDR gelang nicht vollkommen. Der Grund hierfür war in der Hauptsache, dass die Zeit, in der eine eigene Luftfahrtindustrie und Luftfahrtforschung bestanden hatte (1952/53 bis 1961), dafür nicht ausreichend war. Dolores Augustine weist darauf hin, dass in der DDR der Ingenieurberuf durch eine grundlegende Generationsschranke gekennzeichnet war zwischen jenen, die vor 1945 den Beruf ergriffen hatten, und der neuen technischen Intelligenz[570]. Im Falle der akademischen Ausbildung der luftfahrttechnischen Ingenieure muss man von einem Generationenkonflikt zwischen alter und neuer technischer Intelligenz ausgehen. Die Kluft zwischen den Studenten und dem Lehrkörper, der vornehmlich der alten Intelligenz angehörte, wurde noch zusätzlich vertieft durch eine Politik der hoch dotierten Einzelverträge, Zusatzrenten und besserer Wohnungsversorgung für die Exper-

---

[567] Dienel: Wirtschaftswunder, S. 342.
[568] Augustine: Technocrats, S. 191.
[569] Ebd.
[570] Ebd., S. 179.

ten, die man in der DDR brauchte und haben wollte[571]. Im Falle der Luftfahrt war der Anteil der SU-Spezialisten unter der Luftfahrtelite sehr hoch; und dieser Kreis war noch besser gestellt, besser bezahlt und noch „unersetzlicher" als viele der anderen der Spezialistengruppen in der Industrie und Wissenschaft. Ein entsprechendes Selbstbewusstsein war dann oft das von ihnen an den Tag gelegte Verhalten. Überhaupt dürfte es kaum einen weiteren Forschungs- oder Industriezweig in der DDR mit solch hoher Konzentration an ehemaligen SU-Spezialisten gegeben haben. An den Hochschulen war sie vermutlich gar einzigartig gewesen.

Ihr Elitedünkel und apolitischer Technizismus waren der Parteiführung ein steter Dorn im Auge. Keine noch so fesselnde Aufgabe wie eine Flugzeugindustrie mit allem Drum und Dran aufzubauen, zu leiten und letztlich gar das erste Düsenpassagierflugzeug auf deutschem Boden zu schaffen, vermochte die alte Luftfahrtelite dem sozialistischen System einzuvernehmen. Die Absolventen und Studenten der Fakultät konnten sich dem natürlich nicht immer erwehren und drohten ihren Lehrern „nachzueifern". Die acht Jahre, in denen eine Luftfahrtindustrie in der DDR bestand, reichten nicht aus, um einen wirklichen Generationenwechsel vollziehen zu können. Und wer hätte von den jungen Absolventen Prof. Baade als „Nummer Eins" irgendwann ersetzen können! Zumal es in der DDR oftmals einzelne Personen waren, die wichtige Innovationsprozesse am Laufen hielten. Die alten Meister servierten schließlich nicht ihr gesamtes Wissen auf einem silbernen Tablett. Diese Taktik, nur die Ergebnisse preiszugeben, die für sie vorteilhaft waren oder wenn es gar nicht anders ging, hatten sie bereits in der UdSSR gelernt und erfolgreich praktiziert – man erinnere sich an das Beispiel von Prof. Oehmichen. Dieses für die Parteiführung auf Dauer nicht tolerierbare Verhalten zog vermutlich in letzter Konsequenz auch die gesamte Stornierung des Programms nach sich: Luftfahrt ist ein elitäres Geschäft. Die Betrachtung des Luftfahrtwesens der DDR lässt erkennen, dass auch in der sozialistischen Gesellschaft Wissenschaftsgeschichte Elitengeschichte blieb. Allerdings wäre es zu erwarten gewesen, dass bei einem Weiterbestehen des Luftfahrtwesens in der DDR nach 1961 einige Maßnahmen der III. Hochschulreform die Luftfahrtforschung und -ausbildung an der Hochschule nachhaltig gestört hätten. Denn die Auflösung von Instituten und Fakultäten und deren Ersetzung durch Sektionen sollte auch dazu dienen, die „Macht einzelner Lehrstuhlinhaber zu schwächen"[572]. Es ist fraglich, ob dies mit den führenden Köpfen des Programms zu jener Zeit bereits möglich gewesen wäre.

Daher machte noch etwas Anderes die Fakultät für Leichtbau/Luftfahrtwesen zu etwas Besonderem – auch wenn dies in dieser Form von der Staats- und Parteiführung nicht beabsichtigt gewesen war: ihre elitäre Anziehung und Ausrichtung. Diese war der Entwicklung inhärent: Die DDR propagierte den Fluggedanken ähnlich offensiv wie im Dritten Reich – etwa mit Zeitschriften, Plakaten, Comics (wie in einigen Ausgaben des Mosaik), auf Mal- und Zeichenkästen fanden sich häufig Motive von Raketen und Flugzeugen

[571] Ebd.
[572] Fraunholz/Schramm: Hochschulen, S. 37.

usw. – und mit derselben Zielgruppe. Offensichtlich rannte man damit offene Türen ein. Die Flugbegeisterung in beiden Teilen Deutschlands war so groß wie vor dem Krieg und, nachdem in der DDR der Flugsport, später eine ganze Flugzeugindustrie wieder entstanden, war das Interesse sofort riesengroß. Viele wollten eine luftfahrttechnische Ausbildung bzw. ein entsprechendes Studium beginnen, doch nur sehr wenige konnten zugelassen werden. Die Zahl der immatrikulierten Studiumsbewerber sank auch mit dem fortschreitenden Aufbau der Industrie ab. Nicht nur, dass sehr gute schulische Leistungen nötig waren, um einen Studienplatz zu erhalten, im Luftfahrtwesen durfte man sich auch keine Verwandtschaft in Westdeutschland haben, um zugelassen zu werden. Allein im Herbstsemester 1960/61 konnten von insgesamt 243 Studienbewerben letztlich nur vier immatrikuliert werden[573]. Das Verhältnis betrug hier also etwa 60:1.

Einer kritischen Betrachtung bedarf auch die in der Forschung geäußerte These, dass eine Luftfahrtindustrie in der DDR nur entstehen sollte, um die aus der UdSSR zurückkehrenden Spezialisten sinnvoll und attraktiv zu beschäftigen[574]. Wenn man diese Leute unbedingt haben wollte – sei es zum Prestigegewinn oder wozu auch immer – hätte man sie auch anderweitig sinnvoll in der nach Fachkräften lechzenden Volkswirtschaft beschäftigen können, und sie dafür „nur" fürstlich entlohnen müssen. Doch warum sollte man Geld für nichts ausgeben? Gerade für ein kleines rohstoffarmes, von Krieg, Demontagen und Reparationen arg mitgenommenem Land, wie die DDR es war, ergibt diese Vorstellung nur wenig Sinn. Vielmehr war fehlendes ökonomisches Sachverständnis für ein derartig komplexes Großprojekt einer Luftfahrtindustrie dafür ausschlaggebend. Schließlich war man in der Staats- und Parteiführung der Ansicht, dass sich der kapitalintensive Flugzeugbau bald durch Absatz der Produkte und den davon erbrachten Devisen amortisieren würde und man auch das strapazierte Transportwesen durch den Luftfrachtverkehr entlasten könnte. Die vollmundigen Versprechungen seitens der Luftfahrtelite bestärkten die SED-Führung darin. Doch als sich zeigte, dass dieser Plan nicht aufgehen würde, verlor man schnell das Interesse an der Luftfahrtindustrie. Außerdem sei darauf verwiesen, dass das gesamte Luftfahrtwesen nicht nur von und mit den Spezialisten wieder aufgebaut werden konnte. Die Rolle der Facharbeiter, die sich beim Wiederaufbau oftmals noch vor Ort befanden, ist von ebenso großer Bedeutung[575].

Nachdem beschlossen worden war, die Luftfahrtindustrie aufzulösen geschah dies schnell und gründlich. Hierbei zeigte sich eine mögliche Stärke des planwirtschaftlichen Systems, in dem es möglich war, derartige Großprojekte so schnell und vollständig in andere Industriezweige zu überführen. Bedurfte es eines ziemlich großen Einsatzes, die speziell für die Luftfahrtindustrie zugeschnittene Infrastruktur und die vorhandenen Bauten einer sinnvollen Weiterverwendung zuzuführen, so war dies im Fall der akademischen Luftfahrtforschung und -ausbildung wesentlich leichter. Die Räume der Institute der ehe-

---

[573] Arch TUDD: Fakultät für Luftfahrtwesen: Nr. XX/11.
[574] Vgl. dazu etwa Dienel: Wirtschaftswunder, S. 347.
[575] Budraß/Krienen/Prott: Nicht nur Spezialisten, S. 466. Auf die Tätigkeit von Fachkräften aus dem Industriezweig als Dozenten an der Fakultät für Luftfahrtwesen wurde bereits, soweit als möglich, hingewiesen.

maligen Fakultät für Luftfahrtwesen waren ein willkommenes Zubrot für die TH Dresden. Die Arbeitsmittel, Laboratorien usw. ließen sich auch für andere Fachrichtungen verwenden wie z. B. im Maschinenbau. Generell im Leichtbau ließ es sich hervorragend damit forschen. Die sich bis 1961 ergebende Ausrichtung der Hochschulfakultät als „Innovationsmotor" ersparte ihr das Schicksal der Flugzeugindustrie. Ihr Potential erlaubte die Überführung von Forschung und Lehre in den Bedarf anderer Industriezweige und somit war die – etwas ironisch – postulierte „Gartenmöbelforschung" keine Option.

Zwangsläufig musste mit dem Ende der Luftfahrtindustrie auch die Luftfahrtforschung und -ausbildung in der DDR dasselbe Schicksal erwarten: Für Luftfahrtforschung „in der DDR blieb dann kein Spielraum"[576]. Ein Weiterbestehen wäre sinnlos und im System der Planwirtschaft reine Geldverschwendung gewesen, einen Forschungszweig aufrecht zu erhalten, für dessen Ergebnisse es keinen reellen Abnehmer in der Volkswirtschaft mehr gab. Für Wartung und Instandhaltung vorrangig sowjetischer Produkte bestand eben kein Bedarf an Luftfahrtforschung. Außerdem bestünde die Gefahr, dass alte Sehnsüchte, Träume und Begehrlichkeiten nach einer eigenen Flugzeugproduktion wiedererweckt würden, die dann bei ihrer Nichterfüllung eine Flucht vieler der teuer ausgebildeten Wissenschaftler und Ingenieure ins zumeist westliche Ausland zur Folge gehabt hätte. Man darf auch nicht vergessen, dass die Elite der Flugzeugbauer bei der Staats- und Parteiführung „verspielt" hatte, nachdem die Entwicklung der eigenen Luftfahrtindustrie für das Politbüro so enttäuschend verlaufen war und so viel Geld verschlungen hatte. Lorenz fasste dies in folgende Worte: „Dass es am Schluss eine komplette Liquidierung wurde [der Luftfahrtindustrie, der Verf.], war (vielleicht) die verspätete Rache des Politbüros und der Staatlichen Plankommission an den vollmundigen Versprechungen ihres Ziehkindes Prof. Brunolf Baade."[577]

Ein so großes Projekt, wie die Luftfahrtindustrie zu liquidieren, konnte zwangsläufig nur Zwistigkeiten und Verstimmungen zwischen allen beteiligten Akteuren und Interessensparteien stiften: Die alte Luftfahrtelite hatte bei der Führung verspielt und die Führung bei ihnen, die SED-Führung hatte mit ihrer Abbruchentscheidung viel von ihrem Kredit, den sie bei der technischen und naturwissenschaftlichen Intelligenz mehr oder weniger besaß, verloren, und die enttäuschten Studenten (sicher auch Teile der jungen Assistenten) und Fachschüler hegten nur allzu verständlich Wut und Groll sowohl gegen die alte technische Intelligenz als auch gegen ihre politische Staatsmacht.

Es war dem Verfasser bisher nicht möglich anhand der vorgefundenen Akten und der benutzten Literatur die Kosten, die die akademische Luftfahrtausbildung und -forschung der DDR insgesamt direkt bereitet hat, zu eruieren. Eine auf dem vorgefundenen Zahlenmaterial beruhende Schätzung bewegt sich im Bereich einer dreistelligen Millionensumme bis hin zu einer halben Milliarde DM. Im Gegensatz zu den meisten Ausgaben für

[576] Prem, Horst: Flugzeugentwicklung in Ost-Deutschland, in: Hirschel/Prem/Madelung (Hg.): Luftfahrtforschung, S. 338.
[577] Lorenz: Passagier-Jet 152, S. 195.

die Luftfahrtindustrie waren sehr viele Investitionen in die Luftfahrtforschung und in die luftfahrttechnische Ingenieurausbildung nicht als Totalverlust abzuschreiben. Denn Ausgaben für Bildung und Forschung lassen sich in einer Volkswirtschaft in Form von Facharbeitern und Wissenschaftlern immer mehr oder weniger sinnvoll „unterbringen".

Moderne Gesellschaften setzen sich aus komplexen Teilsystemen zusammen, die nach einer je eigenen inneren Logik und Konsequenz handeln[578]. Nur wenn ein Staat die Eigenkomplexität der Wissenschaft in sich selbst abzubilden vermochte, könnte die Forschung nach wissenschaftsimmanenten Kriterien gesteuert werden[579]. Es ist wohl keinem Staate und seinen Verwaltungsbeamten möglich, die dazu nötige Anhäufung von Fach- und Expertenwissen auch nur annähernd zu erreichen. Zwangsläufig ist die Wissenschaft dem politischen System an „Kreativität und Innovationsfähigkeit überlegen". „Alle Versuche, den Forschungsprozess nach wissenschaftsimmanenten Kriterien politisch zu steuern, scheitern daher an der ‚Barriere einer eigengesetzlichen Kausalstruktur der Wissenschaft'."[580] Anhand dieser Überlegungen wird deutlich, dass sich die SED-Führung – speziell Ulbricht – in jedem Fall von ihren Leitern und Beratern in der Luftfahrtindustrie schlecht beraten fühlen musste. Derartige Gedanken konnten jedoch nur in einem gesellschaftlich offenen System, wie in der BRD, entwickelt werden. Die von Trischler angedachte „angemessene Kontextsteuerung"[581] der Wissenschaftsforschung war unter dem Diktat der SED in der DDR nicht möglich, da die Partei an der Überzeugung festhielt, den alleinigen Schlüssel zur universellen Weisheit zu besitzen.

Nach einer letzten Umprofilierung (Umbildung) der Verkehrshochschule Dresden im Oktober 1990 entstand nun im wiedervereinigten Deutschland dort das Institut für Luftverkehr an der Fakultät für Verkehrsingenieurwesen und Logistik[582]. Hierdurch knüpfte man in beiden Teilen des wiedervereinigten Deutschlands an die Kontinuität der deutschen Luftfahrttradition vom Beginn bis zum heutigen Tage an – in der DDR nur von 1961 bis 1990 unterbrochen, aber von 1952/53 bis 1961 im Rahmen der Möglichkeiten mit beachtlichen Resultaten – und sorgte mit dafür, dass Luftfahrt und Luftfahrtforschung ein Perpetuum Vestigium in der deutschen Wissenschafts- und Technikgeschichte blieben.

Abschließend ist Arno Hechts Bestimmung der Wissenschaftsgeschichte zu zitieren. Ihm zufolge sollte die Wissenschaftsgeschichte nicht nur die Historie der einzelnen Wissenschaften sein. „Wissenschaftsgeschichte ist nicht allein auf die Naturwissenschaften zu reduzieren, sondern sie muss stets im Kontext mit Kultur und Gesellschaft behandelt werden. Kaum beachtet wird von der Wissenschaftsgeschichte das agierende Subjekt, der Wissenschaftler. Wenn die Wissenschaftsgeschichte der Ort sein könnte, ‚an dem die strikte Trennung der Denk- und Forschungshorizonte von Geistes- und Naturwissen-

---

[578] Trischler: Planungseuphorie, S. 137.
[579] Ebd.; Willke, Helmut: Gesellschaftssteuerung, in: Glagow, Manfred (Hg.): Gesellschaftssteuerung zwischen Korporatismus und Subsidiarität, Bielefeld 1984, S. 29-53, hier 47.
[580] Ebd.
[581] Ebd.
[582] Hartlepp: Luftfahrtausbildung, S. 194.

schaften aufgehoben wird', so sollte das auch für die Beziehungen zwischen Wissenschaft und Politik Gültigkeit besitzen. Das gilt in gleicher Weise für den einzelnen Wissenschaftler, der sich stets in einem politischen und gesellschaftlichen Umfeld bewegt. In diesem verhält er sich neutral."[583] Diese Untersuchung hat ebenfalls versucht, die Menschen – v.a. den Lehrkörper und die Studierenden des Luftfahrtwesens – im Zentrum des Geschehens der Luftfahrtforschung und -ausbildung in der DDR sowie ihre Lebens- und Arbeitsbedingungen und Motive darzustellen. Eine generelle Bewertung der technischen Intelligenz der DDR sollte und konnte mit dieser Arbeit nicht versucht werden. Nicht alle mentalen Prozesse, Hoffnungen und Enttäuschungen der beteiligten Techniker, Wissenschaftler und Studenten nach Einstellung des Luftfahrtwesens lassen sich heute mehr nachvollziehen. Deswegen ist auch die Frage nach der Loyalität dieser neuen technischen Intelligenz schwer zu beantworten, obwohl die Mehrzahl mit der elementaren Enttäuschung ihrer Hoffnungen anscheinend doch fertig geworden ist bzw., dass „wer ein Warum zu leben hat, fast jedes Wie erträgt" (Nietzsche).

[583] Hecht: Wissenschaftselite, S. 19.

6. Verzeichnis der Abkürzungen

ABF	Arbeiter- und Bauern-Fakultät
AdW	Akademie der Wissenschaften der DDR (1972-1990, davor DAW)
APuZ	Aus Politik und Zeitgeschichte
Ar	Arado
Arch TUDD	Archiv der Technischen Universität Dresden
Arch UR	Archiv der Universität Rostock
ASK	Armeesportklub
ASt.	Außenstelle
AVA	Aerodynamische Versuchsanstalt
BArch	Bundesarchiv
BF	Bayrische Flugzeugwerke
BRD	Bundesrepublik Deutschland
BStU	Die Bundesbeauftragte für die Unterlagen des Staatssicherheitsdienstes der ehemaligen Deutschen Demokratischen Republik
ČSR	Tschechoslowakische Republik (bis 1960)
ČSSR	Tschechoslowakische Sozialistische Republik (ab 1960)
DA	Deutschland Archiv
DAW	Deutsche Akademie der Wissenschaften
DFG	Deutsche Forschungsgemeinschaft
DFS	Deutsche Forschungsanstalt für Segelflug
DGF	Deutsche Gesellschaft für Flugwissenschaften
DM	Deutsche Mark (bis 1964 Landeswährung der DDR)
DWK	Deutsche Wirtschaftskommission
DVL	Deutsche Versuchsanstalt für Luftfahrt
DVP	Deutsche Volkspolizei
EF	Erprobungsflugzeug
FDJ	Freie Deutsche Jugend
FH	Fachhochschule
FS	Fachschule
FuE	Forschung und Entwicklung
FWD	Flugzeugwerke Dresden
FZL	Forschungszentrum der Luftfahrtindustrie
GfK	Glasfaserverstärkter Kunststoff
GI	Geheimer Informator (des MfS)
GG	Grundgesetz
Gö	Göttingen
GST	Gesellschaft für Sport und Technik
HA	Hauptabteilung
He	Heinkel
HJ	Hitler-Jugend
HO	Handelsorganisation
HS	Hochschule
HVA	Hauptverwaltung Aufklärung (des MfS); Hauptverwaltung Ausbildung
IfL	Institut für Leichtbau
IL	Iljuschin (Sergej Wladimirowitsch)
IM	Inoffizieller Mitarbeiter (des MfS)
Ju	Junkers
KdT	Kammer der Technik
KfZ	Kraftfahrzeug
KGB	Komitee für Staatssicherheit (beimMinisterrat der UdSSR)
KPD	Kommunistische Partei Deutschlands
KVP	Kasernierte Volkspolizei
La	(Prof. Hermann) Landmann
LPG	Landwirtschaftliche Produktionsgenossenschaft

LSK	Luftstreitkräfte
MAI	Moskauer Aerodynamisches Institut
MdI	Ministerium des Innern
MfS	Ministerium für Staatssicherheit
MHF	Ministerium für das Hoch- und Fachschulwesen
NP	Nationalpreis
NACA	National Advisory Committee for Aeronautics
NSDAP	Nationalsozialistische Deutsche Arbeiterpartei
NSFK	Nationalsozialistisches Fliegerkorps
NVA	Nationale Volksarmee
OV	Operativer Vorgang
PO	Parteiorganisation
PTL	Propeller-Turbinenluftstrahl-Triebwerk (Propellerturbine)
RGW	Rat für Gegenseitige Wirtschaftshilfe
RM	Reichsmark (bis 1948)
SAPMO-BArch	Stiftung Archiv der Parteien und Massenorganisationen der DDR im Bundesarchiv
SAG	Sowjetische Aktiengesellschaft
SBZ	Sowjetische Besatzungszone
SED	Sozialistische Einheitspartei Deutschlands
SG	Schulgleiter (Gleitflugzeug)
SKK	Sowjetische Kontrollkommission in Deutschland
SMAD	Sowjetische Militäradministration in Deutschland
SPK	Staatliche Plankommission
SU	Sowjetunion
TH	Technische Hochschule
THD	Technische Hochschule Dresden
TL	Turbinenluftstrahltriebwerk
TU	Technische Universität; Tupolew
UdSSR	Union der Sozialistischen Sowjetrepubliken
USA	United States of America
V	Versuchsmuster
VDI	Verein Deutscher Ingenieure
VLI	Verwaltung der Luftfahrtindustrie
VP	Volkspolizei
VR	Volksrepublik
VEB	Volkseigener Betrieb
VVB	Vereinigung Volkseigener Betriebe
VVO	Vaterländischer Verdienstorden
WGL	Wissenschaftliche Gesellschaft für Luftfahrt
WTV	Wissenschaftlich-technische Versuchsanstalt der Industrie
ZAMM	Zeitschrift für angewandte Mathematik und Mechanik
ZIA	Zentralinstitut für Automatisierung
ZIL	Zentralinstitut für Leichtbau
ZK	Zentralkomitee der SED

7. Tabellenverzeichnis

129

8. Bibliographie

8.1 Quellen

Akten der Bundesbeauftragten für die Unterlagen des
Staatssicherheitsdienstes der ehemaligen Deutschen Demokratischen Republik
(Außenstelle Dresden)

BStU, ASt. DD: AIM 1533/63, Nr. P: „Personalakte eines Informators (Richter), 1963" (Bl. 185-186)

BStU; ASt. DD: AIM 1533/63, Nr. I: „Arbeitsvorgang über ‚Schiller' (Richter), 1954-55" (Bl. 108, 110)

BStU, ASt. DD: AIM 1533/63, Nr. II: „Arbeitsvorgang über ‚Schiller' (Richter), 1955-56" (Bl. 29,30, 50-53, 88-91, 205)

BStU, ASt. DD: AIM 1533/63, Nr. III: „Arbeitsvorgang über ‚Schiller' (Richter), 1957" (Bl. 170, 178-180)

BStU, ASt. DD: AIM 1533/63, Nr. IV: „Arbeitsvorgang über ‚Schiller' (Richter), 1961" (Bl. 172, 177, 185, 186, 195)

BStU, ASt. DD: Objektakte 2087/62: „Verkehrsflugzeug ‚152'" (Bl. 53-56); „Verkehrsflugzeug ‚155'" (Bl. 62-66); „Verkehrsflugzeug ‚153'" (Bl. 67-68); „Einschätzung des Triebwerks 014 und Serienanlauf" (Bl. 69); „Passagierflugzeug ‚Il 14'" (Bl. 70-71); „Materialversorgung" (Bl. 72-73); „Beziehungen der Flugzeugindustrie der DDR zu englischen Firmen" (Bl. 74-82); „Schlussbetrachtungen" (Bl. 83-84)

BStU, ASt. DD: AIM 933/54, Nr. I: „Personalakte über „Kluge" (Claußnitzer): „Abbrechen der Verbindung" (Bl. 26, 185, 186)

SAPMO-Akten
SAPMO – BArch: IV 2/9.04, Nr. 354

Bundesarchiv, Abt. DDR
Bestand DE 1 (Staatliche Plankommission), DF 4 (Ministerium für Wissenschaft und Technik)

Technische Universität Dresden, Universitätsarchiv
Bestand Fakultät für Luftfahrtwesen: Nr. XX/6, 8, 9a, 9b, 10, 11, 12, 13, 14, 36, 44

Bestand Rektorat: Nr. 515, I/517

Universität Rostock, Universitätsarchiv
Bestand Technische Fakultät für Luftfahrt: Nr. 1, 2, 3, 5, 7, 14, 15

Bestand Rektorat: Nr. R53

8.2 Literatur

Ahner, Hans: Unser Flugwesen. Ein Ausdruck des Leistungsniveaus der Deutschen Demokratischen Republik, in: Deutsche Flugtechnik, 2 (1958), S. 169

Albrecht, Ulrich/Heinemann-Grüder, Andreas/Wellmann, Arend: Die Spezialisten. Deutsche Naturwissenschaftler und Techniker in der Sowjetunion nach 1945, Berlin 1992

Albring, Werner: Gorodomlia. Deutsche Raketenforscher in Rußland, Hamburg/Zürich 1991

Ash, Mitchell G.: Wissenschaftswandel in Zeiten politischer Umwälzungen. Entwicklungen, Verwicklungen, Abwicklungen, in: Internationale Zeitschrift für Geschichte und Ethik der Naturwissenschaften, Technik und Medizin, 3. Jahrgang, 1995, S. 1-21

Augustine, Dolores L.: Frustrated Technocrats: Engineers in the Ulbricht Era, in: Hoffmann, Dieter/Macrakis, Kristie (Hg.): Science under Socialism. East Germany in Comparative Perspective, Cambridge/Massachusetts/London 1999, S. 173-191

Baar, Lothar/Petzina, Dietmar (Hg.): Deutsch-deutsche Wirtschaft 1945 – 1990. Strukturveränderungen, Innovationen und regionaler Wandel im Vergleich, St. Katharinen 1999, S. 466-529

Baarß, Klaus-Jürgen: Lehrgang X. In geheimer Mission an der Wolga, Berlin/Bonn/Hamburg 1995

Barkleit, Gerhard: Die Spezialisten und die Parteibürokratie. Der gescheiterte Versuch des Aufbaus einer Luftfahrtindustrie in der Deutschen Demokratischen Republik, in: DA 1995/8, S. 823-830

Ders.: Die Spezialisten und die Parteibürokratie. Der gescheiterte Versuch des Aufbaus einer Luftfahrtindustrie in der Deutschen Demokratischen Republik, in: Barkleit, Gerhard/Hartlepp, Heinz: Zur Geschichte der Luftfahrtindustrie in der DDR 1952-1961, Dresden 1995 (Hannah-Arendt-Institut für Totalitarismusforschung, Berichte und Studien Nr. 1/95), S. 5-29.

Ders.: Die Rolle des MfS beim Aufbau der Luftfahrtindustrie der DDR, Dresden 1996 (Hannah-Arendt-Institut für Totalitarismusforschung, Berichte und Studien Nr. 5)

Barkleit, Gerhard/Hartlepp, Heinz: Zur Geschichte der Luftfahrtindustrie in der DDR 1952-1961, Dresden 1995 (Hannah-Arendt-Institut für Totalitarismusforschung, Berichte und Studien Nr. 1/95)

Barkleit, Gerhard/ Dunsch, Anette: Anfällige Aufsteiger. Inoffizielle Mitarbeiter des MfS in Betrieben der Hochtechnologie, Dresden 1998 (Hannah-Arendt-Institut für Totalitarismusforschung, Berichte und Studien Nr. 15)

Berger, Ulrich (Hg.): Frust und Freude. Die zwei Gesichter der Gesellschaft für Sport und Technik, Schkeuditz 2002

Billig, Detlef/Meyer, Manfred: Flugzeuge der DDR. Typenbuch Militär- und Zivilluftfahrt, Band 1 (bis 1962), Friedland 2001

Bispinck, Henrik/Hoffmann, Dierk/Schwartz, Michael/ Skyba, Peter/ Uhl, Matthias/ Wentker, Hermann: Die Zukunft der DDR-Geschichte. Potentiale und Probleme zeithistorischer Forschung, in: Vierteljahreshefte für Zeitgeschichte, Heft 4/2005, S. 547-570

Brandner, Ferdinand: Ein Leben zwischen Fronten. Ingenieur im Schußfeld der Weltpolitik, München 1987

Brehmer, L. (Hg.): Luftfahrt in Sachsen. Ein historischer Abriss, Leipzig 1998

Buchmann, Heinz/Klaus, Werner: Chronik der TU Dresden 1949-1955 (Beiträge zur Geschichte der Technischen Universität Dresden, Heft 6), Dresden 1956

Budraß, Lutz: Kriegsdienst eines Dienstleisters. Die knapp abgewendete Industrialisierung der Lufthansa, 1933-1946, in: Abelshauser, Werner/Hesse, Jan-Ottmar/Plumpe, Werner (Hg.): Wirtschaftsordnung, Staat und Unternehmen. Neue Forschungen zur Wirtschaftsgeschichte des Nationalsozialismus. Festschrift für Dietmar Petzina zum 65. Geburtstag, Essen 2003, S. 99-123

Budraß, Lutz/Krienen, Dag/Prott, Stefan: Nicht nur Spezialisten. Das Humankapital der deutschen Flugzeugindustrie in der Industrie- und Standortpolitik der Nachkriegszeit, in:

Burrichter, Clemens/Malycha, Andreas: Wissenschaft in der DDR, in: Eppelmann, Rainer/Faulenbach, Bernd/Mählert, Ulrich (Hg.): Bilanz und Perspektiven der DDR – Forschung, Paderborn u. a. 2003, S. 300-306

Buthmann, R.: Hochtechnologien und Staatssicherheit. Die strukturelle Verankerung des MfS in Wissenschaft und Forschung der DDR, Berlin 2000 (Der Bundesbeauftragte für die Unterlagen des Staatssicherheitsdienstes/ B; 2000,1)

Ciesla, Burghard: Der Spezialistentransfer in die UdSSR und seine Auswirkungen in der SBZ und DDR, in: Aus Politik und Zeitgeschichte B 49-50/93, Bonn 1993, S. 24-31

Ders.: Von der Luftkriegsrüstung zur zivilen Flugzeugproduktion. Über die Entwicklung der deutschen Luftfahrtforschung und Flugzeugproduktion in der SBZ/DDR und UdSSR 1945 bis 1954, in: Teuteberg, H.J. (Hg.): Schriftenreihe der Verkehrswissenschaftlichen Gesellschaft (Arbeitskreis Verkehrsgeschichte der DVWG, B 169); Bergisch Gladbach 1994, S. 179-202

Ders.: „Intellektuelle Reparationen" der SBZ an die alliierten Siegermächte? Begriffsgeschichte, Diskussionsaspekte und ein Fallbeispiel – die deutsche Flugzeugindustrie 1945-1946, in: Buchheim, Christoph (Hg.): Wirtschaftliche Folgelasten des Krieges in der SBZ/DDR, Baden-Baden 1995, S. 79-110

Ders.: Die Transferfalle: Zum DDR-Flugzeugbau in den fünfziger Jahren, in: Hoffmann, Dieter/Macrakis, Kristie (Hg.): Naturwissenschaft und Technik in der DDR, Berlin 1997, S. 193-211

Ders.: „Tassos Rundbriefe" aus dem „Land der Autos": Auto-mobile Kulturerfahrungen einer deutschen Ingenieurfamilie in der Neuen und Alten Welt, in: Technologie und Kultur. Europas Blick auf Amerika vom 18. bis zum 20. Jahrhundert, Köln/Weimar/Wien 2000, S. 173-201

Ders.: Zwischen den Krisen. Sozialer Wandel, ökonomische Rahmenbedingungen und Lebenslage in der DDR 1953-1956, in: Foitzik, Jan (Hg.): Entstalinisierungskrise in Ostmitteleuropa 1953-1956, Paderborn/München/Wien/Zürich 2001, S. 271-291

Ders.: „All das bremst uns, kann uns aber nicht aufhalten". Wohlstandsversprechen und Wirtschaftswachstum: Grundprobleme der SED-Wirtschaftspolitik in den fünfziger Jahren, in: Hoffmann, Dierk/Schwartz, Michael/Wentker, Hermann (Hg.): Vor dem Mauerbau. Politik und Gesellschaft in der DDR der fünfziger Jahre (Schriftenreihe der Vierteljahreshefte für Zeitgeschichte, Sondernummer), München 2003, S. 149-164

Ders.: Verkehrspolitik und Infrastrukturentwicklung, in: Burrichter, Clemens/Nakath, Detlef/Stephan, Gerd-Rüdiger (Hg.): Deutsche Zeitgeschichte von 1945 bis 2000: Gesellschaft – Staat – Politik. Ein Handbuch, Berlin 2006, S. 1120-1136

Ciesla, Burghard/Judt, Matthias (eds.): Technology Transfer Out of Germany After 1945, Amsterdam 1996, S. 119-130

Ciesla, Burghard/Mick, Christoph/Uhl, Matthias: Rüstungsgesellschaft und Technologietransfer (1945-1958). Flugzeug- und Raketenentwicklung im Military-Industrial-Academic Complex der UdSSR, in: Karlsch, Rainer/Laufer, Jochen (Hg.): Sowjetische Demontagen in Deutschland 1944-1949. Hintergründe, Ziele und Wirkungen, Berlin 2002, S. 187-225

Ciesla, Burghard/Trischler, Helmuth: Legitimation through Use. Rocket and Aeronautic Research in the Third Reich and the USA, in: Walker, Mark (Hg.): Science and Ideology. A Comparative History, London/New York 2003, S. 156-185

Connelly, John: Creating the socialist elite: communist higher education policies in the Czech Lands, East Germany and Poland 1945-1954, Cambridge (Mass.) 1994

Ders.: Humboldt Coopted. East German Universities, 1945-1989, in: Ash, Mitchell G. (ed.): German Universities Past and Future. Crisis or Renewal?, Oxford 1998, S. 55-83

Ders.: Captive university. The Sovietization of East German, Czech, and Polish higher education 1945-1956, Chapel Hill/London 2000

Cordes, Gerhard: Das Strahltriebwerk als Flugzeugantrieb, (Forschungszentrum der Luftfahrtindustrie, Vorträge und Abhandlungen Nr. 2; Vortragsreihe der Kammer der Technik „Einführung in Probleme des Flugzeug- und Triebwerkbaus, Vortrag Nr.4), Dresden 1958

Cornwell, John: Forschen für den Führer. Deutsche Naturwissenschaftler und der Zweite Weltkrieg, Bergisch Gladbach 2004

Cromme, Ludwig J.: Ideologiefreie Wissenschaft? Technisch-naturwissenschaftliche Gutachten im Rahmen von Untersuchungsvorgängen des MfS der DDR, in: DA, Heft 6, 2005, S. 1056-1061

Dienel, Hans-Liudger/Trischler, Helmuth (Hg.): Geschichte der Zukunft des Verkehrs. Verkehrskonzepte von der Frühen Neuzeit bis zum 21. Jahrhundert, (=Deutsches Museum (Hg.): Beiträge zur Historischen Verkehrsforschung, Band 1), Frankfurt/New York 1997

Dienel, Hans-Liudger: „Das wahre Wirtschaftswunder" – Flugzeugproduktion, Fluggesellschaften und innerdeutscher Flugverkehr im West-Ost-Vergleich 1955-1980, in: Bähr, Johannes/Petzina, Dietmar (Hg.): Innovationsverhalten und Entscheidungsstrukturen. Vergleichende Studien zur wirtschaftlichen Entwicklung im geteilten Deutschland 1945-1990, (Schriften zur Wirtschafts- und Sozialgeschichte Band 48), Berlin 1999, S. 341-371

During, R.: Es begann in New York. 1952 startete der erste Heli-Shuttle, in: Fliegerrevue 4/2007, S. 18

Eltgen, Hans: Ohne Chance. Erinnerungen eines HVA-Offiziers, Berlin 1995

Förtsch, Eckart: Wissenschafts- und Technologiepolitik in der DDR, in: Hoffmann, Dieter/Macrakis, Kristie (Hg.): Naturwissenschaft und Technik in der DDR, Berlin 1997, S. 17-34

Fraunholz, Uwe/Schramm, Manuel: Hochschulen als Innovationsmotoren? Hochschul- und Forschungspolitik der 1960er Jahre im deutsch-deutschen Vergleich, in: Jessen, Ralph/ John, Jürgen (Hg.): Jahrbuch für Universitätsgeschichte Band 8 (2005): Wissenschaft und Universitäten im geteilten Deutschland der 1960er Jahre, Stuttgart 2005, S. 25-44

Freytag, Fritz: Entwicklungstendenzen in der Flugzeugfertigung, (Forschungszentrum der Luftfahrtindustrie, Vorträge und Abhandlungen Nr. 5; Vortragsreihe der Kammer der Technik „Einführung in Probleme des Flugzeug- und Triebwerkbaus), Dresden 1961

Gruhn, Werner: Industrieforschung in der DDR (= Analysen und Berichte aus Gesellschaft und Wissenschaft 3/1976), Erlangen 1976

Hall, Rex/Shayler, David J.: The Rocket Men. Vostok & Voskhod, the first Soviet manned Spaceflights, Berlin/London 2001

Hammerstein, Nottker: Die Deutsche Forschungsgemeinschaft in der Weimarer Republik und im Dritten Reich. Wissenschaftspolitik in Republik und Diktatur 1920-1945, München 1999

Hartlepp, Heinz: Erinnerungen an Samara. Deutsche Luftfahrtspezialisten von Junkers, BMW und Askania in der Sowjetunion von 1946 bis 1954 und die Zeit danach, Oberhaching 2005

Hartmann, Anneli/Eggeling, Wolfram: „Das zweitrangige Deutschland" – Folgen des sowjetischen Technik- und Wissenschaftsmonopols für die SBZ und die frühe DDR, in: Emmerich, Wolfgang/Wege, Carl (Hg.): Der Technikdiskurs in der Hitler-Stalin-Ära, Stuttgart/Weimar 1995, S. 189-202

Hänseroth, Thomas: Fachleute für alle Fälle? Zum Neubeginn an der TH Dresden nach dem Zweiten Weltkrieg, in: Abele, Johannes/Barkleit, Gerhard/Hänseroth, Thomas (Hg.): Innovationskulturen und Fortschrittserwartungen im geteilten Deutschland, (Schriften des Hannah-Arendt-Instituts für Totalitarismusforschung Band 19) Köln/Weimar/Wien 2001, S. 301-329

Hecht, Arno: Die Wissenschaftselite Ostdeutschlands. Feindliche Übernahme oder Integration?, Leipzig 2002

Henco, Guido-Gordon: Die phantastischen Erfindungen im Dritten Reich. Zivile und militärische Innovationen, Wölfersheim-Berstadt 2004

Hirschel, Ernst H./Prem, Horst/Madelung, Gero: Luftfahrtforschung in Deutschland, Bonn 2001

Hirschel, Ernst H.: Aeronautical Research and Technology, in: Hirschel, Ernst H./Prem, Horst/Madelung, Gero: Aeronautical Research in Germany: From Lilienthal until Today, Berlin/Heidelberg/New York et al. 2004, S. 3-15

Hirschel, Ernst H.: The Reconstruction of German Aeronautical Research after 1945: The New Beginnings of Aeronautical Research Within the Divided Post-War Germany, in: Hirschel, Ernst H./Prem, Horst/Madelung, Gero: Aeronautical Research in Germany: From Lilienthal until Today, Berlin/Heidelberg/New York et al. 2004, S. 101-109

Holst, E. von: Über „künstliche Vögel" als Mittel zum Studium des Vogelflugs, in: Journal für Ornithologie 91, 1943

Hübner, Peter (Hg.): Eliten im Sozialismus. Beiträge zur Sozialgeschichte der DDR, Köln 1999 (Kritische Studien zur Geschichtswissenschaft, 135)

Jarausch, Konrad H.: The unfree professions: German lawyers, teachers and engineers, 1900-1950, New York 1990

Ders.: Dictatorship as experience: towards a socio – cultural history of the GDR, New York 1999

Jessen, Ralf: Akademische Elite und kommunistische Diktatur. Die ostdeutsche Hochschullehrerschaft in der Ulbricht-Ära, (Kritische Studien zur Geschichtswissenschaft Band 135), Göttingen 1999

Jessen, Ralph: Zwischen diktatorischer Kontrolle und Kollaboration: Die Universitäten in der SBZ/DDR, in: Connelly, John/Grüttner, Michael (Hg.): Zwischen Autonomie und Anpassung: Universitäten in den Diktaturen des 20. Jahrhunderts, Paderborn et al. 2003, S. 229-263

Judt, Matthias: DDR-Geschichte in Dokumenten, Berlin 1998

Kahlow, Andreas/Müller-Enbergs, Helmut: Brunolf Baade, in: Müller-Enbergs,H./Wiehlgohs, J./Hoffmann, D. (Hg.): Wer war wer in der DDR? Ein biografisches Lexikon, Berlin 2000, S. 34-35

Karlsch, Rainer: Allein bezahlt? Die Reparationsleistungen der SBZ/DDR 1945-1953, Berlin 1993

Karlsch, Rainer/Zbynek, Zeman: Urangeheimnisse. Das Erzgebirge im Brennpunkt der Weltpolitik 1933-1960, Berlin 2002

Karlsch, Rainer/Laufer, Jochen (Hg.): Sowjetische Demontagen in Deutschland 1944-49: Hintergründe, Ziele und Wirkungen, Berlin 2002

Kieselbach, Andreas: Die Pläne zum Militärflugzeugbau in der DDR 1952/1953, in: Jahrbuch der DGLR 1994/II, S. 1027-1034

Ders.: Das Verkehrsflugzeugprogramm der DDR 1953/54-1959. Möglichkeiten und Grenzen eines Industriezweiges, in: Teuteberg, H.J. (Hg.): Schriftenreihe der Verkehrswissenschaftlichen Gesellschaft (Arbeitskreis Verkehrsgeschichte der DVWG, B 169); Bergisch Gladbach 1994, S. 203-226

Ders.: Wirtschaftliche Betrachtungen zum Flugzeugbau der DDR, in: Michels/Werner (Hg.): Luftfahrt Ost, S. 157-165

Knauer, Berthold/Salier, Hans-Jürgen (Hg.): Polymertechnik und Leichtbau – Konstruktionsprinzipien ohne Zeitgrenzen, Hildburghausen 2006

Kopper, Christopher: Handel und Verkehr im 20. Jahrhundert (Enzyklopädie Deutscher Geschichte Band 63), München 2002

Köllner, Eberhard: Hohe Disziplin in Ausbildung und Sport. Fliegen und Fallschirmspringen in der GST, in: Berger, Ulrich (Hg.): Frust und Freude. Die zwei Gesichter der Gesellschaft für Sport und Technik, Schkeuditz 2002, S. 77-82

Kowalczuk, Ilko-Sascha: Geist im Dienste der Macht. Hochschulpolitik in der SBZ/DDR 1945 bis 1961, Berlin 2003

Krause, Günter: Wirtschaftstheorie in der DDR, Marburg 1998

Krienen, Dag/Prott, Stefan: Zum Verhältnis von Demontage, Konversion und Arbeitsmarkt in den Verdichtungsräumen des Flugzeugbaus in der SBZ 1945-1950, in: Karlsch, Rainer/Laufer, Jochen (Hg.): Sowjetische Demontagen in Deutschland 1944-1949. Hintergründe, Ziele und Wirkungen, Berlin 2002, S. 275-328

Laak, Dirk van: Weiße Elefanten. Anspruch und Scheitern technischer Großprojekte im 20. Jahrhundert, Stuttgart 1999

Laitko, Hubert: Wissenschaftspolitik, in: Herbst, Andreas/Stephan, Gerd-Rüdiger/Winkler, Jürgen (Hg.): Die SED. Geschichte, Organisation, Politik. Ein Handbuch, Berlin1997, S. 405-420

Ders.: The Reform Package of the 1960s: The Policy Finale of the Ulbricht Era, in: Hoffmann, Dieter/Macrakis, Kristie (Hg.): Science under Socialism. East Germany in Comparative Perspective, Cambridge/Massachusetts/London 1999, S. 45-63

Ders.: Produktivkraftentwicklung und Wissenschaft in der DDR, in: Burrichter, Clemens/Nakath, Detlef/Stephan, Gerd-Rüdiger (Hg.): Deutsche Zeitgeschichte von 1945 bis 2000: Gesellschaft – Staat – Politik. Ein Handbuch, Berlin 2006, S. 475-540

Ders.: Wissenschaftspolitik und Wissenschaftsverständnis in der DDR. Facetten der fünfziger Jahre, in: Burrichter, Clemens/Diesener, Gerald (Hg.): Auf dem Weg zur „Produktivkraft Wissenschaft" (Beiträge zur DDR-Wissenschaftsgeschichte Reihe B / Band 1), Berlin 2002, S. 107-139

Lemke, Michael: Der 17. Juni in der DDR-Geschichte. Folgen und Spätfolgen, in: Aus Politik und Zeitgeschichte B 23/2003, Bonn 2003, S. 11-18

Lemke, Frank: Wo einst die Libellen schlüpften. Aufstieg und Fall des DDR-Flugzeugbaus, Teil 7, in: Fliegerrevue Heft 4/92, S. 14-19

Lemke, Frank-Dieter/Höntsch, Johannes: Entwürfe und Entwicklungen von Segelflugzeugen, in: Michels/Werner (Hg.): Luftfahrt Ost, S. 140-146

Lorenz, Holger: Der Passagier-Jet „152". Walter Ulbrichts Traum vom „Überflügeln" des Westens. Die Geschichte des ersten deutschen Passagierflugzeuges mit Strahlantrieb, Marienberg 2003

Ders.: Kennzeichen „Junkers". Ingenieure zwischen Faust-Anspruch und Gretchen-Frage, Marienberg 2004

Loest, Erich: Der Vierte Zensor. Vom Entstehen und Sterben eines Romans in der DDR, Köln 1984

Macrakis, Kristie: Das Ringen um den wissenschaftlich-technischen Höchststand: Spionage und Technologietransfer in der DDR, in: Hoffmann, Dieter/Macrakis, Kristie (Hg.): Naturwissenschaft und Technik in der DDR, Berlin 1997, S. 59-88

Maddrell, Paul: Spying on Science. Western Intelligence in Divided Germany 1945-1961, Oxford 2006

Mählert, Ulrich: Kleine Geschichte der DDR, München 1998

Malycha, Andreas: Das Verhältnis zwischen Wissenschaft und Politik in der SBZ/DDR von 1945 bis 1961, in: APuZ, B 30-31/2001, S. 14-21

Ders.: Frost nach dem Tauwetter. Wissenschaft und Politik in der DDR in den fünfziger Jahren, in: DA, Heft 2, 2002, S. 237-252

Ders. (Hg.): Geplante Wissenschaft. Eine Quellenedition zur DDR-Wissenschaftsgeschichte 1945-1961 (Beiträge zur DDR-Wissenschaftsgeschichte Reihe A / Band 1), Berlin 2003

Ders.: Wissenschaft und Politik in der DDR 1945 bis 1990. Ansätze zu einer Gesamtsicht, in: Burrichter, Clemens/Diesener, Gerald (Hg.): Reformzeiten der Wissenschaft (Beiträge zur DDR-Wissenschaftsgeschichte Reihe B / Band 2), Berlin 2005, S. 181-205

Mewes, Klaus-Hermann: Pirna 014. Flugtriebwerke der DDR. Entwicklung, Erprobung und Bau von Strahltriebwerken und Propellerturbinen, Oberhaching 1997

Michels, Jürgen/Werner, Jochen (Hg.): Luftfahrt Ost 1945-1990, Bonn 1994 (= Die deutsche Luftfahrt Band 22)

Michels, Jürgen: Peenemünde und seine Erben in Ost und West. Entwicklung und Weg deutscher Geheimwaffen, Bonn 1997

Mocek, Reinhard: Wissenschaftspolitik in der DDR, in: Burrichter, Clemens/Nakath, Detlef/Stephan, Gerd-Rüdiger (Hg.): Deutsche Zeitgeschichte von 1945 bis 2000: Gesellschaft – Staat – Politik. Ein Handbuch, Berlin 2006, S. 947-982

Mößlang, Markus: Auf der Suche nach der „akademischen Heimat": Flüchtlingsprofessoren in Westdeutschland, in: Jessen, Ralph/ John, Jürgen (Hg.): Jahrbuch für Universitätsgeschichte Band 8 (2005): Wissenschaft und Universitäten im geteilten Deutschland der 1960er Jahre, Stuttgart 2005, S. 143-155

Mühlfriedel, Wolfgang/Wießner, Klaus: Die Geschichte der Industrie der DDR bis 1965, Berlin (Ost) 1989

Müller-Enbergs,H./Wiehlgohs, J./Hoffmann, D. (Hg.): Wer war wer in der DDR? Ein biografisches Lexikon, Berlin 2000

Noack, Gert: Bildungs- und Schulpolitik, in: Herbst, Andreas/Stephan, Gerd-Rüdiger/Winkler, Jürgen (Hg.): Die SED. Geschichte, Organisation, Politik. Ein Handbuch, Berlin1997, S. 420-433

Nikitin, Pjotr I.: Zwischen Dogma und gesundem Menschenverstand. Wie ich die Universitäten der deutschen Besatzungszone „sowjetisierte", Berlin 1997

Parak, Michael: Hochschule und Wissenschaft in zwei deutschen Diktaturen. Elitenaustausch an sächsischen Hochschulen 1933-1952 (= Geschichte und Politik in Sachsen 23). Köln 2004

Pieck, Wilhelm: Reden und Aufsätze. Auswahl aus den Jahren 1908-1950, Band II, Berlin 1954

Prem, Horst: The Aircraft Development in East Germany, in: Hirschel, Ernst H./Prem, Horst/Madelung, Gero: Aeronautical Research in Germany: From Lilienthal until Today, Berlin/Heidelberg/New York et al. 2004, S. 357-361

Prokop, Siegfried: Probleme der 3. Hochschulreform in der DDR. Unter besonderer Berücksichtigung der Einflüsse der Hochschulmodernisierung im Westen, in: Burrichter, Clemens/Diesener, Gerald (Hg.): Reformzeiten der Wissenschaft (Beiträge zur DDR-Wissenschaftsgeschichte Reihe B/Band 2), Berlin 2005, S. 17-42

Prott, Stefan/Budraß, Lutz: Demontage und Konversion. Zur Einbindung rüstungsindustrieller Kapazitäten in technologiepolitische Strategien im Deutschland der Nachkriegszeit, in: Bähr, Johannes/Petzina, Dietmar (Hg.): Innovationsverhalten und Entscheidungsstrukturen. Vergleichende Entwicklungen im geteilten Deutschland, Berlin 1996, S. 303-340

Richert, E.: Sozialistische Universität. Die Hochschulpolitik der SED, Berlin (Ost) 1967

Roesler, Jörg: Momente deutsch-deutscher Wirtschafts- und Sozialgeschichte 1945 bis 1990. Eine Analyse auf gleicher Augenhöhe, Leipzig 2006

Rytlewski, Ralf: Hochschulen und Studenten in der DDR, in: DA, 7/1972, S. 734-742

Schmidt, G.: Hochschulen in der DDR, Köln/Wien 1982 (Deutsches Institut für Internationale Pädagogische Forschung; Studien und Dokumentationen zur vergleichenden Bildungsforschung, Band 15/4)

135

Schneider, Michael C.: Bildung für neue Eliten. Die Gründung der Arbeiter – und – Bauern – Fakultäten in der SBZ/DDR, (Hannah-Arendt-Institut für Totalitarismusforschung, Berichte und Studien Nr. 13), Dresden 1998

Schwertner, Edwin/Kempke, Arwed: Zur Wissenschafts- und Hochschulpolitik der SED (1945/46-1966), Berlin (Ost) 1967

Send, Wolfgang: Aerodynamik des Tierflugs, in: MNU 47/3, 131, 1994

Ders.: Der Mechanismus des Schwingenflugs, in: Didaktik der Physik (Vorträge DPG JT 1996), Jena 1996

Ders.: Physik des Fliegens, in: Physikalische Blätter, Heft 6, 2001, S. 51-58

Siegmund-Schulze, Reinhard: Der Schatten des Nationalsozialismus: Nachwirkungen auf die DDR-Wissenschaft, in: Hoffmann, Dieter/Mackrakis, Kristie (Hg.): Naturwissenschaft und Technik in der DDR, Berlin 1997, S. 105-124

Sobolew, Dimitri Alexejewitsch: Deutsche Spuren in der sowjetischen Luftfahrtgeschichte. Die Teilnahme deutscher Firmen und Fachleute an der Luftfahrtentwicklung in der UdSSR, Hamburg/Berlin/Bonn 2000

Solga, Heike: Auf dem Weg in eine klassenlose Gesellschaft? Klassenlagen und Mobilität zwischen Generationen in der DDR, Berlin 1995

Steiner, André: The Return of German „Specialists" from the Soviet Union to the German Democratic Republik: Integration and Impact, in: Judt, Matthias/Ciesla, Burghard (Eds.): Technology Transfer out of Germany after 1945, Amsterdam 1996, S. 119-130

Ders.:: Das DDR-Wirtschaftssystem, in: Bundeszentrale für politische Bildung (Hg.): Kommunismus – Utopie und Wirklichkeit, Berlin 2001, S. 54-62

Ders.: Anschluss an den „Welthöchsstand"? Versuche des Aufbrechens der Innovationsblockaden im DDR-Wirtschaftssystem, in: Abele, Johannes/Barkleit, Gerhard/Hänseroth, Thomas (Hg.): Innovationskulturen und Fortschrittserwartungen im geteilten Deutschland, (Schriften des Hannah-Arendt-Instituts für Totalitarismusforschung Band 19) Köln/Weimar/Wien 2001, S. 71-88

Ders. Von Plan zu Plan. Eine Wirtschaftsgeschichte der DDR, München 2004

Ders.: Zwischen Wirtschaftswundern, Rezession und Stagnation. Deutsch-deutsche Wirtschaftsgeschichte 1945 bis 1989, in: Kleßmann, Christoph/Lautzas, Peter (Hg.): Teilung und Integration. Die doppelte deutsche Nachkriegsgeschichte, Bonn 2005, S. 177-191

Ders.: Zeittafel zur DDR-Wirtschaftsgeschichte, in: Ders. (Hg.): Überholen ohne einzuholen. Die DDR-Wirtschaft als Fußnote der deutschen Geschichte?, Berlin 2006, S. 145-186

Stokes, Raymond G.: Von Trabbis und Acetylen – die Technikentwicklung, in: Steiner, André (Hg.): Überholen ohne einzuholen. Die DDR-Wirtschaft als Fußnote der deutschen Geschichte?, Berlin 2006, S. 105-125

Strauss, Kuno: Windkanäle als Arbeitsmittel für die Flugzeugentwicklung, (Forschungszentrum der Luftfahrtindustrie, Vorträge und Abhandlungen Nr. 7; Vortragsreihe der Kammer der Technik „Einführung in Probleme des Flugzeug- und Triebwerkbaus, Vortrag Nr.11), Dresden 1959

Szöllösi-Janze, Margit/Trischler, Helmuth (Hg.): Großforschung in Deutschland, Frankfurt/M. 1990

Thieme, Frank: Geheimnisvolle Hilfestellung beim Aufbau des Sozialismus? Zur Funktion geheimer Promotionsverfahren in der DDR am Beispiel von Doktorarbeiten über die Sozialstruktur, in: DA, 5/1996, S. 723-740

Thoß, Bruno (Hg.): Volksarmee schaffen – ohne Geschrei! Studien zu den Anfängen einer, verdeckten Aufrüstung' in der SBZ/DDR 1947-1952, (Beiträge zur Militärgeschichte herausgegeben vom Militärgeschichtlichen Forschungsamt, Band 51), München 1994

Trischler, Helmuth: Historische Wurzeln der Großforschung: Die Luftfahrtforschung vor 1945, in: Szöllösi-Janze, Margit/Trischler, Helmuth (Hg.): Großforschung in Deutschland, Frankfurt/M. 1990, S. 23-37

Ders.: Luft- und Raumfahrtforschung in Deutschland 1900-1970. Politische Geschichte einer Wissenschaft (Studien zur Geschichte der deutschen Grossforschungseinrichtungen, Bd. 4), Frankfurt/M., New York 1992

Uhl, Matthias: Stalins V-2. Der Technologietransfer der deutschen Fernlenkwaffentechnik in die UdSSR und der Aufbau der sowjetischen Raketenindustrie 1945 bis 1959, Bonn 2001

Ulbricht, Walter: Die gegenwärtige Lage und die neuen Aufgaben der Sozialistischen Einheitspartei Deutschlands. Referat und Schlusswort auf der II. Parteikonferenz der SED, 9.-12. Juli 1952, Berlin (Ost) 1952, S. 105

Ders.: Für die Entwicklung der Wissenschaft und Technik, in: Protokoll der Verhandlungen des V. Parteitages der Sozialistischen Einheitspartei Deutschlands, 10. Bis 16. Juli 1958 in der Werner – Seelenbinder – Halle zu Berlin, 1. Bis 5. Verhandlungstag, Band I, Berlin (Ost) 1959, S. 86-95

Ders.: Für die Lösung der Grundaufgaben ist die Entwicklung von Wissenschaft und Technik entscheidend, in: Protokoll der Verhandlungen des V. Parteitages der Sozialistischen Einheitspartei Deutschlands 1958, 6. und 7. Verhandlungstag, Band II, Berlin (Ost) 1958, S. 959-963

Voigt, D./Mertens, L. (Hg.): DDR-Wissenschaft im Zwiespalt zwischen Forschung und Staatssicherheit, Berlin 1995 (Schriftenreihe der Gesellschaft für Deutschlandforschung, Band 45)

von Ardenne, Manfred: Die Erinnerungen, München 1990

Wagener, Hans-Jürgen: Zur Innovationsschwäche der DDR-Wirtschaft, in: Bähr, Johannes/Petzina, Dietmar (Hg.): Innovationsverhalten und Entscheidungsstrukturen. Vergleichende Studien zur wirtschaftlichen Entwicklung im geteilten Deutschland 1945-1990, (Schriften zur Wirtschafts- und Sozialgeschichte Band 48), Berlin 2001, S. 21-48

Wagner, Wolfgang: Die ersten Strahlflugzeuge der Welt, Bonn 1989 (= Die deutsche Luftfahrt Band 14)

Weber, Günter: Arbeitsgemeinschaften bauen Leichtflugzeuge, in: Schmidt, H. A. F. (Hg.): Flieger – Jahrbuch 1961, Berlin (Ost) 1961, S. 91-95

Willke, Helmut: Gesellschaftssteuerung, in: Glagow, Manfred (Hg.): Gesellschaftssteuerung zwischen Korporatismus und Subsidiarität, Bielefeld 1984, S. 29-53

Zimmermann, H. et al.: „Intelligenz", in: DDR-Handbuch, Köln 1985, Bd. 1, S. 658

8. Anhang

8.1 Statistische Angaben und Zahlenbeispiele

Als Ausgangspunkt für Recherchen nach statischen Daten kann in vielen Fällen zunächst das Statistische Jahrbuch der DDR (künftig Stat. Jb.) dienen. Besonders sind für diese Untersuchung die Stat. Jb. der Jahre 1954 bis 1962 interessant. Viele Angaben und Zahlen der Jahrbücher sind oftmals widersprüchlich und nicht immer korrekt[1]. Aus diesem Grund werden innerhalb des Anhangs zu dieser Arbeit wichtige, aus den Archiven recherchierten, Werte mit den Angaben des Stat. Jb. verglichen.

Bis zum Jahrgang 1957 des Stat. Jb wurde das Luftfahrtwesen nicht aufgeführt. Wahrscheinlich sind die Studenten dieses Faches im „Maschinenwesen" oder „Verkehrswesen" enthalten. Erklärungen hierüber bleibt das Jahrbuch allerdings schuldig. Auch die Fernstudenten werden dort nicht aufgeführt. Aus diesen Gründen werden an den gegeben Stellen auch die aus dem Stat. Jb entnommenen Werte getrennt von den aus den recherchierten Akten gewonnenen Daten wiedergegeben.

Aus zumeist kaderpolitischen Gründen wurden die Studenten, für die kein Studienplatz in der Fakultät für Leichtbau/Luftfahrtwesen mehr frei war oder die für diesen Studiengang ungeeignet waren, nach Möglichkeit an die Fakultät für Technologie vermittelt oder entsprechend des zweiten Studienwunsches Maschinenwesen, Elektrotechnik, Ingenieur-Ökonomik und Berufspädagogik. Nur im „äußersten Notfall" sollten, aufgrund der heiß begehrten wenigen Studienplätze im Luftfahrtwesen, die Vormerkungen für die nächsten Studienjahre auch wirklich aufgenommen werden[2].

Im Folgenden werden die Zahlen der Studienbewerber, der Neubewerber, der Vormerkung und deren sozialer Herkunft wiedergegeben. Vergleichend zur Population der Luftfahrtstudenten wird die Gesamtzahl Technischer Studierender in den Hochschulen der DDR und der Gesamtzahl der Studenten der TH Dresden gegenübergestellt.

---

[1] Steiner: Plan, S. 266; vgl. ebenso Bundesministerium für Arbeit und Soziales, Statistische Übersichten zur Sozialpolitik in Deutschland seit 1945 (Band SBZ/DDR), Verfasser André Steiner unter Mitarbeit von Matthias Judt und Thomas Reichel, Bonn 2006, S. XIII ff.
[2] Arch TUDD: Fakultät für Luftfahrtwesen: XX/Nr. 11.

8.1.1 Diagramme und Tabellen

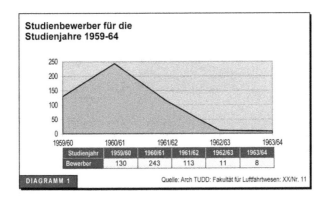

Studienbewerber für die Studienjahre 1959-64

Studienjahr	1959/60	1960/61	1961/62	1962/63	1963/64
Bewerber	130	243	113	11	8

DIAGRAMM 1   Quelle: Arch TUDD: Fakultät für Luftfahrtwesen: XX/Nr. 11

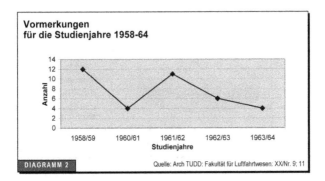

Vormerkungen für die Studienjahre 1958-64

DIAGRAMM 2   Quelle: Arch TUDD: Fakultät für Luftfahrtwesen: XX/Nr. 9; 11

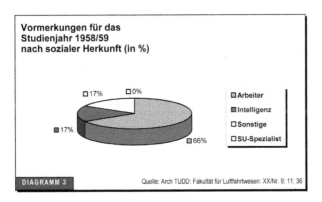

Vormerkungen für das Studienjahr 1958/59 nach sozialer Herkunft (in %)

Arbeiter
Intelligenz
Sonstige
SU-Spezialist

DIAGRAMM 3   Quelle: Arch TUDD: Fakultät für Luftfahrtwesen: XX/Nr. 9; 11; 36

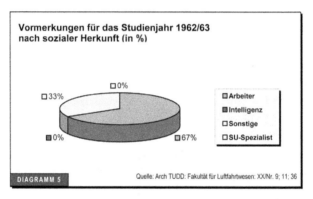

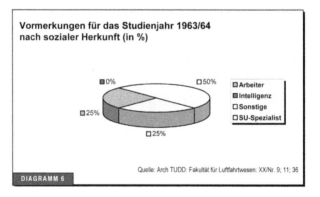

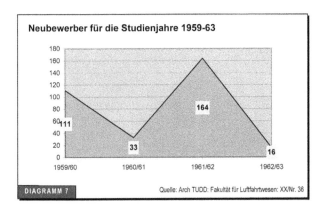

Neubewerber für die Studienjahre 1959-63

DIAGRAMM 7 — Quelle: Arch TUDD: Fakultät für Luftfahrtwesen: XX/Nr. 36

Neubewerber für die Studienjahre nach sozialer Herkunft

Studienjahr	1959/60	1960/61	1961/62	1962/63
Arbeiter	38	9	100	9
ABF	26	-	-	-
Sonstige	4	-	4	-
Angestellter	20	8	33	4
Angestellter (privat)	5	4	6	-
Intelligenz	13	10	17	2
Handwerker/Gewerbe	3	2	5	1
Insgesamt	109	33	165	16

TABELLE I

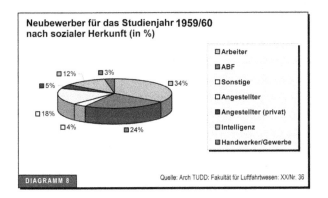

Neubewerber für das Studienjahr 1959/60 nach sozialer Herkunft (in %)

- Arbeiter
- ABF
- Sonstige
- Angestellter
- Angestellter (privat)
- Intelligenz
- Handwerker/Gewerbe

DIAGRAMM 8 — Quelle: Arch TUDD: Fakultät für Luftfahrtwesen: XX/Nr. 36

141

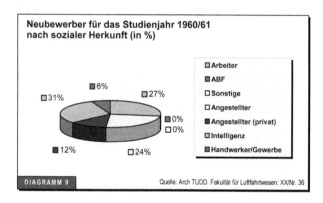

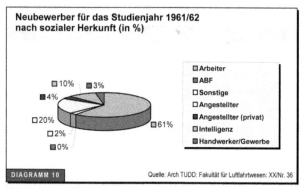

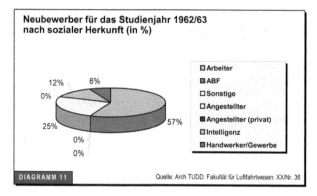

8.2.2 Studierende im Luftfahrtwesen

Im Studienjahr 1959/60 gab es sieben und 1960/61 zwei weibliche Studienbewerber. In den folgenden Studienjahren gab es keine weiteren Studienbewerberinnen mehr. Seit 1959/60 sind keine Vormerkungen mehr für Studienbewerberinnen verzeichnet. Ebenfalls gab es in diesem Studienjahr fünf weibliche Neubewerber für das Luftfahrtstudium von insgesamt 111 Neubewerbern[3], was einer Quote von 4,5 Prozent entspricht. Zum Vergleich: Im Winter-Halbjahr 1938/39 betrug der Anteil weiblicher Studenten im „Luftfahrzeugbau" im gesamten Deutschen Reich nur 0,33 Prozent[4].

Der Anteil der Arbeiterkinder fluktuierte recht stark, blieb aber insgesamt am höchsten. Intelligenz bleibt nach den Kindern von Angestellten die drittgrößte Position. Handwerk und Gewerbe waren verschwindend gering, während die ABF-Absolventen völlig verschwanden. Dieses Bild liegt durchaus im allgemeinen Trend der sozialen Herkunft der Studierenden an Hochschulen in der DDR in den 1950er und 1960er Jahren.

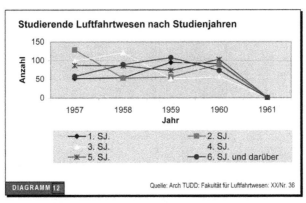

DIAGRAMM 12 Quelle: Arch TUDD: Fakultät für Luftfahrtwesen: XX/Nr. 36

Die obige Darstellung zeigt, dass die Zahl der Studenten aller Studienjahre bis zum Abbruch der Luftfahrtindustrie relativ gleichmäßig verteilt war.

Folgende Tabelle gibt eine vergleichende Übersicht über die Anzahl der Studenten an Technischen Hochschulen insgesamt, den gesamten Studierenden Technischer Wissenschaften, der Gesamtzahl der Studenten an der THD, den Studenten des Luftfahrtwesen an der THD sowie der Gesamtzahl aller Studenten an DDR-Hochschulen. Alle Angaben sind dem Statistischen Jahrbuch der DDR von 1956, S. 120ff. und 1962, S. 117ff. entnommen.

---

[3] Ebd.
[4] Errechnet nach Angaben aus: Statistisches Jahrbuch für das Deutsche Reich 1938, Berlin 1939, S. 618.

Gesamtzahl der Studentenpopulation in der DDR von 1953-61									
Jahr	1953	1954	1955	1956	1957	1958	1959	1960	1961
Technischen Hochschulen (insges.)	10363	13880	15942	18279	19758	20521	20724	22009	22889
Technische Wissenschaften (insges.)	8913	11902	13471	14862	16622	17171	17102	23997	25816
Technische Hochschule Dresden (insges.)	6631	7890	8602	9303	9685	9735	9901	10026	10281
Studierende Luftfahrtwesen (THD)	32	273	390	474	498	494	494	467	3
Studierende an Hochschulen (insges.)	45080	57538	60148	63911	66618	64106	66027	69129	74203
TABELLE II									

Die prozentuale Verteilung sieht folgendermaßen aus:

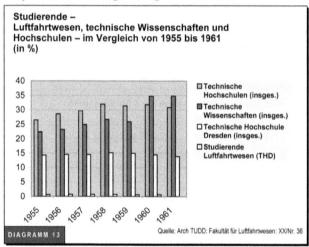

Nun die aus den Archivakten[5] entnommenen Zahlen, verglichen mit den Angaben aus dem Stat. Jb.[6] und den von Heinz Hartlepp[7] recherchierten Werten:

Jahr	1953	1954	1955	1956	1957	1958	1959	1960	1961
Studierende nach den Akten	32	273	390	474	498	494	447	467	3
Studierende nach Stat. Jb.	◊	◊	◊	◊	509	487	493	467	3
Studierende nach Hartlepp	32	273	390	474	498	481	◊	◊	◊
Absolventen nach den Akten			8	14	23	45	91	97	49
Absolventen nach Stat. Jb.	◊	◊	◊	◊	10	53	62	97	76
Absolventen nach Hartlepp	◊	◊	8	14	23	45	◊	◊	◊
Neuzulassungen nach Stat. Jb.	◊	◊	◊	◊	53	62	94	91	0
TABELLE III								◊ = keine Werte angegeben	

[5] Ebd.: XX/Nr.11, 32, 33, 34 und 36.
[6] Statistisches Jahrbuch der DDR, 1956 S. 120ff. und 1962, S. 117ff.
[7] Hartlepp: Luftfahrtausbildung, S. 191.

8.3 Die Dekane der Fakultät, Dissertationen und wissenschaftliche Veröffentlichungen

Seit Bestehen der Fakultät Leichtbau/Luftfahrtwesen an der TH Dresden hatten das Amt des Dekans bekleidet:

Prof. Dr.-Ing. WILLY RICHTER (HS 1954/55 bis HS 1957/58)
Prof. Dr.-Ing. HELMUT CLAUßNITZER (FS 19587/58 bis HS 1959/60)

Das Amt des Prodekans hatten inne:

Prof. Dipl.-Ing. RUDOLF MÜLLER (HS 1954/55 bis HS 1957/58)
Prof. Dr.-Ing. WILLY RICHTER (FS 1957/58 bis HS 1958/59)
Dr.-Ing. WALTER VANDERSEE (FS 1958/59 bis HS 1959/60)[8].

In den Jahren des Bestehens der Fakultät wurden mehrere Dissertationen abgeschlossen, die teilweise schon in Rostock begonnen wurden. Eine Verleihung der Ehrendoktorwürde wurde vorgenommen. Diese wurde 1955 dem ehemaligen DVL- und Junkers-Angestellten Flugversuchsingenieur Robert Thelen verliehen. Einer der besonderen Befürworter dieser Ehrenpromotion war der im Dritten Reich bekannte und bedeutende Prof. Dr. F. Seewald, der zu dieser Zeit an der TH Aachen lehrte. Die Wiedergabe der Dissertationen, die ebenso wie die Wiedergabe der Veröffentlichungen keinen Anspruch auf Vollständigkeit erhebt, erfolgt chronologisch:

1955: ROBERT THELEN: Ehrenpromotion[9]
1956: GÖCKE, H.: „Ein Beitrag zur Berechnung rheolinearer Schwingungen",
   Note: „Gut"
   Dipl.-Ing. Mann: „Vergleichende Untersuchungen auf dem Gebiet der Flugsicherung"[10]
   MASCHECK, H.-J.: „Die Auftriebsverteilung starrer und elastischer Tragflügel" (Institut für Angewandte Aerodynamik), Note: „Sehr Gut"[11]
1957: LEHMANN, W.: „Untersuchung der Rolleigenschaften von Flugzeugen mit besonderer Berücksichtigung des Tandem-Fahrwerks" (Institut für Angewandte Aerodynamik), Note: „Gut"[12]
1959: PÜTZ, G. „Entwicklung eines neuen Bindeverfahrens unter besonderer Berücksichtigung der Konstruktion und Fertigung von Flugzeugzellen", Note: „Sehr Gut"[13]
1960: FREUND, K.: „Untersuchungen am schwingenden Bienenflügel (Die Gebläsewirkung)", Bewertung: „cum laude"[14]

---

8   Arch TUDD: Fakultät für Luftfahrtwesen: XX/Nr. 36.
9   Ebd.: XX/Nr. 39.
10 BArch, Abt. DDR: DF 4/59308 „Jahresbericht 1956 des Instituts für Luftfahrtgeräte".
11 Arch TUDD: Fakultät für Luftfahrtwesen: XX/Nr. 14.
12 Ebd.: XX/Nr. 11.
13 Ebd.: XX/Nr. 15.
14 Ebd.: XX/Nr. 18.

MICHELSSON, G.: „Über einige Verfahren zur messtechnischen Untersuchung von Flugzeugfahrwerken mit dem optischen Landehöhenschreiber", Bewertung: „summa cum laude"[15]

RICHTER, W.: „Über einige bei der interferenz-optischen Strömungstechnik auftretende experimentelle Probleme und deren praktische Lösung – ein Beitrag zur Anwendung und Grenze des Verfahrens", Bewertung: „magna cum laude"[16]

1961: GÜNTHER, W.: „Ein Beitrag zur Klärung des Einflusses statischer Vorbelastungen auf die Ermüdung und zur Klärung des Einflusses der Ermüdung auf die Höhe der vorhandenen statischen Sicherheit", Bewertung: „cum laude"[17]

HILLER, H.: „Einige theoretische und experimentelle Untersuchungen zur Frage der Luftkraftdämpfung bei Schaufelschwingungen", Bewertung: „magna cum laude"[18]

REICH, O.: „Die Biegung der Sandwichbalken", Bewertung: „magna cum laude"

SCHOTT, G.: „Die analytische Lösung der Bewegungsgleichung für symmetrische Ladungen von Bugradflugzeugen", Bewertung: „cum laude"[19].

Natürlich gab es seitens der Fakultätsangehörigen zahlreiche wissenschaftliche Veröffentlichungen, die hier aufgelistet werden. Seit 1959/60 nahm die Zahl der Publikationen rapide ab. Soweit nicht als „Geheim" eingestuft, zählen die Dissertationen ebenso zu den Veröffentlichungen der Fakultät:

CLAUSSNITZER, H.: Ein neuartiges elektrisches Wettermodell. Habilitationsschrift, Dresden 1958

DERS.: Flugzeuggeräte und die elektrische Ausrüstung von Flugzeugen – Ein Überblick (Zentralstelle für Literatur und Lehrmittel des Forschungszentrums der Luftfahrtindustrie), Dresden 1959

CORDES, G.: Einfluss des Überschall-Axialverdichters auf die TL-Entwicklung, in: Berichtsband I: Polytechnische Tagung TH Dresden 1956, Dresden 1956

DERS.: Beitrag zur praktischen Berechnung der kompressiblen Strömung in Axialturbinen unter Berücksichtigung der radialen Veränderlichkeit von Eintrittstemperatur und Reibung, in Technik 12, Heft 4, 1957

DERS.: Das Strahltriebwerk als Flugzeugantrieb, Dresden 1961

[15] Ebd.: XX/Nr. 17.
[16] Ebd.: XX/Nr. 16.
[17] Ebd.: XX/Nr. 14.
[18] Ebd.: XX/Nr. 19.
[19] Ebd.: XX/Nr. 20.

FREYTAG, F.: Entwicklungstendenzen in der Flugzeugfertigung, Dresden 1958

LEHMANN, W.: Untersuchungen der Rolleigenschaften von Flugzeugen mit besonderer Berücksichtigung des Tandemfahrwerks, in: Wissenschaftliche Zeitschrift der TH Dresden 7, Heft 5, 1957/58

MASCHEK, H.-J.: Zur Theorie des Strahlflügels, in: Wissenschaftliche Zeitschrift der TH Dresden 6, Heft 6, 1956/57

MÜLLER, R.: Eine rationale Näherung für $\sqrt{x^2 + y^2}$, in: ZAMM 35, Nr. 11, 1955

PAWLOWITSCH, A.: Über die Thermodynamik der Strahlturbine mit Berücksichtigung der einfachen Nachverbrennng, in: Wissenschaftliche Zeitschrift der TH Dresden 6, Heft 4, Dresden 1956/57

RICHTER, W./DETSCH, F.: Energiespeicherung im Steinsalzlager (Kurzbericht), in: Berichtsband I: Polytechnische Tagung TH Dresden 1956, Dresden 1956

RICHTER, W.: Interferenzgeräte großer Spiegelabmessung für optische Strömungsuntersuchungen, in: Jahrbuch der WGL 1958

RICHTER, W.: Flugmechanik, Leipzig 1959

SCHIMKAT, G.: Probleme der Betriebsfestigkeit von Verkehrsflugzeugen, in: Technik 12, Heft, 1957

SCHMIDT, R.: Das Schwingungsverhalten der Verdichterleitschaufeln von Strahltriebwerken, in: Wissenschaftliche Zeitschrift der TH Dresden 2, Heft 7, Dresden 1955/56

DERS.: Festigkeitsbetrachtungen zur Auslegung der Laufradbeschaufelung von Gasturbinentriebwerken, in: Wissenschaftliche Zeitschrift der TH Dresden 5, Heft 4, Dresden 1955/56

DERS.: Zur Frage der Resonanzvergrößerung der Laufschaufeln von Gasturbinentriebwerken, in: Berichtsband I: Polytechnische Tagung TH Dresden 1956, Dresden 1956

DERS.: Festigkeitsprobleme an Strahltriebwerken. Teil I und II, in: Deutsche Flugtechnik Heft 8 und 9, 1958

DERS.: Schwingungsprobleme an Strahltriebwerken. Teil I und II, in: Deutsche Flugtechnik 1958 Heft 12 und 1959 Heft 1

SCHUBART, G.: Grundlagen der gegenwärtigen und zukünftigen Raketenantriebe, Dresden 1958

STRAUSS, K.: Windkanäle als Arbeitsmittel für die Flugzeugentwicklung, Dresden 1959

VOGEL, A.: Messungen am schlagenden Flügel, in: Wissenschaftliche Zeitschrift der TH Dresden 7, Heft 5, 1957/58

8.4 Forschung und Forschungsarbeit, Studien- und Unterrichtspläne der Institute

Aus Platzgründen konnten im eigentlichen Verlauf dieser Arbeit nicht alle Details zur Luftfahrttechnischen Ausbildung genannt werden. Aus diesem Grunde sollen hier kurz die Forschungs- und Untersuchungsaufgaben sowie die Vorlesungen und Übungen der einzelnen Institute aufgeführt werden.

An Forschungsarbeiten innerhalb der Fakultät sind zu erwähnen:

- Theoretische Untersuchungen über die Luftkräfte an elastischen Tragflügeln, V-Leitwerken und an Profilen mit Strahlausblasung
- Untersuchung des Insektenschwirrfluges mit Hilfe der Zeitlupenkamera
- Untersuchung über die Plattengrenzschicht mit Diffusion und Anwendung auf das Trocknen von Kinofilmen
- Untersuchung von Strahlflügeln im Wasserkanal
- Untersuchung von Schlagflügeln im Wasserkanal
- Entwürfe für Hochgeschwindigkeitskanäle im Kalibergbau
- Entwicklung neuer Leichtflugzeugmuster

An Forschungsthemen:

- Dehnungsmessgeber
- Laplacelösung $v \geq 2$
- Leichtbau-Hebezeuge
- Lastannahmen und Bauvorschriften
- Beanspruchungsmessungen
- Rheolineare Schwingungen
- Ermüdungsversuche mit Flugzeugbauteilen
- Pfeilflügel
- Betriebsfestigkeit von Verkehrsflugzeugen
- Verwendung von Kunststoffen im Zellenbau
- Metallklebetechniken
- Grundlagenforschung bei der Entwicklung von neuen Bauweisen (GFK-Stoffe)
- Studien über Flugsicherungsanlagen
- Funksprechgeräte für Segelflugzeuge
- Strömungsuntersuchungen an Modellen anhand der Mehrkomponentenwaage
- Elektrische Messung der turbulenten Luftströmung im Windkanal
- Kohlensäuresuchgeräte für den Bergbau
- Entwicklung einer Hitzedrahtsonde für Turbulenzmessungen
- Statischer Entlader für Flugzeuge
- Phasendetektor (Messung von Phasendifferenzen)
- DK-Sonde (zur Bestimmung der Dielektrizitätskonstante)
- Reichweitenrechner für Flugzeuge
- Polbahnschieber für Kreiselgeräte
- Tiefstfrequenzgenerator
- Ausbildung der Studierenden und Verbesserung der Lehre
- Großtechnische Erprobungen

8.5 Ausbildungspläne der Fakultät für Luftfahrtwesen an der Universität Rostock[19]

8.5.1 Fachrichtung Aerodynamik

Studien-jahr	Lehrveranstaltung
I	• Russische Sprache und Literatur • Gesellschaftswissenschaften • Höhere Mathematik •Technische Wärmelehre • Elektrotechnik
II	• Russische Sprache und Literatur • Gesellschaftswissenschaften • Höhere Mathematik • Technische Wärmelehre • Elektrotechnik
III	• Russische Sprache und Literatur • Gesellschaftswissenschaften • Strömungslehre • Triebwerke • Messgeräte und Messtechnik • Statik und Festigkeit des Flugzeuges
IV	• Gesellschaftswissenschaften • Luftschrauben • Überschallströmung • Schwingungslehre • Wasserflugzeugbau

8.5.2 Fachrichtung Triebwerksbau

Studien-jahr	Lehrveranstaltung
I	• Russische Sprache und Literatur • Gesellschaftswissenschaften • Höhere Mathematik • Technische Mechanik • Werkstoffkunde
II	• Russische Sprache und Literatur • Gesellschaftswissenschaften • Höhere Mathematik • Technische Wärmelehre • Elektrotechnik
III	• Russische Sprache und Literatur • Gesellschaftswissenschaften • Getriebelehre • Schwingungslehre • Festigkeit • Schweißtechnik • Strömungslehre
IV	• Gesellschaftswissenschaften • Regelungstechnik • Messgeräte und Messtechnik • Luftschrauben • Betriebswirtschaft • Thermodynamik II

8.5.3 Fachrichtung Gerätebau

Studien-jahr	Lehrveranstaltung
I	• Russische Sprache und Literatur • Gesellschaftswissenschaften • Höhere Mathematik •Technische Mechanik • Werkstoffkunde
II	• Russische Sprache und Literatur • Gesellschaftswissenschaften • Höhere Mathematik • Wärmelehre • Elektrotechnik
III	• Russische Sprache und Literatur • Gesellschaftswissenschaften • Hochfrequenztechnik • Schwachstromtechnik • Schwingungslehre • Messgeräte
IV	• Gesellschaftswissenschaften • Triebwerke • Feinmechanische Fertigung • Kinematik • Betriebswirtschaft

Abschlussprüfungen erfolgten in den Fächern:

Aerodynamik: In Strömungslehre und in zwei der folgenden Fächer: Grundlagen der Meteorologie, Flugmedizin, Navigation, Luftbildwesen, Luftrecht und Betriebswirtschaft.

Triebwerksbau: Der Abschluss erfolgte nach Wahl in zwei der folgenden Fächer: Flugmotoren, Strahltriebwerke, Turbomaschinen sowie Treib- und Schmierstoffe.

Gerätebau: Abschlussprüfungen wurden hierbei abgelegt in den Fächern Messgeräte und Messtechnik, im Flugfunkwesen und in zwei der folgenden Fächer: Grundlagen der Meteorologie, Navigation oder Luftbildwesen.

---

[19] Arch UR: Technische Fakultät für Luftfahrt 2 „Auflösung der Fakultät (1953)".

8.6 Die Ausbildungspläne der Institute für

- Angewandte Aerodynamik
- Flugzeugfestigkeit
- Flugzeugkonstruktion

8.6.1 Institut für Angewandte Aerodynamik

Lehrveranstaltung	Wochenstd. V	Wochenstd. Ü	Teilnehmer
Flugmechanik I und II	4	2	91
Sem. zur FM I und II		2	8
Flugmechanik II	2	1	6
Stabilität u. Steuerbarkeit	3	2	42
Auslegung u. aerodynamische Gestaltung von Verkehrsflugzeugen	2	1	8
Entwerfen von Hubschraubern	3		75
Theorie der Raketenbewegung	4		20
Profilsystematik	1		40
Profiltheorie	2	1	8
Tragflügeltheorie	3	1	16
Strömungstechnisches Messwesen	1	1	40
Strömungstechnik	3		6
Grenzschichtfragen	1		8
Aerodynamische Versuchsanlagen		2	30
Übungen am Flugzeug		8	37
Seminar über Flugzeugführung		5	5
Flugmesswesen	3	1	5
Grundlagen der Flugerprobung	2	2	5
Flugwetterkunde	2	1	5
Flugmedizin	2		5
Seminar zur selbst. wiss. Arbeit		2	8
Flugzeugmechanik	1		5
Geschichte der Luftfahrt	2		55
Gesamt	41	32	
Insgesamt	75 Stunden		

TABELLE IV   V = Vorlesung · Ü = Übung

8.6.2 Institut für Flugzeugfestigkeit

Lehrveranstaltung	HS V	HS Ü	VS V	VS Ü	Teilnehmer
Flugzeugstatik I	2	2			30
Flugzeugstatik II			2	1	6
Elastizitätstheorie	2	2			6
Flugzeugfestigkeit I			2	2	30
Flugzeugfestigkeit II	2	2			30
Flugzeugfestigkeit III			3	1	6
Angewandte FF	1	1	2		30
Flugzeugflattern			2	1	35
Betriebsfestigkeit	1	1			6
Festigkeitslabor I		2			30
Festigkeitslabor II				2	30
Spannungsoptik		1			6
Anwendung der Spannungsoptik			1		6
Verkehrtechnische Grundlagen von Großflugzeugen (fakultativ)	2				25

FS = Frühjahrssemester · HS = Herbstsemester

TABELLE V

8.6.3 Institut für Flugzeugkonstruktion

Lehrveranstaltung	Wochenstundenzahl V	Wochenstundenzahl Ü	Teilnehmer
Elemente des Flugzeugbaus I-II	4	2	53
Elemente des Flugzeugbaus III-IV	4	8	53
Leichtflugzeugbau I	2		53
Leichtflugzeugbau II	4	5	45
Entwerfen von Leichtflugzeugen I-II	4	4	53
Metallflugzeugbau I-II	4	2	45
Entwerfen von Großflugzeugen	2		33
Großer Beleg		6	20
Diplomarbeit			20

TABELLE VI   V = Vorlesung · Ü = Übung

8.6 Die Ausbildungspläne der Institute für

- Luftfahrtgeräte
- Strahltriebwerke
- Flugzeugfertigung

8.6.5 Institut für Strahltriebwerke

Lehrveranstaltung	Wochenstunden V	Wochenstunden Ü	Teilnehmer
Einführung in die Strahltriebwerke	2		53
Thermodynamik der Strahltriebwerke I	3		17
Thermodynamik der Strahltriebwerke II	2	1	17
Festigkeit der Strahltriebwerke I	2	1	17
Festigkeit der Strahltriebwerke II	2	1	17
Strömungstechnik der Strahltriebwerke I	2	1	17
Strömungstechnik der Strahltriebwerke II	2	1	17
Konstruktion der Strahltriebwerke I	2	1	17
Konstruktion der Strahltriebwerke II		2	17
Regelung der Strahltriebwerke	2		17
Grundlagen der Raketenantriebe	2		17
Kolbenflugmotoren	3		17
Triebwerkslabor I		2	14
Triebwerkslabor II		2	17
Großer Beleg		6	17

TABELLE VIII   V = Vorlesung · Ü = Übung

8.6.4 Institut für Luftfahrtgeräte

Lehrveranstaltung	Wochenstunden V	Wochenstunden Ü	Teilnehmer
Elektrische Flugzeugausrüstung	2	1	10
Elektrische Maschinen im Flugzeug	2	2	10
Versuche an elektrischen Maschinen		2	10
Elektrische Antriebe im Flugzeug	2		10
Bauelemente der Flugzeuggeräte I, II	4	3	10
Elektrische Messwerke der Flugzeuggeräte	2	1	16
Einführung in die Luftfahrtgeräte	4		60
Flugzeuggeräte I-IV	8	6	10
Hydraulische und pneumatische Geräte	2		10
Elemente der Flugzeugrechengeräte	2	2	10
Automatik im Flugzeug I, II	3	3	10
Flugregelung	2	1	10
Höhenausrüstung	2	1	10
Sicherheits- und Rettungsgeräte	2		30
Schwachstromgeräte in der Luftfahrt	4	9	6
Hochfrequenzgeräte in der Luftfahrt	4	6	6
Einführung in die Flugsicherung	1		10
Flugsicherung und Navigation	4		8
Drahtlose Übertragung von Messwerten	1		6
Ausgewählte Probleme der Funkmesstechnik	1		6
Gesamt	52	37	
Ab 1960 geplante Vorlesungen:			
Spezielle Probleme bei Flugzeugkreiselgeräten	2	1	
Flugzeugsondergeräte	2		
Entwurfsprobleme bei Flugzeuggeräten	2		

TABELLE VII   V = Vorlesung · Ü = Übung

8.6.6 Institut für Flugzeugfertigung[20]

Lehrveranstaltung	Wochenstunden V	Wochenstunden Ü	Teilnehmer
Mechanische Technologie I-II	4	2	60
Grundlagen d. Flugzeugfertigung I-III	6		40
Verbindungstechnik I	1	1	40
Verbindungstechnik II	1	1	40
Korrosion und Oberflächenschutz	1		20
Fertigung der Strahltriebwerke I-II	3	2	40
Versuchsfeld Fertigung der Strahltriebwerke		3	20
Vorrichtungen und Fördermittel im Flugzeugbau	2	2	20
Mess- und Prüftechnik I-II	4	2	20
Fertigung der Zellen	4	4	40
Versuchsfeld Fertigung im Flugzeugbau		3	20

TABELLE IX   V = Vorlesung · Ü = Übung

---

[20] Alle Lehrpläne aus ebd.: XX/Nr. 11.

ibidem-Verlag
Melchiorstr. 15
D-70439 Stuttgart

info@ibidem-verlag.de

www.ibidem-verlag.de
www.edition-noema.de
www.autorenbetreuung.de